Et cependant la vie était belle

HEINZ G. KONSALIK

Konsalik

Et cependant la vie était belle

traduit de l'allemand par Christiane POULAIN

Éditions J'ai lu

Ce roman a paru sous le titre original :

UND DENNOCH WAR DAS LEBEN SCHÖN

1

On aurait eu fort mauvaise grâce à dire que Leo Kochlowsky était aimé de ses semblables. Mais le fait l'indifférait. Certains, plus proches de lui – si on peut le formuler ainsi, car Kochlowsky n'avait pas d'amis; quel ami, fût-il le meilleur, aurait supporté d'être continuellement traité de maraud ou d'imbécile ? –, certains, donc, allaient même jusqu'à affirmer qu'il éprouvait un certain plaisir à se heurter à son entourage.

Qui est familier du petit village saxon de Wurzen, sis au bord de la voie ferrée qui relie Leipzig à Dresde, sait que tout le monde y connaît pratiquement tout le monde; et cela était encore plus vrai en cette année 1889, où il était d'usage de se saluer avec déférence dans la rue. Il va sans dire qu'un homme comme Kochlowsky se fit d'emblée remarquer dans pareille bourgade, d'abord par son air imposant et son élégance, quand pour la première fois, le 5 mai 1889, il descendit d'un compartiment de deuxième classe, vêtu d'une redingote sur mesure et chaussé de bottines vernies, arborant une superbe barbe noire taillée de main de maître, les cheveux séparés par une raie impeccable, tenant dans sa dextre une canne d'ébène au pommeau d'ivoire, et qu'il passa en revue les trois fiacres qui attendaient les clients devant la gare.

Kochlowsky opta pour le troisième – le dernier de la file – et se dirigea vers la portière ouverte. Le cocher, un homme d'âge à la moustache chenue, secoua la tête et indiqua du pouce le véhicule de tête.

– Que signifie ? gronda Kochlowsky d'une voix dont la douceur était une menace.

– C'est le tour de mon collègue, mon bon monsieur.

Du calme ! se sermonna Kochlowsky. Du calme, Leo ! Tu es à Wurzen, en Saxe, et non à Pless, en Haute-Silésie. Tu n'es plus le tout-puissant régisseur du domaine III du prince de Pless, mais le futur directeur adjoint de la briqueterie du comte Douglas. Tu es là pour te présenter, pour voir ton nouveau lieu de travail et inspecter la maison où, avec ta tendre épouse Sophie et tes futurs enfants, tu souhaites vivre en paix.

Une page de sa vie se tournait. Après les fougueuses années de Pless, où les travailleuses agricoles polonaises et, plus enragées encore, les belles dames de la cour du prince s'en venaient, à la faveur de l'obscurité, rôder vers sa maison tels des chats attirés par la valériane, Leo allait fonder une famille à Wurzen… bien loin de ces lieux où des femmes déçues menaçaient de lui arracher les yeux. Les maris, eux, respiraient : Kochlowsky quittait Pless, ils n'avaient plus à tenir leurs épouses en laisse. Le redouté régisseur, que l'on appelait « le général en chef » parce qu'il sillonnait champs et forêts sur son cheval tel un commandant d'armée, disparaîtrait à jamais dans la Saxe lointaine une fois qu'il aurait épousé l'angélique cuisinière Sophie Rinne, « la petite nièce », comme la surnommait mystérieusement la princesse de Pless. La pauvrette ! Chacun l'avait mise en garde contre ce mariage, mais elle aimait ce rustre de Kochlowsky. C'était à n'y rien comprendre. Comme, de plus, elle était enceinte – avant le mariage, fait inouï ! –, beaucoup, à Pless, étaient prêts à fendre le crâne de Leo Kochlowsky. Dans ces conditions, le régisseur avait été bien avisé de renouer d'anciennes relations avec le comte Douglas et de briguer un emploi sur ses terres. Par chance, il fallait un directeur adjoint aux briqueteries. Et c'était ainsi que Leo était venu à Wurzen et qu'il se tenait à présent devant la gare, où un cocher refusait de le véhiculer ! À Pless, le rebelle eût depuis longtemps fait acte de soumission sous les hurlements de Kochlowsky... Allons donc, il ne se serait même pas permis ne fût-ce qu'un murmure !

– *Vous* allez me conduire ! dit Leo d'un ton dur.

Il s'avança vers la portière ouverte. Le cocher secoua de nouveau la tête. C'était un homme courtois et un bon camarade. Quand la pratique est rare, c'est chacun son tour. Pourquoi les autres devraient-ils manger leur pain sec ?

– Le premier fiacre est libre, mon bon monsieur.

– Je ne veux pas d'une rosse qui lâche un pet à chaque pas ! rétorqua Leo, suffisamment fort pour que ses paroles retentissent sur la place.

Sa voix grave, vibrante, était célèbre à Pless; à Wurzen, il fallait d'abord s'y habituer.

Le cocher du premier fiacre tressaillit, enfonça davantage son gibus sur son crâne et s'approcha à pas lents. Le deuxième cocher se joignit à lui. La solidarité des prolétaires n'était plus lettre morte.

Kochlowsky redressa le menton, sa barbe se hérissa légèrement. Il posa à ses pieds son sac de voyage en cuir et pianota des doigts contre sa cuisse. Si j'avais un bon fouet de cuir polonais ! pensa-t-il. Toujours ces mêmes résistances ! Je désire le troisième fiacre avec son cheval blanc vigoureux et bien nourri, mais on veut m'obliger à monter dans le premier. Obliger Leo Kochlowsky à faire quelque chose, et en Saxe, par-dessus le marché ! Il faut mater cette engeance, dès le départ.

– Qu'avez-vous dit, monsieur ? demanda poliment le premier cocher.

– Que je souhaitais prendre le cheval blanc.

Leo se décida à passer à l'action. Il se baissa avec promptitude, jeta son sac sur la banquette et grimpa dans le fiacre. Les trois cochers le fixèrent du regard, comme s'ils venaient de voir un acrobate accomplir un saut périlleux.

– Vous avez insulté mon cheval, dit le premier cocher d'un ton encore poli. Cela fait vingt ans qu'il remplit sa tâche. Qu'y entendez-vous en chevaux, monsieur ?

Kochlowsky réussit à se maîtriser. À quoi bon leur parler du haras du prince de Pless ? pensa-t-il. J'ai monté les meilleurs chevaux, les plus vigoureux; dans mon antichambre, mes bottes de cavalier reluisaient comme celles des soldats. Lors de festivités telles que le jour anniversaire de l'empereur ou de la fondation de l'Empire, je mettais une selle garnie d'argent sur une chabraque blanche... Que savez-vous, minus, du passé de Leo Kochlowsky ?

– On y va ? dit-il simplement.

– Non ! (Le troisième cocher pointa son long fouet vers l'avant.) Chez nous, l'ordre règne...

Le propos, s'il fut dit sans malice, n'en toucha pas moins Leo en plein cœur. Il prit une longue inspiration. S'il abominait quelque chose dans la vie, c'était bien le désordre. Sur le domaine III de Pless, chacun savait que le bureau de M. l'intendant s'ordonnait selon les règles de l'architectonique : chaque objet avait sa place immuable. Les sept crayons, dans le pot de verre, étaient taillés, l'encrier rempli et astiqué, les trois porte-plume reposaient dans des étuis d'ivoire, les plumes si bien nettoyées chaque matin qu'elles en paraissaient neuve. Et voilà soudain qu'à Wurzen, en Saxe, un cocher parlait d'ordre à Kochlowsky ! De quoi avoir une attaque...

– Pour mon bel argent, je puis exiger le cheval que je veux ! gronda Leo.

– Monsieur n'a-t-il pas dit tantôt que mon cheval allait péter ? remarqua le cocher qui prit appui sur son fouet.

– En effet.

– Retirez vos paroles...

– Et pourquoi ? (Leo se redressa sur son siège. Ses yeux sombres lançaient des éclairs.) Nous sommes bien à Wurzen ? (Sa voix s'enflait, menaçante, elle résonnait à présent sur toute la place. Quelques voyageurs, près d'entrer dans le bâtiment, se retournèrent, effrayés.) À Wurzen, où les pets des chevaux résonnent ! Enfoncez-vous ça dans la tête, valetaille !

Les cochers, il faut le savoir, constituent une espèce à part. Et un cocher de Wurzen, attaqué de la sorte par un étranger, ne le cède en rien à ses confrères des villes. Avant même que Leo Kochlowsky n'eût le temps de comprendre, l'offensé se racla la gorge et cracha à ses pieds. Puis, sans un mot, il tourna les talons et regagna son fiacre.

Le cocher du fiacre où avait pris place Leo s'assit sur le marchepied et ne fit aucun préparatif de départ. Kochlowsky demeura sur son siège avec un égal entêtement, fixant les alentours d'un regard sombre. Il écumait de rage. Ils vont voir de quel bois je me chauffe ! pensa-t-il, vindicatif. Attendez donc que je sois à la briqueterie ! Sacrebleu, que se serait-il passé, à Pless, si un cocher avait craché devant moi ? Inimaginable !

Ils attendirent en silence plus d'une heure, jusqu'à l'arrivée du train suivant. Enfin, lorsque les deux premiers fiacres se furent ébranlés, le cocher du troisième daigna grimper sur son siège et se tourna vers Kochlowsky.

– Bonjour, monsieur ! le salua-t-il, comme s'il le voyait pour la première fois. Où souhaitez-vous aller ?

– Chez le comte Douglas ! aboya Kochlowsky, suffoquant de colère.

Le cocher rentra la tête dans ses épaules, renifla et fixa son passager.

– Chez… chez le comte ?

– Et en plus il est dur d'oreille ! s'écria Kochlowsky.

– Vous… vous êtes un invité de M. le comte ?

Un hurlement fusa :

– Un ami !

Même si l'assertion était mensongère, l'effet qu'elle produisit sur le brave cocher emplit Kochlowsky de joie : l'homme adopta incontinent un maintien tout de raideur militaire.

– Partirons-nous enfin, larbin ? Vous aurez à rendre raison au comte de notre arrivée si tardive.

L'exagération, en vérité, était de taille; Kochlowsky n'avait pas de rendez-vous précis et le comte Douglas se soucierait comme d'une guigne que son directeur adjoint eût cherché querelle à un cocher, mais le bonhomme le prit pour argent comptant. Il leva son gibus, le pressa contre sa poitrine et balbutia, effrayé :

– Je vous demande pardon, monsieur. Je ne pouvais pas savoir que…

– Si vous saviez quoi que ce fût, vous ne seriez pas cocher ! lança Kochlowsky de cette voix sourde que les ouvriers de Pless redoutaient plus que les éclairs et la grêle. Faites enfin avancer votre carriole !

Tout homme, fût-il mendiant, a sa fierté. Au mot « carriole », le cocher tressaillit douloureusement, enfonça son gibus sur sa tête chenue et fit claquer son fouet. Le cheval fit une embardée, Kochlowsky partit en arrière sur le siège et se frotta le coude.

– Les cochers d'ici ne savent même pas conduire ! cria-t-il. Sapristi ! Où suis-je tombé ?

Puis il s'abîma dans une méditation silencieuse et regarda d'un œil morose les rues et les gens qu'ils croisaient; la comparaison avec son Pless bien-aimé lui fit trouver Wurzen abominable. C'est pour toi seule, mon trésor, pensa-t-il pour se réconforter. C'est pour toi seule, et pour l'enfant que tu portes, que je quitte Pless, ce domaine magnifique, mes chevaux de monte, mon dog-cart, mon petit royaume, où nul ne se mêlait de mes affaires, pas même le prince. Pour toi, j'ai abandonné tout cela... et aussi les jolies Polonaises, qui considéraient comme un honneur de retrouver M. l'intendant dans la grange, la remise, dans le bois ou les champs de blé ondulants. Eh oui, c'est surtout à cause de ces jeunes Polonaises que je renonce à Pless. Je veux être un bon époux, mon trésor, un père modèle pour mes enfants, un nouveau Kochlowsky doit naître à Wurzen... Qui a épousé un ange est délivré de l'emprise de Satan ! Ô Sophie, ma petite femme, si tu pouvais me voir en ce moment, paisiblement assis dans ce fiacre crotté et me laissant offenser par un rustaud de cocher ! Je suis la placidité incarnée, bien qu'il mérite que je lui botte les fesses. Moi, devenir un autre homme, tu t'imagines ?

— Larbin, gronda-t-il à l'adresse du cocher, ton canasson est bon pour l'abattoir !

Le cocher courba le dos. « Larbin », « canasson »... Que ne devait-on encaisser et demeurer cependant poli !

— Ferdinand n'a que sept ans, dit-il.

— Étonnant... il titube comme une vieille rosse !

Le trajet jusqu'à la demeure du comte Douglas dura plus d'une heure. Ils cheminèrent par des forêts clairsemées et des champs de betteraves à sucre, dépassèrent un joli village, puis longèrent la carrière où l'on extrayait l'argile destinée à la briqueterie. On la transportait dans de grandes carrioles plates recouvertes de tôle. De vigoureux percherons tiraient en haletant les lourdes charges jusqu'à la briqueterie, dont on n'apercevait, dans le lointain blanc de soleil, que les deux hautes cheminées; les bâtiments étaient dissimulés par une molle ondulation de terrain. Un beau paysage. Riant, paisible, vaste, riche; une terre généreuse, cultivée par des hommes industrieux.

– Halte ! fit Kochlowsky d'une voix forte.

Sa première parole depuis une heure.

Le cocher cria « Ho ! » et immobilisa le cheval. Qu'y a-t-il ? se demanda-t-il, empli d'appréhension. Quel nouveau coup mijote-t-il encore ? Mais c'est un monsieur, un ami du comte, un pauvre bougre comme moi doit tout supporter sans broncher.

Kochlowsky regarda les deux hautes cheminées : une fumée blanche s'en élevait en volutes dans le ciel bleu pâle. Les lourdes carrioles attelées aux percherons martelaient la chaussée. Ma nouvelle vie, songea-t-il. Moi, qui fus le maître d'un immense domaine comprenant trois villages, me voici descendu au rang d'intendant d'argile cuite ! Mais tu vaux le sacrifice, mon trésor ! Au reste, les femmes de Pless ne m'auraient laissé nul répit...

– Tout ceci appartient à M. le comte ! dit le cocher avec fierté.

– Connaissez-vous Pless ? demanda Leo d'un ton lugubre.

– Non, mais j'en ai beaucoup entendu parler. Le prince, dit-on, est l'ami de l'empereur et de Bismarck..

– Pour le prince de Pless, les propriétés du comte Douglas représentent si peu qu'il pourrait les accrocher à sa chaîne de montre.

– Vous connaissez Pless, monsieur ?

– J'en viens ! Allons, en route !

Un monsieur très important, pensa le cocher, de nouveau effrayé. La grossièreté est le privilège des maîtres. Le comte Douglas est vraiment exceptionnel, lui ! Un seigneur délicat, calme, modeste, toujours poli envers tout un chacun, fût-ce le plus insignifiant des valets. Il va même jusqu'à serrer la main aux ouvriers quand il se rend à l'argilière, et quand quelqu'un fête son anniversaire, le comte lui fait envoyer un jambon fumé, un quintal de pommes de terre et une bouteille d'eau-de-vie de sa propre distillerie. Et si l'un de ses domestiques meurt, c'est lui qui paie le cercueil. Avec une grande croix de fer sur le couvercle, comme on le fait depuis 1870. Nous respectons tous le comte Douglas.

Vingt minutes plus tard, ils atteignirent l'allée de peupliers qui menait au château. Lorsque Kochlowsky aperçut la vaste demeure, il lissa sa barbe, vérifia avec précaution l'ordonnance de sa chevelure, brossa sa redingote du plat de la main et enleva une petite tache de ses étincelantes bottines vernies.

Le fiacre fit halte devant le large portail. Le cocher sauta de son siège, ouvrit la portière et ôta son gibus. Kochlowsky descendit du véhicule avec dignité et jeta un coup d'œil sur le domestique qui apparaissait au seuil de la porte d'entrée.

— Attendez-nous ! dit-il au cocher.

— Combien de temps, mon bon monsieur ?

— Combien de temps ! (Kochlowsky prit une profonde inspiration.) Est-ce que je vous demande, par hasard, combien de temps vous restez au petit coin ?

Le cocher ferma les yeux de saisissement et ne pipa mot. Kochlowsky se dirigea vers l'escalier, en monta les degrés, observant le domestique qui le considérait d'un regard plein d'une indifférence impersonnelle. Un paltoquet, pensa Leo, comme il en existe légion à Pless. Il faut le remettre à sa place dès le départ.

— Vous désirez ? demanda le domestique avec la raideur nécessaire.

— Je voudrais parler au comte Douglas.

— Êtes-vous attendu ?

– Le comte sait que je dois venir aujourd'hui, et quand vous m'annoncerez, il me recevra. Leo Kochlowsky, mettez-vous bien ce nom dans la tête ! Quand vous l'entendrez, vous devrez filer comme l'éclair ! Et ne prenez pas cet air stupide ! Ouvrez la porte et laissez-moi entrer.

Le domestique – il s'appelait Emil Luther, ce qui par la suite lui vaudrait bien des misères de la part de Leo – se raidit davantage mais introduisit le grossier visiteur dans le grand hall décoré en baroque tardif; il lui indiqua du geste un groupe de fauteuils et s'éloigna sans un mot.

Kochlowsky dédaigna les sièges; il se mit à arpenter la pièce, mains croisées derrière le dos, et examina les sculptures dans leurs niches ainsi que les gravures sur bois dorées. Il était très content de lui.

Me voici donc à Wurzen, pensait-il. Ils auront tôt fait de comprendre qu'on respecte un Leo Kochlowsky. Wurzen, en Saxe ! Un peu d'esprit prusso-silésien leur fera le plus grand bien.

2

De taille moyenne, avec une légère tendance à l'embonpoint, le comte Douglas était un homme fort spirituel et cultivé, à peine plus âgé que Leo Kochlowsky – il avait quarante et un ans. Il aimait la vie au grand air, ne revêtait son uniforme d'officier que lors des occasions officielles ou lorsque c'était inévitable, appelait le roi de Saxe son ami et, comme lui, détestait la morgue prussienne. Il goûtait la cuisine qui tient au corps, adorait la chasse, fuyait les histoires sentimentales – bien que les femmes de Saxe fussent réputées pour leur beauté –, laissait en paix les filles de ses serviteurs, irradiait la jovialité. Tout le monde le chérissait, et surtout sa bourgade de Wurzen. Il tenait par-dessus tout à jouir au calme d'un verre de vin et de sa pipe d'écume. Sa mise avait un air rustique; qui l'eût rencontré dans la rue sans le connaître l'eût pris pour un artisan, au mieux pour un employé.

Sa « cour » formait avec lui un contraste frappant. Elle avait un maître de cérémonie, d'une distinction telle qu'on était tenté de lui donner de l'Excellence quand on lui adressait la parole; quatre serviteurs qui, comme Emil Luther, se pavanaient, raides comme des piquets; six gouvernantes, qui tenaient la demeure en ordre; deux cuisinières, dont la spécialité était les beignets de pommes de terre servis avec du cuissot de chevreuil mariné, abattu par le comte en personne; et, aux écuries, deux cochers et trois valets; le comble, toutefois, était l'écuyer du comte, un certain baron von Üxdorf, capitaine des hussards en retraite, qui avait dû quitter l'armée pour avoir engrossé, sans l'épouser, la fille du commandant de son régiment. Le baron ne s'était jamais remis de cette ignominie et était venu se terrer chez le comte Douglas à Wurzen. En sa qualité d'écuyer, il portait un uniforme noir de son cru, signe visible de son chagrin éternel. Parfois, le soir, il jouait aux échecs avec le comte. S'il gagnait, il se levait d'un bond, claquait les talons et demandait pardon. Mais il montait comme un cavalier arabe.

Leo Kochlowsky attendit une quinzaine de minutes avant que quelqu'un réapparût. Ce ne fut pas Emil Luther, mais le maître de cérémonie. Ce dernier examina Leo tel un marchand de bestiaux un bœuf sur le marché, puis dit en nasillant :

– Ainsi, vous êtes le nouvel homme de la briqueterie ?

Kochlowsky se retourna, jeta un regard alentour puis haussa les épaules. Ses yeux noirs et perçants étincelaient. À Pless, l'impudent eût déjà mordu la poussière.

– Est-ce à moi que vous vous adressez ? s'enquit-il d'une voix sourde.

– Et à qui d'autre ? Vous êtes bien Kochlowsky ?

À cet instant, la nouvelle vie de Leo dévia de sa route. Kochlowsky gonfla la poitrine, sa barbe noire, longue et soignée, se hérissa, et il retrouva la voix qui tonnait au-dessus des nuques ployées des ouvriers polonais.

– *Monsieur* Kochlowsky ! hurla-t-il. Pour vous, espèce de courtisan aux jambes cagneuses, toujours *monsieur*…

Les deux hommes brisèrent là. Le maître de cérémonie conduisit Leo auprès du comte, mais l'un et l'autre savaient désormais qu'ils étaient des ennemis à vie.

Pour l'heure, Leo était assis en face du comte sur un sofa de damas rouge aux accoudoirs sculptés. Après avoir bu une bonne gorgée de porto – qu'Emil Luther avait servi, en silence mais avec force regards aigus, d'une carafe de cristal taillé –, il tirait vaillamment sur un cigare offert par Douglas. Le comte, pour sa part, fumait sa pipe d'écume.

– Vous voilà, mon cher, dit Douglas, bonhomme, avec une nette intonation saxonne. Comme ça, tout d'un coup, sans autre forme de procès !

– Je me marie le 20 mai, monsieur le comte…

– Je sais, je sais ! La séduisante cuisinière Sophie. Vous avez commencé par engrosser l'innocente petite et il vous faut maintenant l'épouser.

– Je l'aurais épousée sans cela, monsieur le comte.

– Et vous devez quitter Pless. Les autres femmes, sinon, vous arracheraient les yeux. J'ai pris mes renseignements auprès de Pless et de la princesse. Kochlowsky, vous êtes un intendant hors pair – c'est bien pourquoi je vous engage sur-le-champ – mais vous êtes aussi un coureur de jupons doublé d'un goujat, qu'on devrait en permanence mener enchaîné comme un ours. Votre départ de Pless est plutôt une fuite, n'est-ce pas ?

— Je veux commencer avec ma femme une nouvelle vie ici, près de vous, monsieur le comte, expliqua Leo avec plus d'humilité qu'il n'en ressentait. Il s'agit moins d'une fuite que d'un trait tiré sur le passé.

— La princesse de Pless aimerait vous trancher la tête si elle le pouvait ! Vous lui avez pris « la petite nièce » ! J'ignore, certes, les tenants et aboutissants de cette affaire, mais la princesse m'a dit : « Avec Kochlowsky, attendez-vous à en voir de belles ! » Chez moi, il n'en est pas question ! Wurzen n'est pas Pless. Et du jour où vous entrerez à mon service, je me sentirai également responsable de votre jeune épouse. La princesse me l'a fait jurer. Vous m'entendez ?

— J'ai trente-six ans, monsieur le comte. (Leo s'efforçait de juguler son irritation croissante.) Un âge où un homme est capable de prendre seul ses décisions...

— De trente-cinq à quarante-cinq ans, nous autres hommes développons des instincts de rapaces, oui ! Parlons net ! Il y a, sur le domaine d'Amalienburg, six gouvernantes; une vingtaine d'ouvrières à la briqueterie, davantage encore de travailleuses agricoles dans les fermes, sans compter les jeunes épouses de mes employés. Kochlowsky, s'il me revient aux oreilles que vous avez ne serait-ce que frôlé la jupe de l'une d'entre elles, vous pourrez aller au diable ! Et, de grâce, gardez vos grossièretés pour vous !

— Vous... vous n'aurez pas lieu de vous plaindre de moi, monsieur le comte, répliqua Leo, oppressé.

Ô mon trésor, ma petite femme, pensait-il, vois comme je t'aime ! J'accepte toutes les rebuffades. Si ce n'était pour toi, je jetterais ce cigare aux pieds du comte et lui dirais : « Mettez-vous votre briqueterie et votre domaine d'Amalienburg où je pense, c'est là leur place, car tout chez vous est conchié ! » Mais n'aie crainte, je tiendrai ma langue. Je suis la douceur et la soumission faites homme... pour toi seule, mon trésor !

– Allons à la briqueterie, dit Douglas. Vous y ferez la connaissance de votre collègue, le directeur en chef, Leopold Langenbach. Un homme remarquable. Il est à mon service depuis bientôt trente ans. Je vous montrerai ensuite la maison que je mets à la disposition de votre famille – le terme est de saison, désormais. Jusqu'à présent, mon premier jardinier l'habitait. Mais il a perdu sa femme l'an dernier et il vit maintenant à proximité de la serre, heureux d'être avec ses plantes. La maison était trop grande pour lui. Elle est très jolie, avec un vaste jardin et des arbres fruitiers. Tout à fait ce qu'il faut pour de nombreux enfants...

– Merci, monsieur le comte, dit Leo, une émotion sincère dans la voix. Merci ! Je saurai me montrer digne de votre confiance. Je veux que mes enfants grandissent à Wurzen.

– Dans ce cas, mettons-nous en route.

Douglas se leva, vida sa pipe et but son verre de porto. Ne pas gaspiller les bonnes choses, que voilà une excellente philosophie !

– Vous vous êtes déjà on ne peut mieux présenté à mon maître de cérémonie, reprit le comte. J'ai entendu vos hurlements à travers l'épaisseur de trois portes. (Il eut le sourire madré d'un compagnon de beuverie.) Entre nous, je le trouve trop distingué, moi aussi. Mais il faut bien que quelqu'un soit représentatif sur le domaine d'Amalienburg...

Chez le comte Douglas, tout semblait se faire sans paroles mais de façon extrêmement précise : une calèche attendait déjà devant la rampe du château, et si quelqu'un faisait partie de la dignité comtale, c'était bien la domesticité; le cocher arborait une livrée vert foncé ornée de cordelières dorées et une sorte de tricorne. Lorsque le comte Douglas franchit le portail, il lui fit un salut militaire. Légèrement en retrait, le cocher de Wurzen était assis sur le marchepied de son fiacre. Il avait posé son gibus devant lui sur le sol et mordait dans un épais casse-croûte au pâté. Près du chapeau, une bouteille de thé, que sa femme lui donnait pleine à ras bord. Sur le trajet de l'écurie à la gare, l'homme s'arrêtait près d'une haie, y versait la moitié du breuvage et entrait à l'auberge de la *Pomme d'or* pour faire remplacer la quantité de liquide manquante par un fameux alcool de grain. Un cocher de gare se doit de soutenir son moral, surtout quand il véhicule des clients comme ce Kochlowsky. « Attendez-moi ! » qu'il m'a dit, et le voilà qui s'en va avec le comte ! Que faut-il comprendre ? Dois-je attendre encore ? Reviendra-t-il au château ? Et sinon, qui me paiera la course et le temps perdu ?

Le cocher avala une bonne rasade de « thé », émit un rot discret, posa son casse-croûte sur le siège et remit son gibus. Le comte Douglas s'arrêta; Leo caressa sa barbe.

— Votre cocher ? demanda Douglas.

— Oui, de la gare.

— Vous ne l'avez pas renvoyé ?

— Je pensais, monsieur le comte, que...

— Mais enfin, Kochlowsky ! Il va sans dire qu'un cocher de la briqueterie vous reconduira au train. Vous faites désormais partie d'Amalienburg.

Le comte adressa un signe au cocher qui, comme il se doit pour un homme du commun, se mit aussitôt au garde-à-vous. Au reste, n'avait-il pas été sous-officier, n'avait-il pas donné l'assaut avec l'artillerie à Sedan et contribué à défaire l'empereur Napoléon III ?

— À vos ordres, monsieur le comte ! s'écria-t-il, avant même que la moindre parole eût été prononcée.

– Faites-vous remettre le prix de la course par le trésorier, dit Douglas, jovial. Vous êtes libéré. Avez-vous été satisfait de lui, Kochlowsky ?

– Son cheval a la goutte, répondit Léo avec délectation.

Le comte eut un rire sonore, tapa sur l'épaule de Kochlowsky et se dirigea avec lui vers la calèche comtale.

Le cocher de la gare attendit qu'ils eussent franchi l'entrée avant de s'approcher d'Emil Luther qui se tenait à la porte, raide comme la justice.

– Qui c'est ?

– Il s'appelle Leo Kochlowsky.

– Il mange des clous à son petit déjeuner, pas vrai ? Un ami de M. le comte ?

– Un ami ? (Emil Luther eut une imperceptible moue.) Le nouveau directeur de la briqueterie...

– Ah ! (Le cocher suivit des yeux la calèche qui disparaissait à vive allure dans l'allée de peupliers.) Tiens donc ! Il n'est jamais qu'un employé, lui aussi, et il méprise... Il me le paiera, Emil ! Attends qu'il se soit installé à Wurzen...

En d'autres termes, Wurzen non plus ne serait pas le petit coin tranquille dont rêvait Kochlowsky. Mais quoi d'étonnant ? Là où passe Kochlowsky, il laisse son empreinte à jamais.

3

Les deux briqueteries, voisines l'une de l'autre, étaient pour ainsi dire des entreprises modèles. Dans la salle d'apprêtage, trente hommes apprêtaient les briques; des filles en sarrau bleu les empilaient dans des wagons plats. L'argile brute arrivait, halée par les percherons, puis partait à la filière, d'où elle ressortait en une longue saucisse que réceptionnaient les ouvriers chargés du moulage.

– Nous avons les installations les plus modernes qui soient, expliqua Douglas avec fierté. Vous vous familiariserez vite avec les questions techniques, Kochlowsky. En outre, votre collègue Langenbach vous conseillera. Il travaille ici depuis l'âge de quatorze ans. Il a commencé comme apprenti pour finir directeur. Un homme capable.

– Enfant, je jouais dans une briqueterie. (Kochlowsky examina la vaste pièce.) Mon terrain de jeux se trouvait entre l'argile brute et les fours. Mon père était comptable de la briqueterie de Nikolai. J'ai grandi avec les briques...

– Alors, vous êtes tout désigné pour cet emploi !

Leopold Langenbach sortit de son bureau, suivi par un homme petit et gros, presque sphérique, qui balançait un lorgnon sur son nez. Il souffrait de rhume chronique et éternuait toutes les dix secondes; son entourage s'y était fait. C'était le chef comptable Theodor Plumps, père de dix enfants, ce qui prouve que le rhume chronique n'est pas un obstacle à la procréation.

Le comte présenta les deux hommes à Kochlowsky puis prit congé.

– Je me félicite de votre entrée en fonction, monsieur Kochlowsky, dit amicalement Leopold Langenbach en guise de salutations. Elle me soulagera quelque peu de mes tâches. Nous désirons nous agrandir. L'Empire connaît un essor économique sans précédent, partout surgissent des édifices, on crée de nouvelles fabriques dotées de techniques ultramodernes... Notre victoire de 1871 sur la France continuera de produire ses effets pendant des générations encore ! Et de quoi a-t-on surtout besoin ? De briques, de briques, de briques ! Sans briques, pas de bâtiment ! Je suis vraiment content de recevoir en vous une aide...

Leo ne répondit mot. Il doit y avoir une erreur, pensait-il, et il sentait le sang pulser à ses tempes.

Du calme, Leo, du calme ! Songe à Sophie, ta petite femme. Mais il faut que j'éclaircisse un point. Il baissa les yeux sur Plumps, le pot à tabac, qui éternuait violemment, ne comprenant pas pourquoi nul ne disait au gros bonhomme de se moucher.

– Allons voir les fours et les chambres de séchage ! Je vous expliquerai comment l'argile se transforme en briques, dit Langenbach, cordial.

– Inutile ! (Kochlowsky tira sur sa barbe puis croisa les mains derrière son dos.) Je jouais déjà avec des briques à l'âge où d'autres sont encore au maillot. Quelles fonctions occupez-vous, monsieur Langenbach ?

– Je suis directeur en chef, répondit Langenbach, sidéré.

– Et moi ?

– Vous serez directeur adjoint.

– En d'autres termes, vous êtes mon supérieur ?

– Pas du tout, nous sommes collègues, monsieur Kochlowsky. Chacun a son propre domaine à administrer. Je m'occupe de l'exploitation technique, et vous des intérêts commerciaux. Ou, pour dire les choses encore plus simplement : je vends des briques et vous vous occupez des ventes. M. Plumps est votre chef comptable.

– Ah, ah ! (Kochlowsky abaissa un regard grave sur le petit rondouillard.) Vous avez un bon salaire, hein ?

– Je ne me plains pas, répondit Plumps qui ne se doutait de rien.

– Voyez-vous ça ! Dans ce cas, vous pourriez vous acheter des mouchoirs !

Le petit Plumps aspira l'air, au bord de l'asphyxie, eût-on dit. Son lorgnon vacilla sur son nez. Mais il resta coi, non par sagesse – il ne trouvait tout bonnement pas de réplique. Le sourire se figea sur les lèvres de Langenbach, qui demanda avec quelque raideur :

– Poursuivons-nous la visite ?

– Je vous en prie...

Ils se rendirent aux fours, où travaillaient aussi des ouvrières, de jolis brins de filles qui observèrent Kochlowsky avec curiosité et pouffèrent assez sottement lorsqu'il les regarda de ses noirs yeux de lynx. Les rumeurs des jours précédents semblaient se confirmer : un directeur adjoint arrivait. Était-ce ce bel homme à la barbe fournie ? Et ces yeux... Un regard qui vous transperce et vous dénude...

Sans plaisir, Kochlowsky examina les fours, les chambres de séchage, l'entrepôt, se fit expliquer qu'on ne fabriquait pas seulement des briques ordinaires, mais encore des briques circulaires, arrondies et cintrées, ainsi que des briques réfractaires. On allait se mettre aux briques creuses. De récentes expériences avaient montré que l'air constituait un bon isolant dans les cavités. Chez le comte Douglas, on était résolument ouvert au modernisme.

– Vous voyez, disait Langenbach, nous avons du pain sur la planche. De nouvelles machines, une nouvelle chaufferie, de nouveaux ouvriers. Vous arrivez chez nous à point nommé, monsieur Kochlowsky.

La mine taciturne, Leo se laissa guider, suivi de Plumps qui éternuait dans son dos. On lui montra sa place dans le bureau : un large pupitre massif qui faisait face à celui de Langenbach, avec un tabouret tournant, et flanqué d'une table. Des cartonniers tapissaient les murs. La fenêtre donnait sur le vaste entrepôt et ses hautes piles de briques cuites. C'était une journée de mai ensoleillée. Entre les piles, Leo aperçut une fille couchée sur une structure de bois, les bras sous la nuque, la jupe retroussée sur des cuisses qui luisaient dans la vive lumière.

Il se détourna. Langenbach, qui avait suivi son regard, inclina la tête.

– Ce n'est pas faute d'avoir pesté, dit-il. Mais

ces filles... à peine ont-elles une minute de loisir, et les voilà qui vous provoquent en relevant leurs jupes ! Bon, que je vous montre le reste.

Une fois le tour de la briqueterie achevé, Kochłowsky brusqua son départ. Un landau l'attendait déjà devant les bâtiments administratifs. Le cocher, vêtu d'un uniforme vert, le salua avec raideur. Kochlowsky grimpa dans la voiture, se laissa lourdement tomber sur la banquette et caressa sa longue barbe. Leopold Langenbach leva la main en un geste d'adieu.

– À quand votre retour ? Quand prenez-vous votre service ?

Mon service ? Suis-je un laquais ? pensa Kochlowsky, intimement blessé. Que t'imagines-tu, faquin ? Pour commencer, je vais éloigner mon pupitre du tien. J'ai l'habitude d'avoir mon propre bureau.

– Regardez dans votre agenda, dit-il en guise de réponse. La date y figure. En route, cocher !

Quoique décontenancé par ce ton brutal, le cocher fit docilement claquer son fouet. Le landau s'éloigna en crissant dans le sable. Leo s'engonça profondément dans son siège.

– Ainsi, c'était lui ! fit Theodor Plumps, au bord de l'épouvante. (Il éternua avec bruit.) Mon Dieu...

– Il nous réserve bien du plaisir ! (Langenbach leva une main hésitante et fit un signe d'adieu.) C'est la première fois que je ne comprends pas une décision du comte...

Le cocher avait repris contenance. Il se tourna vers Leo et raidit sa position.

– M. le comte m'a détaché à votre service, dit-il avec un débit militaire. Première halte : visite de la maison. Deuxième halte : tour de Wurzen. Troisième halte : retour à la gare.

– Avant de faire halte, il faudrait déjà se mettre en route ! Fouette, cocher !

– Bien, monsieur Kochlowsky.

Ce qui mit fin à la conversation. Un type antipathique, pensa le cocher. Qui se donne des grands airs, comme tous les domestiques du comte Douglas. Formé lui aussi à la rude école du baron von Üxdorf, qui ne s'adresse aux gens qu'à la troisième personne. Mais, pour l'heure, Kochlowsky l'ignorait : il n'avait pas encore rencontré le baron von Üxdorf.

La maison destinée à la famille Kochlowsky était sise dans une jolie clairière à mi-chemin de Wurzen et de la briqueterie. C'était une véritable maison de poupée, avec son toit de tuiles rouges, ses volets verts, ses fenêtres blanches, ses pièces ensoleillées, son jardin planté de haies de roses et d'arbres fruitiers, le tout ceint d'une clôture peinte en blanc, un authentique petit royaume. Il y avait une planche de légumes, un rustique banc de jardin et, tout au fond, une étable où élever un cochon et du menu bétail.

Pour la première fois depuis son arrivée à Wurzen, Leo éprouva une espèce de joie euphorique. Il arpenta la maison et le jardin mètre par mètre; s'assit sur le banc et contempla, entre la planche de légumes et la maison, la prairie où ses enfants joueraient un jour et où Sophie, sa petite épouse bien-aimée, suspendrait la lessive à sécher.

C'est ce que je voulais, pensa-t-il. Oublions Pless et essayons d'aimer Wurzen. Il y aurait certes quelques frictions, au début, mais Kochlowsky était toujours sorti victorieux des querelles. Une seule chose le tarabustait, et il décida de n'en souffler mot à Sophie : il n'était qu'un employé. Un adjoint ! Il avait un supérieur direct. Si l'on peut apprendre à en accepter l'idée, on ne s'y fait jamais.

Tard dans la soirée, il monta dans le train pour Dresde, où il prendrait l'express de Görlitz et de Breslau. À l'étroit dans un coin du compartiment, il dormit d'un sommeil très agité, ne manqua pas de se prendre de querelle, vers trois heures du matin, avec un voyageur qui se plaignait de ses ronflements, ce à quoi Kochlowsky répondit d'une voix tonitruante :

– Et le moyen de supporter votre puanteur ?

Nonobstant cet incident, il rêva de sa Sophie chérie et de l'enfant qu'elle portait dans son sein. Son enfant ! Un nouveau Kochlowsky. Il sourit dans son sommeil, ronfla et n'entendit pas son voisin dire, venimeux :

– On devrait vraiment lui casser la figure !

4

Cette visite avait eu lieu le 5 mai 1889 et la manière dont Leo Kochlowsky s'était présenté à Wurzen a son importance pour la suite des événements.

Le 20 mai, la demoiselle Sophie Rinne et Leo Kochlowsky se marièrent en l'église évangélique de Pless. Le 10 juin, ils se mirent en route pour Wurzen, leur nouvelle patrie. Ils durent s'installer à l'auberge; la voiture qui transportait leurs meubles n'arriva en effet que le 15 juin, ce qui, est-il besoin de le dire, donna lieu à une dispute de tous les diables. Les déménageurs se refusèrent à décharger les meubles tant que Kochlowsky ne leur aurait pas présenté ses excuses pour les avoir traités d'abrutis et de morveux. Seul Langenbach – encore lui ! –, accouru à la rescousse, réussit à adoucir les déménageurs avec trois bouteilles du meilleur kummel.

L'enfant naquit le 21 novembre 1889. Une fille. Wanda Eugenie Emma. Elle vint au monde dans la chambre à coucher. Depuis le banc du jardin où il s'était réfugié, pelotonné de froid, Kochlowsky entendait les gémissements et les cris rauques de Sophie; comme les geignements ne cessaient pas, il se rua dans la maison et apostropha la sage-femme, lui demandant si elle avait appris son métier chez un vétérinaire.

Ludwiga Sölle – c'était le nom celle-ci –, vigoureuse septuagénaire aux mains comme des battoirs et aux biceps de lutteur, les cheveux ramenés en un épais chignon sur le sommet du crâne, repoussa Leo et dit d'un ton impérieux :

– À la cuisine ! J'ai besoin d'eau bouillante. L'enfant arrive. Je vois déjà la tête...

Et elle lui ferma la porte au nez.

À travers l'huis, Leo entendit le premier cri strident que poussa son enfant; il vit sortir Ludwiga Sölle, des linges souillés de sang dans les mains. Tout à coup, il porta les mains à ses yeux et se mit à pleurer.

– Mon trésor, mon pauvre petit trésor... balbutia-t-il. Que t'ai-je fait...

Ludwiga Sölle considéra avec humeur la figure pitoyable de Kochlowsky, lui mit la bassine et les linges souillés dans les mains.

– Des poltrons ! Tous des poltrons, ces hommes ! Il faudrait que les hommes accouchent une fois sur deux. Les gens n'auraient qu'un enfant, pour sûr ! Allez, Leo Kochlowsky, apportez-moi de l'eau fraîche...

Le baptême de Wanda Kochlowsky eut lieu le 1er décembre 1889. L'événement fut sans précédent et devait demeurer unique dans les annales de la bourgade, ainsi que dans le ministère du pasteur évangéliste, Paulus Maltitz.

Les invités vinrent de Pless : la marraine, Wanda Reichert, née Lubkenski, première cuisinière du prince de Pless; son mari, le cocher ordinaire Jakob Reichert; le maître de chasse du prince, Ewald Wuttke... Mais ce n'était là que roupie de sansonnet comparé à la venue d'Eugen

Kochlowsky, second parrain et frère de Leo, et du peintre Louis Landauer, qui amena dix membres de la Société théâtrale de Pless, cinq couples mariés qui devaient figurer des tableaux vivants comme clou des festivités.

Une manière de tremblement de terre moral ébranla toute la bourgade.

Le baptême est acte fort solennel; le jeune citoyen de la terre accomplit là un pas décisif pour l'avenir, parce qu'il devient chrétien, certes, mais aussi parce qu'on lui concède le droit de payer le denier du culte quand il disposera de ses propres revenus.

Leo Kochlowsky, en sa qualité de père et de représentant de sa fille Wanda, rendit donc visite au pasteur évangéliste de Wurzen, le révérend Paulus Maltitz, ancien prédicateur de la cour de Dresde. En 1889, nous l'avons dit, Wurzen était une bourgade où tout le monde savait ce qui se passait chez les voisins. On partageait encore les joies et les peines, le bonheur et l'envie; même un secret d'État devenait vite un secret de Polichinelle, et nulle ville n'est assez petite pour ne pas avoir ses scandales.

Or donc, depuis cinq mois, les habitants de Wurzen s'intéressaient au nouveau directeur adjoint de la briqueterie du comte Douglas, ce Leo Kochlowsky, qui se pavanait comme un comte dans un attelage. Le dimanche, notamment, vêtu d'un élégant habit de cavalier et chaussé d'étincelantes bottes en cuir de Russie faites à la main par un cordonnier polonais – les maîtres inégalés dans la confection des bottes –, il chevauchait même à travers bois, voire dans la grand-rue de Wurzen, trouvant tout naturel qu'on le saluât d'abord. Le cœur des femmes battait plus vite lorsque Leo, avec son regard pénétrant et sa barbe noire flottant au vent de la course, les dépassait au trot et les dévisageait sans gêne. Des regards qui vous déshabillaient, vous caressaient – expérience forte, ardente, qui marquait à jamais la mémoire des honnêtes bourgeoises de Wurzen.

Mais des rumeurs circulaient également, selon lesquelles Leo Kochlowsky se prenait de querelle avec tous ceux qu'il rencontrait ou presque, à commencer par le boulanger Karl Pfeffer, dont les petits pains n'étaient point assez croustillants, jusqu'au boutiquier Martin Lobsam, chez qui Leo achetait ses cigares et son tabac. « De la crotte de bique roulée », disait-il des cigares, et le tabac n'était à ses yeux qu'« ortie desséchée ». Pareil comportement ne contribuait pas à créer des rapports harmonieux. Mais le pire échut au chef comptable de la briqueterie, le pauvre Theodor Plumps, affligé d'une sternutation continuelle. Kochlowsky lui fit envoyer dans son bureau un plein seau d'eau mentholée fumante, avec instruction de faire des inhalations et d'enlever la morve de son nez. À la suite de quoi Plumps garda le lit trois jours, à regarder fixement le mur de sa chambre, l'esprit quasi égaré.

Rien d'étonnant, dans ces conditions, si la gouvernante du pasteur Maltitz – une jeune veuve, qui ne voulait plus convoler – se précipita, tout agitée, dans le bureau de son maître pour s'écrier, le souffle haletant :

– M. Kochlowsky vient d'arriver. Que nous veut-il, Paulus ?

Dans l'intimité, le pasteur et sa gouvernante s'appelaient par leurs prénoms. Devant le monde, cependant, la chaste Johanna Klaffen, la trentaine plantureuse, menait dans la fleur de l'âge l'existence d'une femme protégée par le souffle de l'Église.

Le pasteur se leva et alla à la fenêtre. Kochlowsky descendait de son attelage, vêtu d'une pelisse et coiffé d'un bonnet d'astrakan noir. Entre le timon, le cheval soufflait son haleine dans l'air froid de novembre. Le pasteur vit avec étonnement Kochlowsky flatter les naseaux du cheval et lui murmurer quelques mots avant de se diriger vers la porte d'entrée. Le geste ne correspondait pas au personnage... Quoique... avait-on jamais sondé l'être profond de Kochlowsky ?

— Il... il sonne, balbutia Johanna Klaffen au bord de l'épouvante.

— Eh bien, allez ouvrir, Johanna ! dit Maltitz d'un ton tranquille. Tout le monde peut venir chez un pasteur. Je recevrais même Satan en personne.

Nul, jusqu'alors, n'avait nié que Kochlowsky en imposait. Johanna Klaffen succomba elle aussi incontinent à son charme lorsqu'il entra dans le vestibule, ôta son bonnet de fourrure et s'inclina dans les règles.

— Madame Maltitz ?

Seul un familier du château de Pless pouvait parvenir à une telle perfection. Une subtile rougeur monta aux joues de Johanna Klaffen qui, de ses doigts légèrement tremblants, prit le bonnet du visiteur.

— Je suis la gouvernante, expliqua-t-elle d'une voix ténue. Voulez-vous vous défaire, monsieur Kochlowsky ?

Elle reçut un regard qui l'atteignit tel un coup.

— Ah ! Vous me connaissez ?

— Qui ne vous connaît, à Wurzen, monsieur Kochlowsky ?

Elle prit sa pelisse noire et la suspendit dans la penderie, heureuse de lui tourner le dos. Il m'a regardé les seins, pensait-elle, comme si je ne portais ni sous-vêtements, ni vêtements, ni tablier... ni mon corselet lacé. Oh, ce regard ! La gouvernante parut soulagée lorsque le pasteur apparut à la porte de son bureau et s'avança vers Kochlowsky.

— Votre visite me fait plaisir, dit-il.

Et il lui tendit la main.

— Leo Kochlowsky, se présenta le visiteur en se raidissant davantage.

30

– Mais oui, je sais qui vous êtes ! Entrez donc...

Le bureau, spacieux, offrait au regard trois murs tapissés de livres, un coin-salon confortable avec une table ronde sur laquelle étaient disposés un cendrier d'étain et un coffret à cigares d'ébène sculpté – œuvre d'art païenne qu'un missionnaire d'Afrique avait jadis offerte au prédicateur de la cour de Dresde –, un bureau encombré de papiers et une toile grand format qui représentait Martin Luther placardant ses quatre-vingt-quinze thèses sur la porte de l'église du château de Wittenberg.

Kochlowsky prit place dans l'un des fauteuils et lissa sa barbe.

– Il s'agit de ma fille Wanda, commença-t-il sans préambule.

– Votre femme, je le sais, a donné naissance à une belle petite fille. Mes félicitations.

– Vous le savez déjà ?

– La sage-femme en informe aussitôt le pasteur.

– La vieille radoteuse ! Et grossière comme un charretier, avec ça !

– Et vous êtes venu fixer une date pour le baptême de votre fille ? s'empressa de demander Maltitz pour couper court à toute discussion à propos de Ludwiga Sölle.

La sage-femme lui avait dit que Kochlowsky était capable de pleurer comme un enfant tout en crachant feu et flammes. Pauvre petite Sophie, mariée à un tel monstre ! Un monstre qui, pourtant, alors qu'il ne se savait pas observé, avait caressé son cheval. Deux êtres dans un seul et même corps. Le pasteur se pencha par-dessus la table ronde et poussa le coffret d'ébène vers Kochlowsky.

– Ils viennent de chez Martin Lobsam ? demanda ce dernier.

– Non, de Dresde.

– Alors, ils sont fumables ! Les cigares de Lobsam sont de la crotte de bique desséchée et râpée. Je le lui ai dit... Depuis, il disparaît de sa boutique dès que j'y mets le pied. Pourquoi les gens supportent-ils si mal la vérité, monsieur le pasteur ? La question vaudrait d'être l'objet d'un de vos prêches dominicaux.

– Vous m'avez déjà entendu prêcher ?

– Non. Je ne vais à l'église qu'en cas d'absolue nécessité : pour mon baptême, à Nikolai – on ne m'avait pas demandé mon avis ; pour ma communion – mon père m'a traîné jusqu'à la porte de l'église sous une volée de gifles ; enfin, pour mon mariage, parce que tel était le vœu de Sophie.

– Et aujourd'hui ? demanda le pasteur, pas le moins du monde ému ou offensé.

– Là encore à cause de Sophie. Et aussi parce que Wanda ne doit pas vivre en païenne dans notre société. (Kochlowsky prit un cigare du coffret, l'alluma à l'aide d'un allume-pipe qu'il embrasa à une bougie et regarda quelques instants l'épaisse fumée blanche environner le visage de Maltitz avant de flotter dans la pièce.) Bon cigare, monsieur le pasteur. Si j'osais, je vous en demanderais un second, pour le fumer à la figure de Lobsam… Oui, Wanda ! Il faut qu'elle soit baptisée. Wanda Eugenie Emma. Comment se déroule la cérémonie ?

Kochlowsky, les sourcils froncés, écouta sans l'interrompre le pasteur lui expliquer le rituel en détail.

– Cela aura lieu un dimanche, donc ! remarqua-t-il ensuite. Et devant toute la congrégation ? C'est indispensable ?

– C'est la coutume, chez nous. Où est le problème ?

– Et un baptême à domicile ?

– À mon avis, qui professe la religion catholique doit le faire ouvertement.

– Wanda ignore tout de ce qui se passe.

– Mais pas vous, les parents, qui représentez le nouvel enfant de Dieu. Sauf si votre femme est trop malade pour venir à l'église.

Kochlowsky entrevit un espoir.

– Sophie est une femme très délicate. Aussi fragile qu'une porcelaine.

– Il va sans dire que je rendrai d'abord visite à votre femme, dit Maltitz, conciliant. Je suis sûr qu'elle viendra à l'église.

– Encore une chose. (Kochlowsky téta son cigare.) Vous m'avez dit, monsieur le pasteur, que les parrain et marraine tenaient l'enfant au-dessus des fonts baptismaux...

– En effet.

– L'un des parrains, Eugen – d'où le prénom Eugenie –, est mon frère. À tout coup, il laissera tomber ma petite Wanda dans les fonts baptismaux. C'est un abruti ! Quoi d'étonnant quand on sait qu'il est romancier ! Et la marraine – Wanda Lubkenski, désormais dame Reichert – s'y entend certes pour hacher menu des têtes de cochon, mais de là à affirmer qu'elle est capable de tenir un être aussi fragile que ma Wanda...

– Tout ira bien, monsieur Kochlowsky. (Maltitz sourit, un sourire encourageant et bienveillant.) Je ne compte plus le nombre de baptêmes que j'ai à mon actif...

– Et si elle tombe dans les fonts baptismaux ? Risque-t-elle de s'y noyer ?

– Que non ! Il y a très peu d'eau.

– Mais elle pourrait se rompre le cou ! Non, c'est moi, et personne d'autre, qui la tiendrai au-dessus des fonts baptismaux !

L'autre Kochlowsky refaisait surface, l'homme singulièrement doux, attentionné, vulnérable en somme. Un homme qui se cachait derrière une carapace et qui refusait d'être percé à jour, se défendant de toute faiblesse.

– Nous allons voir tout cela en détail, si vous le désirez, et même nous exercer avec une poupée, dit Maltitz d'un ton paternel. Y a-t-il un verset particulier que vous souhaiteriez choisir pour le baptême de Wanda ?

– Aucun tiré de la Bible ! Je me contrefiche de la Bible.

– Et votre femme ?

– Sophie connaît tous les cantiques sur le bout du doigt. Et elle a lu la Bible comme un livre.

– La Bible, aussi bien, est le Livre des livres. (Maltitz réfléchit promptement.) « Sois fidèle jusqu'à la mort, et je te donnerai la couronne de la vie. » Révélation de Jean, II-10. Cela vous irait-il ?

– Voyez ça avec Sophie, monsieur le pasteur. (Kochlowsky se leva et posa le cigare à demi consumé dans le cendrier d'étain.) Quelle société remarquable que l'Église ! Elle accepte une nouveau-née dans son sein et parle de mort ! D'autres sentences m'agréent davantage. « Aide-toi, le ciel t'aidera. » Voilà qui est proche de la vie ! Mais ne convient guère à un baptême...

– Non, en effet. (Maltitz souriait jusqu'aux oreilles. L'un dans l'autre, Kochlowsky lui était sympathique, sans qu'il pût s'expliquer pourquoi.) Je passerai chez vous après-demain. D'accord ?

– Ai-je le choix ?

Kochlowsky se dirigeait vers la porte quand une exclamation du pasteur le cloua sur place.

– Votre cigare ! Non, pas celui que vous avez fumé, l'autre. Pour Lobsam...

Kochlowsky en fut humilié. Sale curaillon ! pensa-t-il pour étouffer son sentiment. Une petite leçon de morale ! Sournois fanatique de la Bible ! Et si tu penses que je m'en retourne confus, tu te fourres le doigt dans l'œil, marteleur de versets !

Il revint sur ses pas, choisit un nouveau cigare dans le coffret d'ébène, le mit dans une poche de sa veste et adressa un sourire de défi à Maltitz.

– Merci, monsieur le pasteur. Vous êtes un bon berger. Vous connaissez les désirs de vos ouailles.

Par la fenêtre, Maltitz et Johanna Klaffen regardèrent s'éloigner l'attelage dans l'allée. Il s'était mis à neiger, un ruissellement silencieux de gros flocons. Kochlowsky, cependant, ne mit pas la couverture et resta assis, telle une statue, dans son épaisse pelisse.

— Quel homme effroyable ! murmura Johanna Klaffen, qui s'appuya contre Maltitz.

— Peut-être, mais il a une âme, lui aussi.

— Où donc ?

— Nous le découvrirons, avec l'aide de Dieu.

À première vue, toutefois, on pouvait en douter. Kochlowsky fit un petit détour par la bourgade, s'arrêta et se rua dans la boutique de Martin Lobsam, qui n'eut pas le temps de battre en retraite. Au reste, six clients attendaient d'être servis.

— Tenez ! rugit Kochlowsky qui, par-dessus le comptoir, lança le cigare du pasteur à la figure blême de rage et de honte de Lobsam. Vous pouvez vous le mettre où je pense...

Le soir même, l'histoire avait fait le tour de Wurzen. Johanna Klaffen, dans un état d'agitation extrême, la rapporta au pasteur et joignit les mains.

— Il l'a fait ! gémit-elle. Quel démon ! Il a jeté son cigare au visage de Lobsam et... non, c'est inouï ! Mme Lobsam a été prise d'une crise de nerfs...

— Il est à Wurzen depuis cinq mois, dit Maltitz, un rien troublé par le manque de retenue de Kochlowsky. Je doute qu'il tienne encore cinq mois. C'est une pitié pour sa pauvre femme Sophie...

5

Le baptême créa l'événement à Wurzen.

Non le service divin dominical qui se conclut par le baptême, mais la fête qui se déroula ensuite dans le meilleur établissement de la ville, l'hôtel *Stadt Leipzig*. Kochlowsky en avait loué la petite salle, après que Louis Landauer s'était aperçu qu'elle comportait une modeste scène sur laquelle l'association théâtrale représentait des contes de Noël, des œuvres patriotiques et même *Les Brigands* de Schiller.

Les parents et amis de Pless firent une arrivée groupée à Wurzen. Ils occupaient trois voitures de train, avaient bourré les filets à bagages de valises, de serviettes, de cartons et de sacs. Le bétail sur pied, naturellement, voyageait de conserve. Wanda et Jakob Reichert apportaient un cochon de lait dans une caisse de bois percée de trous, Ewald Wuttke un dindon dans une panière. C'était un concert de braillements, de cris et de roucoulements, mais on disposait de trois voitures. Une seule dispute éclata; ce fut quand le cochon de lait, placé dans le filet à bagages, arrosa, par les trous de sa caisse, l'épaule d'Eugen Kochlowsky et qu'on dut nettoyer sa veste dans les toilettes. À la suite de quoi Eugen déménagea dans une autre voiture.

À la gare de Wurzen les attendaient deux grands chars à banc couverts et pourvus de sièges en vis-à-vis, ornés de guirlandes de papier multicolores, tristes et pendantes sous la neige qui continuait de tomber.

On se salua cordialement, et tout le monde de s'étreindre et de s'embrasser.

– Mon Dieu, dit Leo à son frère Eugen, tu as encore engraissé !

Selon son habitude, Leo assenait la vérité sans ménagement aucun.

Eugen Kochlowsky était porté par le succès. Après un premier roman paru en feuilleton dans un quotidien de Haute-Silésie, il avait écrit un deuxième livre qui, imprimé et relié, était en vente depuis trois mois en librairie et s'arrachait comme des petits pains. Le sujet, il est vrai, touchait surtout le cœur des lectrices : une comtesse y aimait un valet de ferme et se retrouvait enceinte de ses œuvres. Le comte tuait le valet d'un coup de fusil à la chasse et la comtesse se jetait du haut d'un pont dans un fleuve avec le fruit de ses entrailles. Une tragédie, qui faisait verser des flots de larmes. Et les larmes se vendent toujours bien.

Eugen Kochlowsky, qui menait depuis plus de trente ans une existence misérable, s'empiffrait de mets exquis et coûteux avec ses droits d'auteur. Gonflé, eût-on dit, il était devenu si gros en si peu de temps qu'il ne pouvait marcher que les jambes écartées et, avec la claudication dont il était affligé, il donnait l'impression de traîner à grand-peine un sac bourré à craquer.

Mais il se sentait le mieux du monde. Enfin, on reconnaissait son génie ! Les gens de Pless et de Nikolai, où il se rendait fréquemment, soulevaient leurs chapeaux à sa vue. Il mesurait avant tout sa célébrité au fait qu'on lui faisait crédit sans discuter lorsqu'il avait oublié son porte-monnaie. « Voyons, monsieur Kochlowsky ! Un homme comme vous... » Et une année à peine auparavant, on lui eût réclamé son manteau en gage !

Louis Landauer, lui, qui autrefois vivotait tout juste de ses peintures d'inscriptions et d'enseignes, avait été promu au rang de portraitiste de la bonne société de Haute-Silésie après le portrait qu'il avait créé – *créé*, c'était son propre terme – de Sophie, avait exposé à Breslau et nommait sa manière de peindre « l'école de Pless ». Ce qui, il va de soi, le faisait chérir de tous et, lorsqu'il fonda la Société théâtrale avec Eugen comme dramaturge en chef et représenta *Le Sacrifice de Luther,* pièce dans laquelle Eugen figurait un Léon X volumineux et tout à fait grandiose – peut-être parce que le pape portait le même prénom que son frère –, Pless n'imagina plus de se passer de Louis Landauer. À l'inverse d'Eugen, cependant, le peintre ne cessait de maigrir et de céder à ses nerfs. C'étaient les femmes qui le minaient, les filles des bourgeois et les femmes mariées; elles se bousculaient dans ses bras, et Landauer épuisait ses forces à n'en décevoir aucune. Qui oserait affirmer que la célébrité est une sinécure ?

Son mariage avec Jakob Reichert réussissait à merveille à Wanda Lubkenski. Elle était encore plus gaie, portait des robes qui découvraient la naissance de sa gorge opulente, toujours recouverte toutefois d'un voile diaphane, et écrivait, sur l'incitation d'Eugen, un livre de cuisine : *Les Secrets culinaires de la principauté de Pless.* La princesse avait donné sa bénédiction au projet.

– On n'a pas le droit de celer jalousement des talents culinaires comme les tiens, Wanda, avait-elle décrété avec sagesse. Tout le monde doit en profiter. Il est une recette, néanmoins, que tu ne devras pas divulguer : celle de la marinade de chevreuil, que le prince goûte tant.

C'était un plat que l'empereur Guillaume II en personne, souvent invité à Pless, couvrait d'éloges.

Wanda se sentait si bien que, lorsque Leo la salua sur le quai de la gare par un : « Eh bien, espèce de gâte-sauce ! » et pinça la partie charnue de son individu en disant : « Avant, on pouvait y écraser une puce, à présent, on peut y broyer des noix », Wanda poussa des cris réjouis et couvrit Leo de baisers, s'attirant aussi sec la réprobation des bourgeois de Wurzen témoins de la scène.

Le trajet en chars à banc dans les flocons de neige et le froid fut une véritable partie de plaisir. Un quartette de la Société théâtrale chanta des chansons à boire de Rhénanie – ce qui déconcerta complètement la bourgade – et, dans les pauses, Eugen raconta des blagues à double entente, dont Leo fut à peu près le seul à rougir : en présence des dames, ce n'était pas convenable.

– Eugen, la ferme ! dit-il grossièrement, alors que son frère évoquait l'histoire d'un couple marié obèse à qui on demande : « Avez-vous des enfants ? » Et le mari, irrité, de répondre : « Vous nous prenez pour des acrobates ? »

Mais l'intervention de Leo n'alourdit pas l'atmosphère et les invités arrivèrent chez les Kochlowsky précédés de chants.

Ce fut Leopold Langenbach qui ouvrit la porte. Le regard de Leo s'assombrit aussitôt. Depuis deux mois, les visites de Langenbach l'insupportaient. Lorsqu'il allait à Wurzen, le directeur de la briqueterie ne manquait jamais de faire un détour par la maison des bois et de bavarder un peu avec Sophie. Le soir, la jeune femme disait ingénument : « M. Langenbach m'a apporté une boîte de pralines. » Ou : « M. Langenbach m'a offert ces fleurs. Un joli bouquet, n'est-ce pas ? » Ou encore : « M. Langenbach est passé. Il a laissé deux bouteilles de vin de mûre de son propre pressoir. »

Encore et toujours M. Langenbach, et toujours quand Leo était à la briqueterie ! Fait étrange, il ne se montrait jamais quand Leo était chez lui, le dimanche, par exemple. Et voilà qu'il était encore là, insolent comme un béjaune ! pensa immédiatement Kochlowsky, et si importun, vraiment sans-gêne, comme s'il faisait partie de la maison ! Un ami de la famille ! Peu avant la naissance de Wanda, Langenbach avait porté l'outrecuidance à son comble. Il avait offert un berceau en bois sculpté à Sophie. La réaction de

Leo ne s'était pas fait attendre : il avait jeté le berceau par la fenêtre sur le tas de fumier.

– Si quelqu'un doit acheter un berceau pour mon enfant, ce sera moi ! avait-il crié.

Et Sophie avait répondu avec son calme et sa patience coutumiers :

– Tu as raison, Leo. Mais je n'ai pas voulu offenser M. Langenbach. En fin de compte, c'est ton supérieur...

Kochlowsky accusa le coup, mais ne l'oublia jamais.

– Où est ma femme ? demanda-t-il sans plus de façons en descendant du char à banc.

Derrière lui, Eugen ahanait, extirpant sa masse hors du véhicule.

– À la cuisine, elle fait des gaufres pour les visiteurs.

– Et vous ? Que faites-vous ici ?

– J'ai tourné la pâte dans le grand saladier de bois. La tâche est encore trop rude pour votre petite épouse. L'accouchement l'a beaucoup affaiblie. Ne le voyez-vous pas, enfin ?

– Je vois bien davantage ! siffla Leo entre ses dents.

Et d'attacher sur Langenbach un regard venimeux.

Soudain, on l'écarta. C'était Eugen; il se poussa en avant et s'écria :

– Bonjour ! Je suis Eugen Kochlowsky.

– Vous êtes Eugen Kochlowsky ? répéta Langenbach, fin diplomate, comme s'il n'en croyait pas ses yeux. J'ai lu un de vos romans...

Eugen entra dans la maison sur la crête d'un nuage. Il était célèbre. En réalité, Langenbach ne savait que par Sophie que son beau-frère était romancier. Eugen resta dans une miséricordieuse ignorance.

– L'enfant, demanda Wanda Reichert à peine entrée, où est l'enfant qui va porter mon nom ?

– Et le mien ! protesta Eugen de façon dramatique. Puisse mon génie se transmettre aux générations à venir...

— Elle dort.

Sophie prit Wanda par la main et la conduisit dans la chambre du bébé. Leo retint Eugen qui voulait leur emboîter le pas et qui se mit à manifester. Landauer annonça qu'il terminerait pour le baptême un dessin à la craie de l'enfant.

Sur la pointe des pieds et sans bruit – fait remarquable eu égard à sa corpulence –, Wanda s'approcha du petit lit grillagé où dormait sa filleule, minuscule, perdue, bouille étroite et duvet blond sur le crâne.

— Quelle merveille ! bégaya Wanda qui fondit en larmes. Une merveille, assurément ! Comment un type tel que Leo a-t-il pu engendrer pareil ange ?...

Puis elle s'agenouilla au pied du petit lit et se mit à prier, selon la coutume de sa Pologne natale.

Le baptême à l'église se déroula sans incident.

Eugen avait dû s'exercer avec une poupée avant de tenir la nouveau-née au-dessus des fonts baptismaux. Au vrai, il en avait été vexé comme un pou, mais s'était bravement soumis à l'humiliante procédure pour ne pas mettre Leo en fureur. Lorsque Kochlowsky avait exigé que Wanda répétât elle aussi avec la poupée, les plumes avaient volé.

— Imbécile ! avait crié Wanda dans la manière de sa plus belle époque. (Leo se retrouvait tout à fait en pays de connaissance.) Je portais déjà des nourrissons quand tu vagissais encore dans tes langes ! J'ai eu douze frères et sœurs, et j'étais l'aînée. Ferme ton clapet, bouseux !

Le pasteur avait applaudi. Il commençait à pardonner beaucoup à Kochlowsky; il était désormais persuadé qu'une race particulière d'humanité prospérait en Haute-Silésie, habituée à défendre le beurre de sa tartine.

À l'église, tout se déroula à merveille. Jamais l'édifice n'avait été si plein qu'en ce dimanche-là; on se pressait sur les tribunes de l'orgue, on était à touche-touche dans les allées, au coude à coude sur les bancs : tous voulaient voir baptiser la fille de Kochlowsky, mais, surtout, les femmes étaient venues solidairement montrer leur compassion à la petite Sophie, fragile et angélique, qui avait semblable mari.

Le pasteur Maltitz fit un prêche fantastique sur la bénédiction de l'homme de bonne volonté, ce que Leo ressentit comme une insolence. Au cours de la cérémonie du baptême, Kochlowsky demeura aux côtés de Sophie, prêt à bondir, et retint son souffle quand Eugen, un sourire béat aux lèvres, tint la petite Wanda au-dessus des fonts baptismaux. La robe de baptême, une splendeur de dentelle et de voile de soie, entrelacée de rubans de velours rose, était un cadeau de la princesse de Pless, apporté par Wanda Reichert. Le prince avait fait envoyer une ménagère en argent de vingt-quatre couverts, gravés aux armes de Pless, et joint l'autorisation de faire graver les manches des initiales *WK*. Le temps avait manqué pour ce faire. Mais le plus étonnant était un cadeau arrivé de Bückeburg, de la part de la princesse de Schaumburg-Lippe : une enveloppe scellée, à n'ouvrir qu'au vingt et unième anniversaire de Wanda, c'est-à-dire le 21 novembre 1910, et qui portait cette phrase de l'écriture raide mais jolie de la princesse : « Dieu te bénisse, ma petite nièce, ainsi que tous tes enfants; nous savons que Son œil veille sur toi. » Il n'y avait pas de compliments pour Leo Kochlowsky, mais peu lui importait. Seule le taraudait l'idée que les parents de Sophie avaient refusé d'assister au baptême, tout comme ils avaient refusé d'assister au mariage. Le père, qui souffrait de la goutte, ne pouvait entreprendre un long voyage et la mère ne voulait pas abandonner si longtemps son intérieur. Ils envoyaient une petite robe de lin filé à la main que Wanda porterait lorsqu'elle aurait un an, ainsi qu'une grande poupée que, probablement, Wanda ne dépasserait de la tête que dans sa troisième année.

Ce fut l'unique fois, au cours de ces journées, où Sophie disparut dans un coin de la maison pour y pleurer en silence.

Après la cérémonie – Wanda Reichert, d'émotion, avait sangloté si fort que peu de personnes avaient entendu le verset, même au premier rang –, les chars à banc se rendirent à l'hôtel *Stadt Leipzig* et la fête commença. Le comte Douglas était venu, flanqué d'un Émil Luther aussi guindé que de coutume, ainsi que le comptable éternueur Plumps avec sa femme et sept de ses enfants, les deux maîtres potiers de la briqueteric, le pasteur Maltitz avec sa gouvernante, Johanna Klaffen, le Dr Brenneis, lc médecin de famille des Kochlowsky, la sage-femme Ludwiga Sölle, le garde forestier Rechmann avec sa séduisante épouse Blandine, originaire de Lorraine, l'apothicaire, quelques autres connaissances et, faut-il le dire ? Leopold Langenbach. Ce dernier se conduisait comme s'il était le père de l'enfant, avançait sa chaise à Sophie, ne cessait de regarder la petite Wanda dans sa corbeille ouvragée, la berçait quand elle pleurait. Kochlowsky devait prendre sur lui pour rester calme, car l'envie le démangeait sacrément de botter les fesses à Langenbach. Je vais y mettre bon ordre, pensait-il, la mine sombre, loin de présenter à la tablée l'expression de fierté heureuse d'un jeune père. Après Noël, l'année prochaine... mon cher Langenbach, tu sortiras de chez moi avec perte et fracas. Il sentait la jalousie le tenailler, ce qui accroissait son irritation.

Il chipota dans son assiette, supporta les toasts on ne peut plus lyriques d'Eugen, qui culminèrent dans ce vers : « Le soleil brille d'or comme en devenir/Dieu te bénisse, Wanda, en ton avenir ! », tandis que, dehors, la neige tombait à gros flocons d'un ciel gris plombé. L'assistance, cependant, émue, applaudit avec enthousiasme.

Ce qui survint ensuite devait occuper les esprits un bon bout de temps.

La Société théâtrale de Pless – cinq couples placés sous la direction de Landauer – représenta les tableaux vivants dans des maillots de couleur chair. Offrant sans fard leur anatomie aux regards, les groupes figés dans une immobilité totale figuraient sans doute des scènes célèbres de l'histoire – de la chute originelle jusqu'au sacre du génie, où les cinq dames couleur chair présentaient à un homme bâti en athlète des couronnes de laurier dorées. En dépit des voiles, la brave Johanna Klaffen, entre autres, devint rouge cramoisi; le directeur de l'école fut pris d'un tic à l'œil et la femme de l'apothicaire murmura : « C'est un scandale ! Du nu ! Le maillot n'est qu'un prétexte ! On voit... on voit tout ! Quelle obscénité... »

À la fin du dernier tableau vivant, si les habitants de Pless applaudirent à tout rompre, ceux de Wurzen se tinrent sur la réserve. « Personne n'est près de nous imiter ! » trompettait Eugen, et on le crut sans restriction. Ils sont de la même farine, ces Kochlowsky, pensait-on. L'un mugit comme un taureau, l'autre montre des cochonneries. La pauvre, l'innocente, la jolie Sophie, comment peut-elle rester dans pareille famille ?...

À l'issue de la première danse, la joyeuse compagnie se scinda. Les honnêtes citoyens de Wurzen se hâtèrent de prendre congé. Le pasteur Maltitz s'en fut le dernier, sachant pertinemment ce qui allait alimenter les conversations de la bourgade au cours des jours à venir. Le comte Douglas était parti dès la fin des tableaux vivants, non parce qu'il était épouvanté par le déclin de la morale, mais parce qu'il allait chasser le sanglier de bonne heure le lendemain matin. Les forêts autour d'Amalienburg abritaient de fameux sangliers, et le comte avait repéré un vieux mâle depuis plusieurs semaines.

Tard dans la soirée, Ewald Wuttke troussa un couplet, costumé en paysanne, le corsage rembourré de deux gros choux. Les trognons perçaient l'étoffe tels deux énormes mamelons.

Tandis que les habitants de Pless étaient en liesse, le propriétaire de l'hôtel dit d'un air sombre :

– C'est la première et la dernière fois que ce Kochlowsky donne une représentation dans mon établissement. On n'a jamais vu de telles cochonneries en public ! Franchement !

Laissant à leurs réjouissances les messieurs et les dames de la Société théâtrale – ils dormaient à l'hôtel –, Leo, Sophie, Eugen, Wanda et Jakob Reichert ainsi qu'Ewald Wuttke, toujours costumé, rentrèrent dans un petit char à banc. Kochlowsky tenait la petite Wanda emmitouflée étroitement contre lui, pour la protéger des courants d'air. Langenbach avait eu la sagesse de rentrer dans sa propre voiture. Louis Landauer était resté auprès de ses tableaux vivants; l'une des participantes, Mme Luise Lagwitz, lui avait fait des œillades prometteuses.

Tard, cette nuit-là, Leo Kochlowsky, assis sur le bord du lit, retirait ses souliers vernis. À côté, Wanda dormait dans son petit lit. Sophie était déjà couchée, ses longs cheveux d'or dénoués. Elle avait l'air d'une enfant. Et pourtant, elle était déjà mère...

– Un beau baptême, hein, mon trésor ?

Légèrement gris, Leo ôta son pantalon et fit jouer ses orteils.

– Un très beau baptême, en effet. Je te remercie, Leo.

– C'était comme autrefois, à Pless. Il n'y manquait que les cors des chasseurs. À part ça, il y avait toutes ces stupides têtes que nous connaissons bien.

– Leo… (Sophie avait un doux sourire. Kochlowsky enfila sa longue chemise de nuit et lissa sa barbe.) Que peut bien contenir l'enveloppe de la princesse de Schaumburg-Lippe ?

– Nous pouvons l'ouvrir…

– Non, ce serait mal vis-à-vis de Wanda.

– À la vapeur. On n'y verrait que du feu.

– Je vais confier l'enveloppe à un avocat, afin de prévenir toute tentation. (Sophie noua les bras derrière sa nuque et regarda Leo se laver la bouche et se gargariser, un rien titubant.) Serais-tu ivre, Leo ?

– À peine… Juste éméché. (Il revint vers le lit, se glissa sous la couette et attira Sophie à lui. Le mince corps gracieux de sa femme semblait chercher protection contre le sien. Kochlowsky embrassa Sophie dans le cou et ressentit un bonheur ineffable.) Ma petite femme, lui chuchota-t-il à l'oreille, tu n'imagines pas à quel point je t'aime ! Tu ne sais pas ce que tu représentes pour moi… Tu es mon ciel et ma terre…

– Serait-ce d'Eugen, le poète ?

Puis Sophie gloussa quand son mari glissa sa main dans le décolleté de sa chemise de nuit.

– Petite rosse ! murmura Leo. (Il s'étendit à demi sur elle, pour ne pas l'écraser de son poids.) Je pourrais tuer quiconque te regarderait plus de trois secondes…

6

Trois jours plus tard, la maison avait retrouvé son calme. Les visiteurs étaient repartis, y compris Eugen, qui n'avait plus besoin de se gaver à la table de son frère. Wanda Lubkenski, épouse Reichert, versa des torrents de larmes à la gare au moment des adieux. Elle adjura Leo de bien traiter Sophie et de la ménager.

– Garde tes sermons pour toi, vieille radoteuse ! gronda Kochlowsky.

Wanda qui, autrefois, à Pless, eût répliqué vertement se contenta de soupirer et d'essuyer les larmes de ses grosses joues. Combien Leo leur manquait ! C'était devenu d'un ennui...

– Bon voyage ! À l'année prochaine, peut-être.

– Pourquoi donc ? demanda sottement Wuttke.

– Pour le prochain baptême !

– Espèce de monstre ! (Wanda grimpa en voiture.) Tu mériterais d'être émasculé !

– Sophie ne partage sûrement pas ton point de vue ! (Leo leur adressa des signes tandis que le train s'ébranlait. Jakob Reichert le menaça du poing en riant.) Tu es jalouse, c'est tout.

Leo attendit que le train poussif eût disparu dans une courbe pour quitter la gare. Le propriétaire de l'hôtel *Stadt Leipzig* se dirigeait vers lui. Quand il aperçut Leo, il détourna la tête sans saluer.

– Prétentieux ! gronda Kochlowsky entre ses dents.

Il acheta le journal et sortit sur la place. Au même instant, Blandine Rechmann, l'épouse française du garde forestier, sortait du magasin de mode – *Modes de Paris,* promettait l'enseigne au-dessus de la porte – situé sur le trottoir opposé à la gare. La jeune femme lui adressa un signe de tête. Sa somptueuse chevelure rousse moussait hors du chapeau à large bord. Une femme d'une beauté à couper le souffle. Chacun, à Wurzen, se demandait pourquoi elle avait épousé le brave Rechmann et comment elle supportait le calme et la solitude du pavillon forestier. On parlait bien d'amants à Leipzig, mais on ne savait rien de précis.

Avec déférence, Kochlowsky leva son bonnet de fourrure, inclina le buste, ce qui fit naître un sourire entendu sur le visage de Blandine. Il la suivit des yeux, la regardant trottiner sur la chaussée recouverte de neige dans ses bottes à hauts talons. Elle monta dans un coupé fermé que conduisait un élève forestier. Parvenue à la hauteur de Leo, toujours debout devant la gare, elle lui adressa un signe et arrondit les lèvres comme en un baiser.

Kochlowsky, un tantinet déconcerté, lissa sa barbe, se gratta le nez, évoqua la chevelure flamboyante et se souvint que le garde forestier avait passé commande de plus de deux mille briques. Il résolut de s'occuper lui-même de la livraison. On avait trop négligé le service de la clientèle des particuliers; les choses allaient changer.

L'esprit habité par quelques fantasmes secrets au sujet de Blandine Rechmann, Kochlowsky entra dans son bureau de la briqueterie. Il s'approcha du poêle en fonte, se frotta les mains et se donna de grandes tapes pour se réchauffer. Leopold Langenbach, à son pupitre, rédigeait une lettre à un client; il traçait ses mots d'une belle envolée de plume et tirait fierté de ce que chacune de ses lettres fût un petit chef-d'œuvre. Cela impressionnait la clientèle.

— Quatre commandes ont été annulées, dit-il quand Leo eut pris place au pupitre en vis-à-vis. La raison officielle en est la suspension des travaux due au froid. En coulisse, toutefois, j'ai ouï-dire qu'on ne voulait plus rien acheter à un homme qui montrait des nus sur scène.

Kochlowsky fusilla Langenbach du regard.

— Qui a dit ça ?

— Bah ! Quelle importance ?

— Cela m'importe, monsieur Langenbach. (La voix de Leo s'enflait, comme à sa meilleure époque de Pless.) Je veux les noms, et à l'instant !

— Pourquoi ? À quoi cela rimerait-il ? Envisagez-vous d'agonir le quidam d'injures ?

— J'assume la responsabilité de mes actes, moi ! Ce n'est pas comme vous. Vous êtes trop lâche, espèce de couard !

– Je préfère n'avoir pas entendu... dit Langenbach, grave et impassible.

– Alors, c'est que je n'ai pas parlé assez fort ! hurla Leo. Espèce de couard !

Langenbach adopta la conduite la plus sage; il quitta son pupitre et sortit du bureau.

Mais on n'arrête pas un Kochlowsky aussi facilement. Au bout d'un moment, Leo se précipita à la comptabilité et ouvrit la porte à la volée. Plumps, qui recopiait une longue colonne de chiffres dans son registre, perdit le fil à la vue de Kochlowsky et se mit à éternuer avec bruit.

– Vous avez vu M. Langenbach, monsieur Atchoum ?

Plumps rentra la tête dans les épaules, regarda de tous côtés puis risqua cette réponse :

– Non, je n'ai vu aucun M. Atchoum. Vouliez-vous lui parler ?

– Je l'aurais parié ! (Kochlowsky riva sur le pauvre Plumps des regards assassins.) Le voilà qui se promène tel un lance-bacilles, et il fait la forte tête ! Prenez garde, monsieur Atchoum : à partir de maintenant, vous ne franchirez le seuil de mon bureau que le nez caché. Le visage masqué.

– Ce... ce n'est pas un rhume, monsieur Kochlowsky, bégaya Plumps. (Le porte-plume lui échappa des doigts et s'en alla rouler sur le sol.) C'est... c'est nerveux, il n'y a aucun risque de contagion... aucun...

Un nouvel éternuement vint ponctuer sa déclaration. Leo bondit en arrière.

– Dégoûtant personnage ! rugit-il. Et vous avez dix enfants. Vous suintez par tous les orifices...

Sans laisser au pauvre Plumps l'occasion de se défendre, Leo s'élança hors de la pièce, en quête de Langenbach. Les trois autres comptables, à leurs pupitres, fixaient sur leur supérieur un regard épouvanté.

Plumps referma son grand registre d'un claquement sec, posa son porte-plume dans la rainure, rabattit le couvercle d'étain de son encrier, ôta son paletot de bureau gris et prit sa canne au portemanteau.

– À présent... à présent, vous pouvez porter plainte contre lui, monsieur Plumps, dit l'un des employés. C'était une insulte caractérisée.

– Il faudrait le guetter un soir et le rosser ! cria un autre.

– Allez voir le comte pour le mettre au courant.

– S'il me disait ça, je lui jetterais mon encrier au visage !

Plumps ne répondit pas. Il enfila son manteau, mit son chapeau et quitta le bureau. Portée par l'air limpide et glacé de l'hiver, la voix de Kochlowsky montait de l'entrepôt. Leo était toujours à la recherche de Langenbach.

La tête profondément enfoncée dans son col de manteau – ce qui accentuait sa ressemblance avec une boule montée sur de petites jambes qui avançaient en trottinant –, Plumps traversa le vaste entrepôt. Il lui fallait compter une demi-heure de trajet pour rentrer chez lui; à cette heure-là, personne ne l'inviterait à monter dans sa voiture comme le matin ou le soir. Mais c'était aussi bien ainsi. L'air froid apaiserait le brasier qui lui consumait les entrailles.

Je ne retournerai pas à la briqueterie, pensait-il, amer, tandis qu'il enfonçait ses pas lourds dans le large sillon que les carrioles avaient imprimé dans la neige. Nous aurons du mal à nous en sortir. Douze estomacs qui vont crier famine... Mais je ne puis plus travailler dans ces conditions. Quelqu'un aura sans doute besoin d'un comptable, à la scierie, peut-être, ou dans les services agronomiques. En tout cas, loin de ce Kochlowsky !

Il était si abîmé dans ses pensées qu'il n'entendit pas les cris frénétiques en provenance de la briqueterie. Pas plus qu'il ne perçut le martèlement sourd de sabots galopant dans la neige. Lorsqu'il en prit conscience, il était trop tard.

Dans la cour de chargement de la briqueterie, un cheval s'était échappé alors qu'on l'attelait à un lourd wagonnet – sans que nul pût expliquer l'origine de sa panique – et franchissait à présent l'entrée pour rejoindre la route qu'il connaissait pour en avoir fait l'aller et retour des centaines de fois. Trois ouvriers s'élancèrent à sa suite, criant « Ho, halte, Ho ! stop ! » et faisant claquer leurs fouets. Cela n'eut pour tout effet que d'effaroucher davantage l'animal, qui, dans un galop affolé, ne chercha pas à éviter la masse ronde qui lui faisait obstacle ; il la renversa, la projeta sur le bas-côté avec un hennissement strident et poursuivit son train d'enfer.

Theodor Plumps, conscient du danger à la dernière minute, n'eut pas le temps de s'écarter. Le cheval emballé le souleva du sol, le fit voler dans les airs, le piétinant d'un coup de sabot pour faire bonne mesure ; le comptable gisait dans la neige, évanoui, recroquevillé, le sang coulant en un mince filet de sa bouche et de son nez.

Un des trois ouvriers se lança aux trousses du cheval fou ; les deux autres ramenèrent le petit corps tassé de Plumps à la briqueterie. Langenbach avait refait surface. Kochlowsky était à ses côtés, muet et misérable tout à coup.

On transporta Plumps dans l'antichambre du bureau, où on l'allongea sur une table avant d'envoyer quérir l'infirmier de la briqueterie. C'était, là encore, une initiative originale du comte Douglas. Étant donné qu'il ne se passait guère de jours sans incidents dans une briqueterie – jusque-là mineurs, Dieu merci ! –, il avait créé un poste d'infirmier et aménagé une petite infirmerie. L'infirmier y soignait contusions et blessures légères, plaies et autres bosses. Il avait dû une fois s'occuper de sept visages écorchés à l'issue d'un combat en règle qui avait éclaté parmi les femmes lorsqu'il était apparu qu'un contremaître avait eu une aventure avec trois d'entre elles.

Kochlowsky frissonna et fit volte-face.

— Attelle ! cria-t-il à l'un des cochers. Attelle mon landau immédiatement ! Prends les deux chevaux bais.

— C'est... c'est inutile, bégaya l'homme. Où voulez-vous l'emmener ?

— Attelle, sinon je te fais danser au bout de mon fouet par toute la briqueterie !

L'homme se figea, leva le poing, mais partit en hâte vers les écuries et la remise à voitures.

— Qu'avez-vous l'intention de faire ? s'enquit Langenbach à son tour.

Il avait recouvert Plumps, toujours inconscient, de son manteau.

— Je l'emmène à l'hôpital de Wurzen.

— Il n'y survivra pas...

— Et encore moins à votre stupide inertie ! Vous êtes tous là comme des souches à le regarder crever !

L'infirmier se précipita dans la pièce, se pencha sur Plumps, dont le visage se parcheminait, regarda le sang qui coulait de sa bouche et de son nez et se redressa. Il secoua la tête en signe de découragement.

— Est-ce tout ? demanda Kochlowsky d'un ton dur.

— Il n'y a plus rien à faire. Il a probablement une fracture du crâne.

— Les probabilités, je m'en bats l'œil ! (Kochlowsky alla à la fenêtre. On attelait les puissants chevaux bais à son landau.) Je n'aime que les certitudes. J'ai besoin de couvertures — deux épaisses couvertures de cheval. Nous allons y envelopper Plumps. Magnez-vous le train, badauds stupides ! Des couvertures ! Et portez-le au landau avec précaution.

— Il est cinglé ! chuchota un homme à Langenbach. Complètement cinglé ! Ne pouvons-nous rien faire ?

On n'en alla pas moins chercher des couvertures, dont on enveloppa Plumps avant de le porter au landau avec d'infinies précautions. Kochlowsky, drapé de sa pelisse, grimpa sur le siège et s'assura que portières et capote étaient bien fermées. Puis il fit claquer son fouet et regagna la chaussée à vive allure sur la neige tassée.

– Un fou, en vérité, remarqua alors Langenbach. Plumps va recevoir le coup de grâce. Il n'y survivra pas ! Je m'en vais de ce pas faire mon rapport au comte Douglas. Les choses ne peuvent pas continuer ainsi...

Ce fut, au vrai, une course extravagante vers Wurzen. Kochlowsky utilisa à fond les ressources des chevaux et la résistance du landau. Lorsqu'il quitta le chemin de la briqueterie et s'engagea sur la route carrossable, il lança l'attelage au maximum, dépassa trois cochers qu'il macula au passage de neige fondue. Les cochers se mirent à jurer à pleine voix et eurent toutes les peines du monde à maintenir l'allure de leurs chevaux, qui voulaient suivre le landau.

– Qui était-ce ? demanda un client par la vitre baissée.

– Un certain Leo Kochlowsky, monsieur ! cria le cocher, furieux. Ne prononcez pas son nom à Wurzen. Nul ne vous servirait...

Avec force « Ho ! » retentissants et les rênes ramenées à soi, Kochlowsky immobilisa les chevaux écumants devant le petit hôpital de Wurzen. Une sœur parut à la porte, le regarda. Elle le reconnut et se signa.

– Des infirmiers ! rugit Kochlowsky, sautant à bas du siège. Vous, la fiancée de Dieu, bougez vos fesses ! Une civière avec deux hommes ! Allez ! Allez !

À peine un quart d'heure plus tard, Theodor Plumps était allongé sur la table d'opération. Un vieux médecin à la barbe blanche, vêtu d'un costume noir et assisté d'un infirmier en blouse, ausculta le blessé et lui souleva les paupières. Il se tourna alors vers Kochlowsky.

– Dehors ! commanda-t-il avec rudesse. Vous n'avez rien à faire ici. Comment est-ce arrivé ?

– Il a été renversé par un cheval.

– Mauvais, mauvais... Fichez-moi le camp !

Il était rare que Kochlowsky restât sans réagir devant semblable injonction. Mais là, il ne pipa mot, pressa son bonnet de fourrure contre sa poitrine et, après un signe de tête, sortit en silence. Il alla s'asseoir sur un banc du couloir et attendit, le regard fixé sur le sol astiqué.

Enfin, le médecin surgit de la salle d'opération. On avait emmené Plumps par une autre porte.

– Je ne vous promets rien, dit-il, planté devant Kochlowsky. L'affaire se présente mal. Contusion des poumons, trois côtes cassées, lésion probable au foie... Mauvais, mauvais... Il faut attendre... et s'en remettre à Dieu.

Là encore, Kochlowsky se tint coi, bien qu'il ne comprît pas pourquoi des gens étudiaient la médecine si l'on comptait sur l'intervention de Dieu. Au reste, comment Dieu pourrait-Il apporter Son aide quand, à ce moment précis, des millions de gens dans le monde L'appelaient à l'aide ?

Il se leva, comme assommé, quitta le petit hôpital, revit la sœur portière, lui dit presque tristement : « Espèce de vierge frigide ! » et rentra chez lui.

Trois jours plus tard, on fut certain que Plumps était tiré d'affaire. Il n'allait pas mourir. Son souffle était plus régulier, il buvait même quelques gorgées et eut le droit de manger une purée de carottes.

Leopold Langenbach tendit la main à Kochlowsky par-dessus son pupitre.

– Mes félicitations, dit-il. Un véritable exploit !

– Je n'ai rien à faire de vos louanges, rétorqua

Leo du tac au tac. Vous êtes resté les deux pieds dans le même sabot, plus malin que tout le monde. Et Plumps, à côté, serait mort sur sa table. Et vous avez le toupet de me féliciter ?

Le visage figé, Langenbach retira sa main. Il avait fait une nouvelle tentative de conciliation, mais il n'y avait nul moyen d'accéder à Kochlowsky. On devrait s'accommoder de son hostilité.

Une semaine plus tard – Plumps pouvait s'asseoir dans son lit, le buste bandé, et recevoir la visite des siens –, Mme Plumps et ses sept aînés investirent le jardin de Kochlowsky. C'était un dimanche, après le service religieux, où le pasteur Maltitz avait fait un beau prêche pour remercier Dieu d'avoir sauvé Son fils Plumps, dans lequel il avait même mentionné le nom de Kochlowsky. La matinée était ensoleillée mais glaciale. Les enfants avaient posé des couvertures par-dessus leurs manteaux et baissé les protège-oreilles de leurs casquettes. Ils débordaient toutefois de gaieté et, en demi-cercle autour de leur mère, guettaient son signal.

Puis ils se mirent à chanter. Leur haleine les environnait de petits nuages blancs, les sons tremblaient dans l'air gelé, mais ils chantaient à pleins poumons, avec ferveur et gratitude. Ils chantaient un cantique, et Kochlowsky, debout derrière la fenêtre aux côtés de Sophie, rivait un regard pétrifié sur les enfants et leur mère qui dirigeait le chœur. Il enfouit ses mains dans sa barbe.

« Ô que ne puis-je avoir mille langues et mille bouches avec lesquelles je rivaliserais d'ardeur pour chanter hymne sur hymne du plus profond de mon cœur en remerciement de la bonté de Dieu ! Je veux chanter Ta bonté, tant que ma langue pourra se mouvoir; je veux T'apporter l'offrande de ma joie, tant que mon cœur battra;

oui, quand ma bouche sera sans forces, je Te louerai encore par mes soupirs... »

Kochlowsky se détourna de la fenêtre, regarda dans la pièce, dérobant son visage à Sophie.

– Je vais les chercher, dit-il d'une voix douce qui ne lui ressemblait pas. Ils vont se transformer en statues de glace. Mets la grande cafetière sur le feu et découpe le gâteau dominical.

Il fit entrer la mère et ses sept enfants. Il entoura Mme Plumps de son bras pour apaiser les sanglots qui la secouaient.

7

Les fêtes de Noël jetèrent tout leur éclat – leur ombre, plutôt, pour Kochlowsky. Il détestait les jours de fête depuis toujours. Que ce fût Pâques ou la Pentecôte, Noël ou la Saint-Sylvestre, le jour anniversaire de l'empereur ou de la fondation de l'Empire – à chaque fois que c'était liesse, Kochlowsky rôdait, la mine morose, et mieux valait s'écarter de sa route.

Non qu'il fût hypocondriaque; il aimait, au contraire, tout ce qui était lié au vin, aux femmes et aux chansons à boire, et les gens de Pless auraient pu, à ce propos, entonner d'interminables oratorios; non, c'était toujours ce même sentiment d'un vide en lui, qui l'empoignait avec force quand d'autres se réjouissaient de faire la fête. Tout le monde avait des attaches : des amis, une fiancée, une femme, des parents chers avec qui être heureux. Kochlowsky, lui, n'avait rien ni personne. Qui diable eût voulu être son ami ? Et si les femmes qui se succédaient dans sa couche se glissaient dans sa maison la nuit tels des chats, aucune d'entre elles ne voulait se montrer en public avec lui; et pas uniquement parce que la plupart étaient pourvues d'un époux ou d'un promis : une digne fille de bourgeois libre de tout lien aurait eu vergogne à paraître à ses côtés, car sa place n'était pas auprès d'un homme aussi décrié et maudit que Kochlowsky.

Les jours de fête, donc, Leo restait le plus souvent seul et maussade dans sa maison de fonction, sise près du château, à se soûler de bon vin rouge – ce qui augmentait encore son dépit le lendemain, car sa tête lui semblait sur le point d'éclater – et à pester comme un beau diable contre ses pareils qui vivaient les jours de liesse avec si grande gaieté.

Mais les choses, à présent, étaient différentes. Il y avait Sophie, sa tendre petite épouse, il y avait Wanda, son ange, son rayon de soleil, et il avait un toit à lui. C'était son premier Noël d'homme marié, le Saint Soir devait donc faire date dans son foyer, même s'il était encore réduit.

– Je vais m'occuper de l'oie de Noël, ma douce, annonça-t-il à Sophie.

La jeune femme se contenta d'opiner en silence – elle donnait le sein à Wanda – et réfléchit à la manière d'accommoder la volaille. À l'alsacienne, à base de viande hachée et accompagnée d'une choucroute ? À la mecklembourgeoise, avec des pommes, des raisins de Corinthe et garniture de chou rouge ? Ou encore à la Louisville, la recette préférée de la cour de Bückeburg, un plat tout à fait somptueux confectionné avec des marrons et nappé de sauce aux airelles ? Et, à la Saint-Sylvestre, elle ferait une carpe à la polonaise, comme chez le prince de Pless, servie avec une sauce faite d'un bouillon de bière maltée, de sang de carpe, de pain d'épice émietté et d'échalotes. Quand Wanda Lubkenski avait pour la première fois accommodé une carpe de la sorte, le prince lui avait fait présent d'une rose rouge prise dans la décoration de la table. Wanda la conservait, desséchée et flétrie, dans une boîte, telle une relique. Quelle cuisinière, aussi, reçoit-elle une rose rouge de la main d'un prince ?

Kochlowsky se renseigna à la briqueterie pour savoir où l'on pouvait acheter les meilleures oies. Il apprit qu'il existait deux élevages réputés : celui du comte, derrière le château, et celui de son domaine forestier, où il était inutile qu'il se présentât : Ferdinand Rechmann était un prétentieux et sa femme, la rousse Blandine, la Française – miséricorde ! à ses yeux, un homme au service du comte ne comptait pour ainsi dire pas.

Inébranlable, Kochlowsky se résolut à aller demander au garde forestier une oie de premier choix. Il attela son traîneau de bois muni de patins d'acier, drapa une couverture en poil de chien sur sa pelisse et fit trotter son puissant étalon bai à travers la neige voletante.

Le pavillon du garde était sis, de romantique façon mais complètement isolé, au cœur de la forêt. Un sentier le reliait au monde. C'était une maison de conte de fées, avec une cheminée crachant une épaisse fumée, un toit pentu et bas, des tas de bûches empilées le long de la façade, des volets verts et un fournil, sans compter des étables et des granges.

Kochlowsky s'arrêta devant l'entrée, se dépouilla de sa couverture et frappa le marteau de la porte. Une servante vint ouvrir. À la vue du directeur adjoint de la briqueterie, si décrié, elle devint cramoisie et fit une révérence polie.

– Y a-t-il quelqu'un à la maison ? aboya Kochlowsky.

Il jeta un regard sur l'opulente poitrine de la servante. Ah, si c'était encore le bon temps de Pless ! pensa-t-il aussitôt. Le moyen de détacher les yeux de si appétissants appas ? Il se passa la langue sur les lèvres et pénétra dans le vestibule, se pressant au passage contre la fille. Celle-ci referma promptement la porte pour empêcher la neige d'entrer.

– Il n'y a que Madame, monsieur le directeur, bégaya-t-elle.

– C'est suffisant.

Kochlowsky regarda autour de lui, vit quatre portes qui donnaient sur le vestibule, et, sans demander où il devait diriger ses pas, opta pour la deuxième porte sur la gauche. Avant même que la servante eût pu dire mot, il ouvrit le battant et pénétra dans la pièce. Il s'arrêta, saisi. Qui s'attend à trouver, dans un pavillon forestier niché au milieu des bois, la réplique parfaite d'un boudoir français, avec ses suaves odeurs de parfum, ses jolis meubles blancs, ses rideaux de tulle et son tapis de peluche blanche ? Assise sur un tabouret tendu de soie, Blandine Rechmann peignait sa chevelure de flammes devant un grand miroir entouré d'un lourd cadre doré. La vision, à elle seule, était à couper le souffle.

– Je vous demande pardon, fit Kochlowsky avec la plus parfaite correction. Mais votre domestique est si stupidement lente qu'il m'a fallu agir. Je déteste attendre.

– Cela se voit ! (Blandine Rechmann était bien loin d'être confuse ou offensée. Elle continua de se peigner, lissant ses cheveux roux mèche par mèche, tout en observant Leo dans le grand miroir.) Vous êtes Leo Kochlowsky, n'est-ce pas ?

– Oui...

– L'homme de mauvais renom...

Kochlowsky redressa la tête. Même une jolie femme pouvait lui faire perdre patience.

– Expliquez-vous ! dit-il sèchement.

– Celui qui, lors d'un baptême, fait représenter des tableaux vivants avec des nus... Eh bien, je vous prie de...

– Tous portaient un maillot.

– Transparent, paraît-il.

– C'est une infamie ! Ils étaient couleur chair...

– Tout de même ! (Blandine eut un large sourire.) On n'y laissait guère de place à l'imagination.

– Contentez-vous de l'imagination, chère madame, rétorqua Leo avec désinvolture.

Blandine Rechmann haussa les sourcils et interrompit son brossage. La conversation commençait à lui plaire. Elle prenait un tour piquant.

– Êtes-vous intéressé, monsieur Kochlowsky ?

D'un geste coquet de la main, elle rabattit une partie de ses longs cheveux roux sur sa poitrine.

– Seule l'oie m'intéresse, répondit Leo d'une voix rauque.

– La quoi ? (Blandine fixa sur lui un regard incrédule.) Mais si cela peut vous faire plaisir, appelons cela ainsi, mon beau jars !

– Vous vous méprenez. (Kochlowsky s'était raidi.) Je vuis venu vous acheter une belle oie de Noël – à condition que vous vouliez bien m'en vendre une.

– Et c'est pour ça que vous me surprenez dans mon boudoir ?

– Je vous ai déjà présenté mes excuses, chère madame... À qui puis-je m'adresser ?

– C'est un élève forestier qui s'occupe de l'élevage des volailles, ainsi que des autres élevages. Mon mari... (elle prononça le mot comme une injure)... mon mari est un fou. Savez-vous ce qu'il y a dans l'enclos ? Trois cerfs, six chevreuils, cinq sangliers, deux chèvres, quatorze moutons et jusqu'à un mouflon ! Je ne compte même plus les vaches et les chevaux, les chiens et les chats... Je ne suis entourée que d'animaux. De temps à autre apparaît un visiteur qui, comme vous, veut telle ou telle bête. Un animal... une oie... (Elle eut un rire strident, quasi hystérique, et se pencha sur son tabouret de soie. Kochlowsky la fixait... Elle était d'une beauté saisissante, farouche, susceptible d'entraîner un homme, même s'il devinait le danger qu'elle recelait.) Une oie de Noël ! s'esclaffa-t-elle. (Elle se leva.) Je vais vous y conduire. Allez-vous la tuer, aussi ? Comment faites-vous ? Lui tordrez-vous le cou ? Ou l'étouf-

60

ferez-vous ? Lui fendrez-vous le crâne ? En êtes-vous capable ? Pouvez-vous décapiter un être vivant ? Je veux voir ça !

— On estourbit les oies par un coup sur la tête avant de les saigner, dit Kochlowsky avec difficulté.

— Et vous le faites ? (Ses yeux étincelaient.) Vous les saignez ? Et votre main ne tremble pas ?...

— Comment puis-je me rendre à l'enclos ? demanda Leo d'une voix forte.

— Je vous ferai présent de la plus belle bête si vous la saignez sous mes yeux.

Ses lèvres tremblaient, sa bouche était entrouverte; sa langue pointait entre ses dents, telle celle d'un serpent. Le scintillement de ses yeux, qui avaient pris un éclat d'émeraude foncé, commença à vaciller.

— Je n'ai jamais accepté en cadeau une chose que j'ai les moyens de m'acheter, dit sèchement Leo. (Il se dirigea vers la porte.) Je trouverai bien quelqu'un dehors pour me montrer le chemin.

— Mais je n'ai pas dit que je vous céderais une oie.

— Je le prends pour acquis.

— Et si je refuse ?

— Je choisirai une volaille magnifique.

— Votre insolence est inouïe, monsieur Kochlowsky.

— Ne disiez-vous pas que j'avais mauvaise réputation ? (Il ricana.) Je dois y faire honneur.

Il voulut s'en aller, Blandine le retint.

— Un instant...

Elle passa devant lui et ferma la porte à clé. Puis elle s'adossa au mur et se mit à jouer avec ses longs cheveux défaits.

Kochlowsky la regarda un moment sans souffler mot.

— Que signifie ? demanda-t-il enfin.

— Embrassez-moi, Leo ! Mon Dieu, ne restez pas comme une souche ! Vous avez envie de mes lèvres...

– Votre mari, chère madame…

– Il est à Leipzig et ne reviendra pas avant ce soir. Auriez-vous peur de lui ? Vous, un tel ours, redouter un lièvre ? À moins que ce ne soit le sentiment nouveau de devoir demeurer un époux fidèle ? Un jeune père… (Elle accentua l'adjectif et l'étira en longueur. Kochlowsky sentit des picotements sur son crâne. La sensation s'accrut quand Blandine s'approcha de lui et qu'il inhala son parfum sucré. Elle lui soufflait son haleine au visage.) Je me suis prise d'intérêt pour vous, Leo, dit-elle à voix basse, consciente de l'effet irrésistible de sa voix et de son sourire sur la gent masculine. Un homme de votre trempe est rare, à Wurzen. Un homme qui fait litière de toutes les conventions, qui vit à sa guise, qui se moque complètement de la bonne société, qui accepte fièrement d'être traité de monstre. Cela m'attire tel un aimant le fer. À Pless, dans la lointaine Haute-Silésie, on vous appelait « le général en chef ». Les hommes vous craignaient et les femmes vous couraient après, comme les abeilles vont vers le miel.

– Qui vous a dit cela ? gronda Kochlowsky.

– J'ai bavardé à l'hôtel avec quelques femmes de la Société théâtrale de Pless. (Blandine eut un sourire épanoui, dangereux.) Tout ce qu'elles m'ont raconté, Leo ! Il y avait au moins dix maris qui avaient tous une bonne raison de vous tuer ! D'avoir épousé la petite Sophie est une chance, pour vous… Vous n'aurez pas à fuir des hommes assoiffés de vengeance ou des femmes en folie.

– Quel rapport avec mon oie de Noël ? demanda Kochlowsky avec raideur.

– Vous n'aurez l'oie que si vous m'embrassez.

– Et si je renonce à l'oie ?

– Ça ne changera pas grand-chose. (Son sourire était comme un aimant qui l'attirait à elle.) La porte est verrouillée, la clé dans mon corsage… (Elle la cacha prestement entre ses seins et écarta les bras.) Vous devrez l'y aller chercher ou

défoncer la porte. Que penserait la servante, Leo ?
Vous n'avez pas grand choix !

– Vous non plus, Blandine. Ce que vous avez
en tête est indigne de vous.

– Indigne de moi ? Devons-nous vous et moi
parler encore de dignité quand nous nous regardons et connaissons nos désirs secrets ? Leo,
depuis quand êtes-vous devenu hypocrite ? Mon
Dieu, comme le mariage vous a changé...

Kochlowsky la fixa d'un regard noir, de ce
regard perçant auquel succombaient toutes les
femmes. Blandine elle-même, en dépit de son
expérience, sentit son cœur cesser un instant de
battre. Leo l'attira à lui, l'embrassa durement sur
ses lèvres à demi ouvertes, plongeant dans le
même temps la main dans son corsage. Avant
que Blandine n'eût le temps de pousser un gémis-
sement de volupté, il arracha la clé, repoussa la
jeune femme contre le mur et ouvrit la porte.

– L'oie, à présent ! dit-il sur un ton de comman-
dement. Ne vous donnez pas cette peine, chère
madame, je trouverai le chemin.

La servante lui indiqua où se trouvait l'enclos.
Un ouvrier consolidait l'un des murs de la maison-
nette de bois. Lui aussi, bien sûr, connaissait Leo
Kochlowsky. Il le fixa d'un regard incrédule, en
oubliant son travail.

– Sont-ce là toutes les oies ? demanda grossièrement Leo.

– Oui, il n'y en a plus dehors, avec la neige.

– Des oies engraissées, ça ? Des moineaux phtisiques, oui ! Pas de poitrail, pas de cuisses ! En
comparaison, les oies de Pless étaient de vrais
dinosaures. (Kochlowsky se retourna; Blandine
pénétrait dans l'enclos, enveloppée d'un manteau
de renard argenté que Kochlowsky n'avait vu
porter que par les grands-ducs russes venus en
visite à Pless.) Sont-ce là des oies ?

– Vous avez le choix... comme d'habitude ! dit
Blandine d'une voix enjôleuse.

– Merci bien ! (Leo tourna les talons.) J'aurais honte d'arriver chez moi avec un volatile étique sous le bras !

– Vous deviez en saigner une sous mes yeux...

– À quoi bon ? Il me suffit de souffler dessus pour les tuer. Madame, je regrette. Ce que vous avez à m'offrir ne correspond pas à mes vœux...

Kochlowsky quitta l'enclos, Blandine sur les talons. En dépit de son épais manteau, elle tremblait, et c'était la rage seule qui la glaçait.

– Rustre ! siffla-t-elle. Monstre ! Brute ! Tu oses me dire ça ? Sais-tu ce que cela signifie ? Tu me traites comme une catin...

– Je ne souhaite pas en discuter maintenant.

– Que suis-je à tes yeux ? Dis-le !

– Une femme à qui on devrait interdire de quitter son lit.

– Alors fais-le ! Fais-le donc !

– Pas pour le prix d'une oie de Noël. (Leo fit une petite révérence, tel un cavalier à la fin d'une danse.) Madame, je reviendrai...

– Quand ?

– Sans crier gare.

– Tu es le scélérat le plus cruel que je connaisse ! cria Blandine, la voix mouillée de pleurs.

Elle tourna les talons et courut vers le pavillon. Leo la suivit des yeux, ôta les cristaux de glace de sa barbe et se dirigea vers son grand traîneau de bois. Peu avant de l'atteindre, il fit demi-tour et retourna à l'enclos. Il désigna du doigt une belle oie bien grasse.

– Je prends celle-là.

L'ouvrier opina avec respect. Il attrapa l'oie et la fourra dans un sac. Kochlowsky jeta sur son épaule le sac où l'oie se débattait comme une folle, regagna son traîneau et s'éloigna à la hâte. Derrière lui, la neige volait en un nuage blanc dans le ciel glacé.

Blandine n'en vit rien. De nouveau assise devant

l'immense miroir de son boudoir, elle fixait son visage gonflé de larmes et cria à son reflet :

– Quand tu reviendras, Leo, je te saignerai ! Oui, je te saignerai ! Un monstre comme toi n'a pas le droit de vivre !

Mais, tout en disant ces mots, elle savait que, quand il reviendrait, elle lui ferait tout autre chose.

8

La maison tout entière sentait les pommes au four, la cannelle et l'oie rôtie, odeurs enivrantes, célestes, qui n'appartenaient qu'à Noël et qui suffisaient à vous rendre solennel et joyeux.

À la briqueterie aussi, la veille et l'avant-veille de Noël furent empreintes de la joie anticipée de la plus allemande de toutes les fêtes. Le comte Douglas avait réuni le personnel dans le vaste entrepôt et avait exprimé à tous ses remerciements pour le travail accompli et la fidélité à la firme. Pour respecter la coutume, Langenbach avait demandé à Leo :

– Voulez-vous prononcer le discours de remerciements au nom du personnel, cette année ?

– Pourquoi moi ?

– En votre qualité de nouveau directeur adjoint...

Le terme « adjoint » avait suffi à transformer Kochlowsky en une chaudière au bord de l'explosion.

– Que celui qui s'en chargeait jusqu'alors continue de le faire ! avait-il crié. Je ne suis pas rompu à l'art du lèche-bottes !

– C'est affaire de politesse et de gratitude, avait dit Langenbach avec gravité. Vous n'assisterez pas à la fête ?

– La décision n'appartient qu'à moi seul.

La petite fête de Noël à la briqueterie se déroula sans incident. Langenbach, comme chaque année, prononça le discours de remerciements, puis on distribua à chacun une corbeille de friandises, de pâtisseries et de fruits. Les hommes reçurent encore un grand mouchoir de lin et les femmes un châle de laine, les employés administratifs une gratification de dix marks d'or – pour les deux directeurs, elle était de vingt marks. C'était fort généreux, et Kochlowsky fut obligé d'aller présenter ses plus humbles remerciements au comte Douglas.

– Je suis content de vous avoir parmi nous, Kochlowsky. (Douglas lui donna une cordiale poignée de main.) Quoi qu'on puisse dire de vous à Wurzen, je suis satisfait de vous. Au reste, je savais qui j'engageais. Vous êtes-vous fait à votre nouvelle patrie ?

Kochlowsky éluda la question.

– Ma femme se sent très bien ici. Et le jardin sera un paradis pour ma petite Wanda.

– Mais pourquoi provoquez-vous toujours des querelles, Kochlowsky ?

– Je ne les provoque pas, monsieur le comte, elles me poursuivent.

– Parce que vous clamez toujours ce que vous pensez. Gardez pour vous cinquante pour cent de la vérité.

– Au risque de m'étouffer, monsieur le comte ?

– Mais cela ne vous vaut que des ennemis ! Tout homme est affligé de nombreux défauts, et vous tout particulièrement, Kochlowsky. Si nous étions parfaits, c'est alors que nous étoufferions... d'ennui.

Ils étaient seuls dans le bureau, sur la porte duquel était inscrit : *Direction*. Langenbach était encore dans l'entrepôt avec les ouvriers. Nul n'était surpris que Kochlowsky ne participât pas à la fête : on eût été fort étonné, par exemple, de le voir assis à côté d'un employé à boire un kummel en sa compagnie. En revanche, l'absence de Leo à la fête donnait à Douglas l'occasion de s'entretenir en privé avec lui.

— Quelque chose vous attriste, Kochlowsky ? N'avez-vous pas tout ce que vous désirez ?

— J'aimerais bien m'acheter un cheval, monsieur le comte.

Le regard de Kochlowsky se perdit au-delà du comte Douglas. Il voyait les vastes champs de Pless, les bois qu'il sillonnait à cheval, les étangs au bord desquels ils faisaient halte, l'onde claire où son cheval se désaltérait.

— On dit pourtant à Wurzen que vous faites résonner les pavés du sabot de votre cheval.

— Une rosse qu'on m'a prêtée.

— Aviez-vous votre propre cheval, à Pless ?

— L'écuyer et le cocher du prince étaient des amis à moi. Pless possédait des chevaux magnifiques, qu'il fallait entraîner.

— Moi aussi, j'ai de bons chevaux.

— Avec lesquels le baron von Üxdorf aimerait aller se coucher...

— Nous y revoilà, Kochlowsky ! (Le comte Douglas eut un sourire indulgent.) On peut exprimer les choses autrement. C'est vrai, von Üxdorf a la passion des chevaux. C'est sa raison d'être, depuis son départ de la cavalerie. Je vais lui parler de vous, Kochlowsky.

Le comte Douglas était à cent lieues de prévoir les conséquences de sa promesse. Il se fût, sinon, plutôt coupé la langue.

Noël arriva, tel qu'il doit être : la neige tombait en flocons silencieux, les cloches sonnaient et les torches illuminaient la nuit; puis il y eut le prêche et les chants. Sophie avait tenu à assister au service religieux de la Sainte Nuit. Par ailleurs, avait-elle dit, on devait quitter les lieux pour que Leo ne vît pas prématurément son cadeau, qu'on ne pouvait dissimuler.

Avant le début de l'office, Johanna Klaffen vint prévenir le pasteur Maltitz dans la sacristie.

— Il est là, au deuxième rang ! fit-elle, le souffle court. Avec sa femme et sa fille.

— Qui donc ?

Maltitz était en train de fixer son étole.

— Le diable !

— Le diable n'a ni femme ni enfant, Johanna.

— Kochlowsky...

— Cesse de traiter Kochlowsky de diable ! (Le pasteur ajusta son surplis noir et jeta un coup d'œil à sa montre. Dans dix minutes, l'organiste, Hermann Mampe, allait entonner le premier cantique : « Réjouissez-vous, chers chrétiens, réjouissez-vous du fond du cœur. » Le grand sapin de l'autel scintillait déjà de ses cent bougies.) Objectivement, c'est un pauvre hère.

— Il m'a insultée, dit Johanna Klaffen, la respiration coupée. Il nous a insultés. Toi et moi.

— Qu'a-t-il fait ?

Maltitz cala l'Évangile et le brouillon de son prêche sous son bras.

— Il m'a dit dans la boutique de Brenner : « Elle n'a pas à faire la mijaurée, cette Johanna Roquet. Elle sait à quoi ressemble un pasteur en caleçon. » (La gouvernante sanglota et s'essuya les yeux d'un revers de main.) Roquet, il a dit ! Comme un chien...

Le roquet importait bien moins au pasteur que la remarque à propos de son caleçon. De l'église leur parvenaient les premières notes du cantique qui ouvrait l'office. Maltitz allait avoir besoin de tout son amour du prochain pour supporter, du haut de sa chaire, la vue de Leo Kochlowsky au deuxième rang.

— Ne t'en fais pas, Johanna, fit le pasteur, le visage grave. N'est-il pas écrit que « le juste doit beaucoup souffrir » ?

Maltitz, toutefois, renonça à son prêche de Noël pour improviser, lorsqu'il vit Kochlowsky assis près de la chaire. Pendant tout le temps qu'il parla, il riva sur lui son regard et tendit même le bras vers lui lorsqu'il s'écria :

– Christ est né pour apporter la paix aux hommes et pour que nous pardonnions à ceux qui sèment la discorde parmi eux...

– Quel beau prêche ! s'exclama Sophie à la fin du service, alors que tous entonnaient *Belle Nuit, Sainte Nuit...*

Kochlowsky grommela une réponse inintelligible, mit femme et enfant dans le traîneau et reprit le chemin de la maison sise à l'orée de la ville.

– Attention, Leo, à présent, avertit Sophie, l'air mystérieux. Tu vas voir ton cadeau de Noël.

Elle déposa le bébé emmitouflé dans les bras de Leo, ouvrit la porte et les poussa à l'intérieur. Au même instant, une pelote blanche sortit en trombe du corridor, regarda Kochlowsky et fondit sur lui sans un bruit. Leo n'eut pas le temps de réagir : la pelote blanche lui avait mordu la jambe et s'était suspendue à son pantalon.

– Maudite bête ! cria Kochlowsky, agitant sa jambe. Sale engeance !

– Prends garde à Wanda ! s'écria Sophie, effrayée. Ne la laisse pas tomber...

– D'où sort ce cabot ? hurla Leo. Qui l'a enfermé chez nous ? Sophie, prends Wanda. Je vais étrangler cette bête.

Le chien parut comprendre. Il lâcha la jambe de pantalon de Leo, recula et resta dans la neige, la tête penchée et agitant sa queue en panache. Il avait une gueule insolente, provocante, de petits yeux intelligents et des crocs acérés, bien visibles sous ses babines retroussées.

– N'est-il pas adorable ? demanda Sophie qui alla s'accroupir près de l'animal. C'est un spitz. Un grand spitz... Il a une fourrure blanche comme neige... Il n'a que cinq mois, il va encore grandir.

– Prends l'enfant ! cria Kochlowsky, hoquetant de rage. Je vais briser les reins à cette charogne !

Il m'a mordu. Tu l'as vu ? Il m'a mordu à la jambe !

– Ton cadeau de Noël...

Sophie caressa le chien, qui grondait doucement. Mais c'était de bien-être. Wanda dormait à poings fermés, malgré les cris de son père. Une vraie Kochlowsky, semblait-il.

– Qu'est-ce que c'est que ce chien ?

– Mon cadeau de Noël, mon chéri. (Sophie se releva.) N'es-tu pas content ?

– Et comment !

Kochlowsky passa devant sa femme et le chien et entra dans la maison. Il posa le bébé sur la table près du sapin décoré, se tâta le mollet, releva la jambe de son pantalon; la plaie ne saignait pas, les dents du chien n'avaient laissé que quelques empreintes violacées. Il regarda le spitz entrer en remuant la queue et s'asseoir bravement devant lui près du sapin. Regarde, je suis un cadeau ! semblait dire l'animal. Comment pouvais-je deviner que tu étais mon maître ? À présent, il n'y a plus d'erreur. Kochlowsky considéra le chien, les sourcils froncés. Ils se faisaient face, les yeux dans les yeux. Leo dit d'une voix sourde :

– Je t'accepte quand même sous mon toit, espèce de bâtard ! Viens ici ! fit-il en montrant la pointe de ses souliers.

Le chien, docile, s'approcha et se coucha à ses pieds.

– Il t'a aimé au premier regard ! s'écria joyeusement Sophie. Vois donc, Leo... il sait que tu es son maître.

Elle alla coucher Wanda, ceignit son tablier de fête orné de dentelle et se hâta vers la cuisine. Dans le four, la grosse oie grésillait, farcie de pommes, de raisins de Corinthe et de rosines, selon les vœux de Leo. A la mecklembourgeoise.

Kochlowsky attendit que Sophie eût rejoint ses fourneaux pour aller fermer la porte. Il s'assit sur le sofa recouvert de peluche rouge et tapota la place à côté de lui.

– Ici ! cria-t-il. Assis, espèce de truie ! Allez...

Le spitz dressa les oreilles, lança à Leo un regard hésitant puis bondit. Il se coucha aussitôt, enfouit son museau pointu contre la cuisse de Leo et soupira. C'était un soupir bouleversant, venu du plus profond du cœur.

Kochlowsky posa une main sur la tête du chien, gratta l'épaisse fourrure de laine blanche et lissa de son autre main sa barbe noire. Sa colère, cette fichue colère qui éclatait toujours, incontrôlable, et qui le submergeait alors tout entier, s'était envolée dès l'instant où le spitz l'avait regardé. Dans la vie, trois choses faisaient fondre Leo, telle la cire au contact d'une flamme : les chevaux, les chiens et les chats. Mais un être humain, jamais ! A quelques rares exceptions près – Sophie, entre autres, et sa fille –, aucune des jolies femmes qu'il avait possédées n'échappait à la règle; elles le confirmaient dans l'idée que la fidélité d'un chien est plus précieuse que les serments d'une maîtresse. Blandine Rechmann, la garce rousse du pavillon forestier, venait d'en donner une nouvelle preuve.

– Nous sommes bien assortis, dit-il en caressant la tête du spitz. Toujours montrer les crocs... Ainsi, chacun sait à quoi s'en tenir. Tu es chez toi, mon garçon.

Sophie avait fait ses classes dans les cuisines princières de Schaumburg-Lippe et avait reçu les éloges de Bismarck dans celles de Pless. On pouvait donc lui faire confiance pour accommoder une oie rôtie à faire chanter l'âme et le palais. Si Kochlowsky savait quel cordon-bleu était sa petite femme, c'était la première fois qu'il goûtait une oie rôtie préparée de ses mains, et il en mangea tant qu'il ne put se lever de table.

– Je ne peux plus bouger, dit-il. (Il éclata d'un rire retentissant.) Ma chérie, je suis gavé.

Dans la bouche de Kochlowsky, il n'était pas de plus grand compliment.

Plus tard, ils allumèrent les bougies du sapin et chantèrent de vieux cantiques de Noël – Leo d'une profonde voix de basse, Sophie d'une voix de soprano claire et ténue, mais qui portait. On se serait cru au spectacle, et s'ils avaient eu un auditoire, les applaudissements eussent été frénétiques.

La soirée s'acheva par le déballage des cadeaux. La princesse de Pless avait envoyé un colis qui contenait de la saucisse de Silésie, un jambon à l'os et des pâtisseries; Wanda et Jakob Reichert une bûche de Noël de quatre livres, truffée de rosines, de citronnelle, d'amandes et de pâte d'amandes. Ewald Wuttke avait dû chiper dans les réserves du prince l'énorme morceau de longe de sanglier fumé qu'il leur avait adressé. Louis Landauer, comme de juste, avait envoyé un tableau mais c'était une œuvre spéciale, un pastel qui représentait Sophie et Wanda lors du baptême. Lorsqu'il le vit, Kochlowsky eut les yeux humides, mais il ronchonna :

– Ma Wanda a l'air d'une guenon ! Nous jetterons ce torchon dès demain !

Pourtant, le lendemain de Noël, le dessin était déjà suspendu dans la chambre à coucher, au-dessus de la commode réservée aux langes de Wanda.

Eugen envoya une ode de dix-neuf strophes et un exemplaire avant tirage de son nouveau roman nationaliste : *La Pomme de pin d'or*. Cinq mille exemplaires étaient déjà en commande, et Eugen écrivait : « Mon éditeur m'embrasse quand il me voit. Voilà deux ans, il m'a fichu à la porte de son bureau ! Mais je sais le lui rappeler. Quand il m'a baisé la joue, je m'essuie la figure avec un grand mouchoir et m'asperge de parfum. Un parfum français. Scandaleusement cher, mais célébrité oblige... »

Le plus joli cadeau arriva de Bückeburg. « Ma chère petite nièce, écrivait la princesse, que Dieu te protège ainsi que ton enfant… » Pas un mot pour Leo. Pour Wanda, il y avait un gros paquet qui renfermait des vêtements ainsi qu'un mantelet, un bonnet et des gants de fourrure. Tout cela irait à l'enfant le prochain hiver. Dans une bourse de cuir tintaient cinquante marks d'or. Sophie renversa le petit trésor sur la table, étreignit Leo et pleura contre sa joue.

– À présent, nous pouvons… (Elle l'embrassa.) Maintenant, c'est possible…

– Quoi donc ?

– Tu vas pouvoir t'acheter un cheval, un beau et vigoureux cheval…

– Non ! (Kochlowsky rassembla les pièces et les remit dans la bourse.) Personne ne m'offrira un cheval. Je me le paierai à la sueur de mon front. Je paie toujours ce que je désire. L'argent est pour Wanda. N'en parlons plus ! Comment se fait-il que la princesse von Schaumburg-Lippe te fasse de tels cadeaux et t'appelle sa « petite niè-ce » ?

– Je l'ignore. (Sophie prit la bourse de cuir et la mit dans la poche de son tablier.) J'ai interrogé maman plusieurs fois, et, à chaque fois, elle m'a répondu que c'était un secret qu'elle emporterait dans la tombe…

En vérité, ce fut un très beau réveillon de Noël. Avant d'aller au lit, ils se postèrent près du lit de Wanda, main dans la main, et s'embrassèrent.

– Je t'aime, dit tout à coup Kochlowsky.

Il tourna les talons et partit dans la chambre, comme s'il avait honte.

Ce fut pour Sophie le plus beau des cadeaux de Noël.

9

Le matin du 25 décembre, vers dix heures et demie – heure décente pour une visite –, on sonna à la porte. Sophie, à la cuisine, préparait déjà le déjeuner, une langue de bœuf à la polonaise avec des mange-tout et des beignets de pommes de terre. Ce fut donc Leo qui alla ouvrir. Il se trouva nez à nez avec un Leopold Langenbach vêtu de ses plus beaux atours. Dans l'allée, il aperçut un coche de la briqueterie. Langenbach tenait à la main un bouquet de fleurs enveloppé de papier et un long paquet était coincé sous son bras.

– Joyeux Noël ! dit-il avec une joie sincère. Et paix sur la terre...

– Que voulez-vous ?

Kochlowsky fixait Langenbach d'un regard mauvais et ne s'écarta pas d'un centimètre.

– A vous, à votre femme et à votre enfant, je voulais...

– Ne vous êtes-vous pas trompé d'adresse ? l'interrompit Kochlowsky d'un ton rogue. Ou bien vous aurait-on invité derrière mon dos ?

– J'avais un besoin pressant de dire à votre femme...

– Allez faire vos besoins ailleurs, je vous prie, fit grossièrement Kochlowsky. Je n'admettrai pas d'être encore importuné, même au nom de ma femme. Ne vous avisez surtout pas de laisser ce stupide bouquet de fleurs et ce paquet, ou je vous les jette à la tête. Suis-je assez clair ? Ou bien votre cerveau est-il aussi bouché que vos intestins ? Joyeux Noël !

Kochlowsky rentra, claqua la porte derrière lui et baissa les yeux sur le spitz.

– Il fallait le mordre, sale bête ! grogna-t-il. Au

lieu de quoi tu es là à agiter la queue. J'ai encore beaucoup à t'apprendre, mon garçon...

Sophie surgit de la cuisine, jeta un coup d'œil dans le salon. Leo s'était rassis sur le sofa, Wanda emmaillotée à côté de lui, le spitz à ses pieds. Il lisait l'édition de Noël du *Wurzener Heimatnachrichten* et y trouva un morceau de prose d'Eugen sous le titre : « Nous sommes tous frères et sœurs ». En homme d'affaires qu'il était, Eugen avait vendu l'article au journal lors du baptême de Wanda.

– Qui était-ce ? demanda Sophie.

Elle sentait le pain d'épice. Il n'est pas de sauce polonaise de fête sans pain d'épice.

– Qui était-ce quoi ? dit Leo.

– On a bien sonné à la porte...

– Ah oui ! Un vagabond. Un mendiant. A Noël, ces gens-là espèrent des gâteries.

– As-tu donné quelque chose ?

– Oui, trois sous et un coup de pied aux fesses.

– Leo...

– Je lui ai offert un mark s'il coupait du bois. Que m'a répondu le gaillard ? « Je ne travaille pas le jour de la naissance de Christ. » Je lui ai flanqué mon pied aux fesses. Alléluia spécial...

Sophie ne souffla mot et retourna à la cuisine. Il faudra que je m'excuse pour Leo auprès de Langenbach, pensa-t-elle. Elle avait vu, bien sûr, qui était le visiteur venu présenter ses vœux. Elle s'attendait à cette visite. Et elle n'avait pas bougé pour éviter que le jour de Noël ne tournât à la tragédie.

Elle remua la sauce, la goûta du bout du doigt et ajouta un peu de zeste de citron râpé. Ce faisant, elle pensait, le cœur battant : Quelle chance que Leo ne sache pas qui m'a procuré le spitz ! Et aussi que je lui ai donné la clé pour qu'il puisse apporter le chien pendant que nous étions à l'église... Dieu fasse que Leo ne l'apprenne jamais...

Le 26 décembre, le pasteur Maltitz vint leur rendre visite. Il leur fit cadeau d'un recueil de psaumes dans une édition de petit format. On pouvait l'emporter partout avec soi, il s'adaptait à toutes les poches.

Sophie le remercia, les larmes aux yeux, d'autant que le pasteur remarqua :

— Juste un petit aide-mémoire, chère madame Kochlowsky. Je sais que vous connaissez presque tous les psaumes par cœur.

Puis Maltitz et Leo se retirèrent dans la petite pièce derrière le salon, le « fumoir », comme on l'appelait, parce qu'elle était meublée d'un secrétaire et d'un classeur. En outre, Leo y fumait ses cigares pour épargner les rideaux du salon.

Le pasteur s'assit dans l'un des fauteuils et attendit que Leo eût débouché une bouteille de vin rouge et lui eût présenté le coffret à cigares. Il dit alors, sans élever la voix :

— Si j'étais comme vous, monsieur Kochlowsky, je devrais vous jeter mon vin à la figure et réduire les cigares en charpie... Mais je vis selon la parole de Jésus : « Aime ton prochain... »

— Ça commence bien ! (Kochlowsky prit place en face de Maltitz et alluma son cigare.) Qu'est-ce qui trouble votre digestion ?

— Vous...

— Aurais-je chanté faux à l'église ?

— Vous détonnez en permanence.

— Tout le monde n'est pas musicien. Si nous étions tous chanteurs d'opéra...

— Vous avez déclaré en public que j'avais une liaison avec ma gouvernante, dit le pasteur, allant droit au but.

— Ce serait triste que vous n'en eussiez pas, monsieur le pasteur !

— Monsieur Kochlowsky !

— Johanna est une solide luronne qu'une braguette ne semble pas effaroucher.

– C'est scandaleux, monsieur Kochlowsky !

– Que vous vous scandalisiez, voilà qui est scandaleux. (Kochlowsky se pencha par-dessus la table et serra les poings.) Cette foutue hypocrisie ! Partout ! Vous êtes un homme comme moi – du moins, je l'espère pour vous – et je n'aurais pas cette Johanna Klaffen une journée sous mon toit sans lui sauter dessus ! Elle en veut, ça se voit. Et vous seriez un rustre, monsieur le pasteur, si vous l'évitiez.

– Mon sacerdoce m'interdit de vous donner la réponse qui convient.

– Dans ce cas, oubliez votre ministère, et soyez un homme !

– Dans ce cas, je vous traiterais de porc.

– Ah ! Voilà qui est mieux ! (Kochlowsky s'adossa à son siège, caressa sa longue barbe et but une gorgée de vin.) Il y a des hommes dont la seule vue m'offense et d'autres qui sont incapables de m'offenser. Vous faites partie de ces derniers, monsieur le pasteur. Qui ne converse qu'avec le ciel, paraît-il, jouit de la liberté des fous. Vous n'en seriez que plus humain si vous couchiez avec la belle Klaffen...

– Je devrais vous envoyer mon poing à la figure ! (Le pasteur se leva brusquement.) Votre femme me fait pitié. Elle n'a pas fini d'en voir, avec vous.

– L'église la consolera. (Kochlowsky se leva à son tour et projeta la fumée de son cigare vers le plafond.) Je n'ai que faire de votre compassion, monsieur le pasteur. Qu'exigez-vous de moi, au juste ? Dois-je apprendre à mentir comme la plupart de mes semblables ?

– Étiez-vous dans ma chambre, pour pouvoir apporter la preuve de vos monstrueuses affirmations ?

– Êtes-vous prêt à jurer le contraire devant votre Jésus ?

– C'est inutile ! s'écria Maltitz, énervé. Pas devant vous.

– Voilà bien une réponse d'homme d'Église. (Kochlowsky remit son cigare dans le cendrier d'étain.) Alors, où en sommes-nous, tous les deux ? C'est la guerre ?

– La tristesse, monsieur Kochlowsky. Même si le Seigneur daigne tout pardonner... Je suis triste qu'au fond vous soyez si amer. C'est à pleurer.

– Allez-y ! dit Kochlowsky, ravi. Plus vous pleurerez, moins vous pisserez !

Un instant, Maltitz resta pétrifié, puis il tourna les talons et sortit de la pièce sans un mot.

Sophie était assise au salon, devant le sapin décoré, les mains sur les genoux. Elle n'eut pas à poser de questions – le visage du pasteur était suffisamment éloquent.

– Je l'aime, cependant, murmura-t-elle.

Elle devinait sans peine les pensées de Maltitz.

– Vous avez toujours la ressource de venir me voir, Sophie. Dieu doit vous chérir tout particulièrement.

– Je prie tous les jours. (Elle joignit les mains.) Je prie aussi pour lui. (Elle indiqua de la tête le fumoir.) Oh oui !

– Espérons que vos prières l'aideront, dit Maltitz. La force de Dieu, ce n'est pas Sa seule bonté, mais aussi Sa patience.

Kochlowsky ne sortit du fumoir que lorsqu'il vit s'éloigner le coupé du pasteur. Il avait le visage rouge d'avoir avalé coup sur coup trois verres de vin rouge.

– C'est un gaillard, ce pasteur ! dit-il d'une voix forte. (Il renifla. Ça sentait le chou rouge et la capilotade d'oie.) Il m'injurie, et j'encaisse tout. Il pourrait devenir mon ami...

L'après-midi, Kochlowsky rendit visite à Theodor Plumps. Il apporta un énorme gâteau rond aux raisins secs que Sophie avait confectionné selon une recette silésienne, du chocolat pour chacun des dix enfants, une veste en laine de mouton pour Mme Plumps et une boîte de vingt-cinq cigares pour le chef comptable.

La famille Plumps avait déjà entendu parler de ces cigares. Tout Wurzen, outré, en parlait.

Sur la recommandation de l'écuyer du comte, le baron von Üxdorf, Kochlowsky avait changé de fournisseur pour élire le brave Felix Berntitz qui, outre des articles destinés aux fumeurs, vendait aussi de la papeterie, des livres et des journaux. Dans une boutique attenante, tenue par son fils aîné, il proposait encore des tapis, de la peinture et des revêtements de sol.

Kochlowsky entra dans la boutique, après en avoir regardé un moment les vitrines. Derrière son comptoir, Felix Berntitz adressa une instante prière au ciel : « Seigneur, faites qu'il passe son chemin ! » Mais le Seigneur, selon toute apparence, était absent de Wurzen ce jour-là. Kochlowsky avança dans la boutique.

– Je voudrais une boîte de cigares qu'on puisse aussi fumer, dit-il, le regard étincelant.

Le vieux Berntitz n'était pas homme à se terrer devant le danger. Il haussa les épaules et considéra Kochlowsky, la mine perplexe.

– Vous êtes le premier, remarqua-t-il, à vouloir fumer une boîte ! Je ne sais, hélas, si le bois a bon goût !

Les sourcils de Kochlowsky se froncèrent. La situation était claire, il était dans son élément. Sus, sus, camarade, au combat !

– Ça doit bien coûter trois groschens, fit Leo prudent.

– La boîte ?

– Le cigare.

Kochlowsky était tout miel. Le vieux Berntitz ignorait quel danger recelait pareille douceur. C'était l'accalmie qui précédait la tempête.

Berntitz se dirigea vers une vitrine, prit quelques boîtes de cigares à trois groschens pièce, referma le couvercle d'un coup sec et les présenta à Leo.

C'était la procédure habituelle; le client avait le droit de s'informer sur la forme, la couleur et l'arôme d'un cigare avant d'arrêter son choix.

Kochlowsky prit la première boîte, la mit sous son nez, huma et la reposa, dégoûté, sur le comptoir. Berntitz fixa sur lui un regard étonné.

– De quoi ? fit Kochlowsky d'une voix plus forte, cette fois. Vous osez me proposer de la paille roulée ?

– Ce cigare vient de l'une des fabriques les plus renommées.

– N'empêche, il sent la paille ! (Kochlowsky huma la deuxième boîte et la repoussa.) Ha !

– Quoi, encore ?

– A-t-on fait mariner ce cigare dans du purin ?

– C'est le meilleur cigare roulé à la main ! cria Berntitz, outré.

– Justement ! Il pue ! Les gens de la fabrique pourraient se laver les mains ! Ça sent la pisse !

Avant que Berntitz, tremblant d'indignation, eût le temps d'enlever les boîtes, Kochlowsky en saisit une troisième et la huma. Son visage se plissa de dégoût.

– Un pet ! Votre entrepôt est-il dans les latrines ? Mais quoi d'étonnant ? Nous sommes à Wurzen, là où les pets des chevaux résonnent.

Le vieux Berntitz chercha son souffle et arracha la boîte des mains de Kochlowsky.

– Dehors ! ordonna-t-il. Dehors ! Espèce de... espèce de...

Il n'acheva pas, faute de trouver le terme approprié.

– Donnez-moi une boîte à cinq groschens, dit Leo, imperturbable. Celle-là, là-haut. J'en fume aussi.

– Vous n'aurez pas un brin de tabac ! aboya Berntitz. Sortez de ma boutique ! Immédiatement !

Kochlowsky opina, compta douze groschens cinquante, les déposa sur le comptoir, plongea la main dans la vitrine, en sortit la boîte et quitta les lieux. Comme paralysé, le vieux Berntitz le suivit du regard. En soixante ans d'existence, il n'avait jamais vu chose pareille. Il fourra l'argent dans sa caisse, fit en courant le tour du comptoir, ferma sa boutique et alla s'asseoir sur le sofa de son arrière-boutique.

Que faire s'il revient ? pensa-t-il, tout retourné. Une seule chose : crier à l'aide ! Comment peut-on laisser un tel homme en liberté ?

À présent, cette même boîte de cigares venait d'arriver chez Theodor Plumps comme cadeau de Noël. Berta Plumps rougit et frissonna de tous ses membres quand elle vit Leo Kochlowsky sur le seuil, une grande corbeille au bras.

– Ça alors ! bredouilla-t-elle, ne trouvant rien d'autre à dire. Non, ça alors ! Vous ! Entrez... Ô Dieu, mon tablier est taché ! Ne faites pas attention... Je vous en prie, ne faites pas attention !

Les dix enfants étaient assis, figés, dans le salon trop petit, en rang d'oignons comme pour l'appel, et observaient Kochlowsky d'un air apeuré. Seule la cadette trottina vers lui et demanda ingénument :

– Tu m'as apporté un cadeau, oncle Leo ?

– A tous.

Kochlowsky posa la corbeille sur la table et la déballa. Il feignit de ne pas remarquer les larmes de Berta Plumps, distribua ses présents, posa la veste de laine sur les épaules de Berta et prit la boîte de cigares.

– Où est votre mari ? demanda-t-il.

– À côté. Il doit encore garder le lit. On ne l'a laissé sortir de l'hôpital que parce que c'était Noël.

Adossé à une montagne d'oreillers, Plumps était assis dans son lit lorsque Leo franchit le seuil de la chambre. Décontenancé, lui aussi, il se mit aussitôt à éternuer de saisissement. Sa poitrine était encore enveloppée d'épais bandages, mais il ne souffrait pas.

– Me voilà, monsieur Atchoum ! gronda Kochlowsky. Joyeux Noël, monsieur Atchoum !

Plumps eut un doux sourire et joignit les mains.

– Vous pouvez bien m'appeler comme ça vous chante, monsieur Kochlowsky, déclara-t-il avec gravité. Vous m'avez sauvé la vie, et vous avez rendu leur père à dix enfants et son époux à une femme. Je ne l'oublierai jamais. Vous pouvez me dire n'importe quoi...

– Erreur, mon cher Plumps ! (Kochlowsky s'assit sur le bord du lit et posa sur la couette la boîte de cigares célèbre dans tout Wurzen.) Je me souciais de vous comme d'une guigne. Ce qui m'a agacé, c'est de voir les autres saisis de paralysie. Voilà l'histoire !

– Je sais.

Plumps riait sous cape. Je sais aussi qu'il a un cœur, pensait-il. Mais si ça lui fait plaisir, jouons son jeu. Donnons-lui la satisfaction d'être haï de tous. Nous autres Plumps savons désormais qu'il est autre. Et gare à qui prononcera une parole méchante sur Leo Kochlowsky en ma présence !

– Vous ne m'aimez pas, ajouta Plumps.

– Tout juste.

– Merci beaucoup pour les cigares.

– C'est seulement parce que c'est Noël...

Kochlowsky regarda la porte, où se tenait Berta Plumps, rayonnante de fierté. Elle avait passé sa veste neuve, qui lui allait très bien.

– Seulement parce que c'est Noël, ça aussi ? dit Plumps d'une voix mal assurée.

– Naturellement !

Kochlowsky se sentait mal à l'aise. Tous ces remerciements... Il n'était pas à son affaire. Si Plumps avait jeté la boîte de cigares contre le mur, on aurait pu parler. A présent, la conversation tombait.

– Quand serez-vous en mesure de reprendre le travail ?

– Dès le début de la nouvelle année, sans doute. Le 2 janvier…

– Prenez votre temps, monsieur Atchoum. (Kochlowsky se leva. Il se sentit mieux lorsqu'il ajouta :) Restez tranquillement au lit. A la briqueterie, vous ne manquez à personne.

– Si vous le dites, monsieur Kochlowsky. (Plumps éternua de nouveau violemment.) Mais dix enfants ont des ventres qui réclament.

– Il est un peu tard pour vous en apercevoir. Vous auriez dû nouer l'aiguillette avant !

Le voilà qui refaisait surface, l'odieux Kochlowsky ! Plumps eut un sourire entendu, et Leo quitta la chambre. Dans le salon, les dix enfants, assis autour de la table, se délectaient du chocolat et du gâteau de Sophie. Ce spectacle incita Kochlowsky à partir à la hâte et sans un au revoir.

Sur le chemin du retour, il se dérouta pour passer devant l'église. Lorsqu'il fit halte à la porte du presbytère, Johanna Klaffen donna une nouvelle fois l'alarme.

– Paulus ! Il s'arrête chez nous ! Je ne le laisserai pas entrer ! Non ! Je n'ouvrirai pas !

Maltitz alla à la fenêtre, vit Kochlowsky descendre de voiture et se diriger vers l'entrée.

– Qui vient à cette heure trouver le pasteur a le cœur lourd, Johanna. Je suis là pour l'écouter. Va ouvrir.

– Non ! Je vais me barricader dans ma chambre.

Johanna détala, et quelques portes claquèrent derrière elle. Maltitz alla lui-même ouvrir. Kochlowsky, sur le seuil, retira poliment son bonnet de fourrure.

– Puis-je entrer sans risquer un coup de pied ?

– Êtes-vous un chien errant ? Et même à un chien errant, je donne un morceau de pain. Entrez, Leo… Vous seriez-vous égaré ?

– Je savais bien qu'il y aurait du grabuge !

Kochlowsky tapota sa pelisse pour en ôter quelques flocons et entra. Il régnait une bonne chaleur; il déboutonna sa pelisse mais ne la retira pas.

– Merci, répondit-il à Maltitz qui l'invitait à se défaire, je ne supporte pas longtemps une atmosphère saturée de prières. Je n'ai qu'une brève requête à formuler.

– Vous, formuler une requête ? remarqua malicieusement Maltitz.

– Oui. Je voudrais que vous mentiez.

– Que je quoi ?

– J'arrive tout droit de chez Theodor Plumps. Savez-vous que son emploi de comptable suffit à peine à nourrir ses dix enfants et sa femme ?

– Ils sont dans la gêne, en effet.

Il n'y a pas qu'eux, songea Maltitz, amer. C'est le cas de nombreux ouvriers. Les aînés doivent aller travailler dans les fabriques du matin au soir, comme des adultes. Si l'Empire allemand est devenu une nation industrielle depuis 1871, les salaires n'ont pas suivi. Le travail des enfants dans les usines pose désormais un gros problème. Pas pour les propriétaires d'usine, certes, qui disposent ainsi d'une main-d'œuvre bon marché, mais les médecins, les psychologues, les socialistes, les juristes, les défenseurs des droits de l'homme poussent des cris d'alarme. Ils parlent d'exploitation, d'esclavage moderne, d'infanticide, et ils ont raison ! Les ouvriers souffrent de tuberculose, et les riches d'obésité; les uns végètent dans de sombres réduits où jamais ne pénètre un rayon de soleil, les autres se font bâtir des palais et vont prendre les eaux à Bad Pyrmont, à San Remo ou à Marienbad. Les Plumps ne feront pas exception à la règle; l'année prochaine, l'aîné aura quatorze ans; on le prendra à coup sûr comme manœuvre à la briqueterie. L'année d'après, un autre Plumps suivra... Chaque bras compte si l'on veut survivre. Et qui ouvre la bouche pour protester se retrouve sur le pavé. Nul ne le protège. Celui qui a perdu son emploi pour avoir demandé justice est marqué à jamais du sceau de l'infamie. Il restera chômeur. Quel industriel voudrait embaucher un rebelle ? Ainsi vont les choses en cette année 1889...

– Mais Dieu a donné à Plumps une femme qui sait compter, ajouta Maltitz, oppressé, sachant que c'était là bien piètre remarque.

Ce fut avec délectation que Kochlowsky s'exclama :

– Il ne manque plus que de prier pour avoir le ventre plein ! Vous remplacerez une tranche de pain par la troisième strophe du cantique numéro 274...

– Bravo ! (Maltitz avait retrouvé le sourire.) En plein dans le mille, Leo ! Le cantique, au vrai, ne comporte que deux strophes, mais il dit : « Nous rendons grâces à Dieu pour les dons qu'Il nous a faits, et prions Notre Seigneur de nous en donner plus à l'avenir et de nous nourrir de Sa parole, afin que nous soyons rassasiés ici et là », etc.

– C'est écœurant ! L'Église a réponse à tout !

Leo glissa la main dans sa poche et l'en ressortit fermée; puis il l'ouvrit et posa quelques billets sur la table. Maltitz lui lança un regard interrogateur.

– Voici vingt-cinq marks, dit Leo.

– Je vois. Une collecte spéciale ?

– Libre à vous de me prendre pour ce qu'il vous plaît, monsieur le pasteur, sauf pour un crétin ! (Kochlowsky effleura les billets.) Voici votre mensonge. Je vous donnerai vingt-cinq marks tous les mois, et vous les remettrez aux Plumps avec pour instruction de s'acheter de la nourriture – et de la nourriture seulement ! Vous ignorez d'où vient cet argent. Vous le trouvez chaque mois sous enveloppe dans votre boîte aux lettres. Voilà le mensonge que j'attends de vous,

monsieur le pasteur. Un pieux et chrétien mensonge dans le combat mené contre la faim et la
misère.

– Et pourquoi ne devrait-on pas savoir que
c'est vous le bienfaiteur ?

Le pasteur sentait l'émotion l'envahir. Il avait
envie d'embrasser Kochlowsky, mais il savait bien
que c'était la dernière des choses à faire.

– Bienfaiteur ! Le mot est lâché ! Et il me
dégoûte… A la moindre allusion de votre part,
je suspends les paiements sur-le-champ. C'est
comme je le dis.

Kochlowsky reboutonna sa pelisse, mit son bonnet, et sortit dans le vestibule. Tout au bout du
long corridor, Johanna Klaffen épiait les deux
hommes. Kochlowsky, qui l'avait remarquée,
grogna sur le seuil :

– Cela vaut aussi pour votre roquet, monsieur
le pasteur. Une mauvaise langue reste une mauvaise langue, même si on l'enduit de miel.

Il quitta le presbytère, satisfait, monta dans sa
voiture et s'éloigna. Johanna Klaffen bondit de
sa cachette, les poings brandis.

– Tu l'as entendu, Paulus ! cria-t-elle d'une voix
forte. C'est un démon !

– Auquel il a poussé des ailes, aujourd'hui. Un
de ces miracles qui passent inaperçus…

Maltitz regagna son cabinet de travail et enferma
les billets dans un tiroir. Il les porterait aux Plumps
le surlendemain – la famille devait avoir un beau
jour de l'an.

Qui est Leo Kochlowsky ? pensa-t-il. Il s'assit
dans le fauteuil de cuir où il préparait toujours
ses prêches. Comment un homme peut-il avoir
ainsi une double personnalité ? Le pasteur n'avait
encore jamais vu ça.

Quelques jours après Noël, Kochlowsky rencontra le garde forestier. Rechmann se rendait à
la ville, Kochlowsky, qui en revenait, allait à la

briqueterie. Ils arrêtèrent leurs attelages siège contre siège et se saluèrent avec politesse. Ferdinand Rechmann, homme respectable s'il en fut, avait le visage chagrin de qui souffre en permanence de maux d'estomac. Rien de plus normal, disaient les habitants de Wurzen; sa femme la rousse Blandine, cette garce de Française, lui pèse sur l'estomac. Après 1871, comment un bon Allemand peut-il épouser une Française? C'est bien fait pour lui. Ce ne sont pas ses cerfs qui portent les plus grands bois, c'est lui. On devrait interdire à cette Française de se pavaner dans Wurzen et de provoquer les hommes en balançant sa croupe.

— Joyeux Noël, même si c'est un peu tardif! s'écria Rechmann avec aménité.

— Merci, vous de même! grogna Leo.

Que me veut-il? pensait-il. Sa sorcière rousse lui aurait-elle parlé de moi? Quoi qu'elle ait pu dire, Rechmann, ce ne sont que mensonges! Je n'aurais eu qu'à lever le petit doigt, et sa jupe, elle aussi, se serait levée.

— Comment avez-vous trouvé mon oie? demanda Rechmann, désinvolte.

Kochlowsky haussa ses sourcils broussailleux. Ah, nous y voilà! Il ramena à lui son long fouet, pensant à Pless, où il terminait au fouet les discussions qui s'éternisaient, surtout avec les Polonais. Là-bas, chacun reconnaissait l'opinion de Kochlowsky s'il ne voulait pas rentrer chez lui la peau zébrée.

— Que voulez-vous dire? gronda-t-il.

— N'était-elle pas amère?

— Comment ça?

— Vous avez oublié de la payer.

Peu de choses atteignaient Kochlowsky davantage qu'un rappel à l'ordre pour une note impayée. Sa rectitude, en ce domaine, était célèbre. À Pless comme à Wurzen, il n'y avait personne, non plus, à qui il dût ne fût-ce qu'un pfennig. Et ne voilà-t-il pas que Rechmann, sur une route enneigée, le traitait comme un bandit de grand chemin pris sur le fait et l'admonestait sur un ton persifleur pour une malheureuse oie !

Kochlowsky prit une profonde inspiration. Rechmann, qui le connaissait peu, attendit au lieu de faire repartir son cheval au triple galop. A Pless, n'importe qui aurait pris la fuite.

— Vous voulez de l'argent ? tonna Leo. (Rechmann, malgré lui, courba l'échine et rentra la tête dans les épaules.) Pour cette oie coriace ? Pour cette oie momifiée ?

— C'était la plus belle de mon élevage ! s'écria courageusement Rechmann.

Il savait parfaitement ce qu'on racontait sur Kochlowsky depuis des mois à Wurzen; il avait même déclaré à Blandine : « Pas de ça avec moi ! » Il n'avait pas oublié le rire de pitié de son épouse. Le moment était venu de montrer à ce Kochlowsky qu'un Ferdinand Rechmann pouvait lui tenir tête :

— Nous nous la réservions pour Noël.

— Si j'avais su... Mais les dents vous en branleraient, à présent !

— Monsieur Kochlowsky ! (Rechmann était à deux doigts de l'apoplexie. Ne pas céder d'un pouce, surtout !) Comportez-vous comme un butor avec qui vous voulez, mais pas avec moi ! Cette oie vaut...

Il avait tendu la main mais la ramena vivement en arrière : sans hésiter et d'un jet précis, Kochlowsky venait de lui cracher dans la paume. Le fait était tellement inouï que Rechmann en perdit momentanément l'usage de la parole.

— Qui doit payer dans l'affaire ? tonna Leo, les yeux étincelants. Vous ! Manger cette oie, c'était risquer de se rendre malade. *Vous* me devez une indemnité. Le soir de Noël, il m'a fallu non pas découper cette oie, mais la démolir... au marteau et au burin !

La réplique de Rechmann, en vérité, était impardonnable :

– Je vous conseille d'envoyer votre femme suivre un cours de cuisine.

La main de Kochlowsky se crispa sur le manche de son fouet. C'était ce mari avachi, cocu, qui avait le front de conseiller à Sophie Kochlowsky, née Rinne, la cuisinière des princes de Schaumburg-Lippe et de Pless, de suivre un cours de cuisine ! Cet avorton avait l'audace d'insulter Sophie, sa petite femme !

– Espèce de vantard ! gronda Kochlowsky. Au lieu de parler de ma femme, tu ferais mieux de t'occuper de la tienne !

Et il assena un vigoureux coup de fouet sur la croupe du cheval de Rechmann. L'animal, effrayé, fit un bond en avant et emporta la voiture à travers la neige. Rechmann eut toutes les peines du monde à se cramponner sur son siège et à ramener à la raison le cheval qui détalait au triple galop.

Blandine ! pensait-il. Que s'est-il passé ? Qu'a-t-il à voir avec Blandine ? Ils étaient seuls à la maison quand il a emporté l'oie…

Blandine…

Kochlowsky…

Il arrêta son cheval et contempla fixement la neige. Il sentit un coup de poignard lui vriller le cœur. S'il y a quelque chose entre eux, pensa-t-il, empli d'amertume, je le tuerai ! Oui, je tuerai son amant. Je tuerai Kochlowsky.

Et tout le monde, à Wurzen, me comprendra.

10

C'était la tradition, et elle fut respectée, comme tous les ans : une semaine après la Saint-Sylvestre, le comte Douglas invita à son château d'Amalienburg les nobles du voisinage et les directeurs de ses firmes.

C'était une fête pleine d'éclat, et réputée. Y être convié était un grand honneur, qu'on refusait rarement. Le comte, économe malgré toutes ses richesses, ne regardait pas à la dépense à cette occasion. Il faisait venir de Leipzig un orchestre, le ballet de l'Opéra et quatre chanteurs. Deux comédiens du Théâtre royal de Dresde déclamaient poèmes et ballades, et, à la table du festin, un orchestre de chambre de Dresde, en costumes rococo, interprétait des œuvres de Mozart, de Haendel ou de Scarlatti.

L'événement était inhabituel, surtout pour la petite bourgade de Wurzen.

Leo Kochlowsky y fut convié, malgré l'avis du maître de cérémonie, qui fit poliment remarquer au comte qu'on devait s'attendre à des incidents déplaisants. Emil Luther, lui aussi, émit des doutes quant à l'opportunité de cette invitation. La seule pensée de devoir servir Kochlowsky lui donnait des aigreurs d'estomac. Mais le comte s'obstina; Kochlowsky assisterait à la réception. Ce serait une insulte de l'exclure quand tous les directeurs des autres fabriques étaient invités. Après tout, la briqueterie était une entreprise modèle. Par le passé, Leopold Langenbach avait sans doute été un administrateur irréprochable, mais depuis que Kochlowsky avait pris les commandes – dans le vrai sens du terme – de la briqueterie et que Langenbach s'occupait davantage des ventes, la production avait augmenté de quatorze pour cent. Une sentence bien dans la manière de Kochlowsky avait fait le tour de la briqueterie : « Qui passe plus de sept minutes aux chiottes a les intestins malades et restera chez lui ! » Il n'était donc plus possible désormais de filer aux latrines pour y fumer tranquillement un cigarillo. Où Kochlowsky avait pêché ce temps de sept minutes restait un mystère pour tous. Le contremaître Julius Schramme vérifia, montre en main, et s'en revint des toilettes, la mine réjouie : en sept minutes, on pouvait se soulager à loisir et fumer aussi un cigarillo, à condition de tirer dessus un peu plus vite. À y regarder de près, sept minutes, c'était très généreux... Il n'y eut donc aucune protestation. Et le rendement s'accrut en conséquence.

L'invitation avait donc été lancée. Kochlowsky essaya sa redingote. Elle lui allait à la perfection, comme à Pless.

– C'était un tailleur hors pair, ce Moshe Abramski de Radom. (Leo s'observa, l'air satisfait et un rien affecté, devant le miroir.) Voilà ce qui manque cruellement, ici – un tailleur juif polonais ! Sacrebleu, quelle élégance était la nôtre, à Pless, comparée à ces épouvantails de Wurzen ! Cette redingote tombe impeccablement.

– Ne vaudrait-il pas mieux que tu portes un frac à une réception de ce genre ? demanda Sophie.

– La redingote était assez bonne chez le prince, elle suffira chez le comte. Que vas-tu mettre, mon trésor ?

– Je n'irai pas, Leo.

Kochlowsky regarda fixement Sophie dans le miroir.

– C'est impossible ! Tu es expressément invitée.

– Trouve-moi n'importe quelle excuse. Migraine, grippe, fièvre... Je reste avec Wanda. Qu'irais-je faire au château ? Je connais bien ce genre de fêtes pour y avoir assisté à Bückeburg et à Pless. Ce n'est pas là ma place. S'il te plaît, Leo, laisse-moi rester à la maison.

– Aurais-tu peur de ces fats ?

Sophie ne voulut pas l'admettre et se contenta de secouer la tête. Elle songeait à la fête de la moisson, à Pless. Quelques jours auparavant, elle avait raconté à Kochlowsky, qui la poursuivait à l'époque de ses assiduités, que le jeune lieutenant Eberhard von Seynck avait dansé avec elle une danse nouvelle des colons américains, le hilliebillie, à la fin de laquelle on poussait un cri et l'on s'embrassait. La remarque avait taraudé Kochlowsky et, lors de la fête de la moisson, il avait fait irruption à la table de la jeune fille et l'avait entraînée sur la piste. Il avait dansé avec elle un hilliebillie, tel un ours dément, puis l'avait embrassée. « Je puis le faire, moi aussi, avait-il rugi, sans être lieutenant ni avoir de particule ! » Et Sophie eût voulu rentrer sous terre de honte sous les applaudissements frénétiques de l'assistance entière. Comment être sûre, à présent, que Leo n'allait pas réitérer chez le comte Douglas ce genre d'incident ? Non, elle préférait rester à la maison auprès de Wanda !

Au bout d'un quart d'heure, Kochlowsky renonça à persuader Sophie. Si petite et fragile fût-elle, elle possédait une volonté de fer, il le savait. Il était vain de vouloir la faire changer d'avis.

Le soir de la fête, Leo s'examina de nouveau devant le miroir et s'imagina qu'il était encore à Pless. De la pointe de ses étincelantes bottines vernies jusqu'à ses cheveux noirs divisés par une raie impeccable, il était l'élégance incarnée. A l'époque de Pless, il n'y avait pas une femme bourgeoise ou aristocrate qui ne jetât les yeux sur lui. Toute femme que regardait Leo Kochlowsky sentait son cœur s'emballer. C'était un mystère qu'il eût fait la conquête de la petite Mlle Sophie.

— Mais oui, tu es beau... et vaniteux ! (Sophie lui martela le dos de son petit poing.) Va-t'en donc !

— Quand je pense que tu ne veux pas venir avec moi, ma chérie... (Leo jeta sa pèlerine sur ses épaules et posa sur sa tête un haut-de-forme lustré à souhait.) Je vais m'ennuyer...

— J'en doute, Leo.

Sophie l'accompagna jusqu'à la porte. Une diligence conduite par un cocher de la briqueterie l'attendait. Kochlowsky se rendait tout à fait officiellement au bal du nouvel an, en sa qualité de directeur adjoint de la firme.

Dans la vaste antichambre du château d'Amalienburg, Emil Luther, le visage de marbre, débarrassa Leo de son manteau et de son chapeau. De la salle de bal parvenaient de la musique et un brouhaha de voix.

– Ah, notre bon Luther ! dit Kochlowsky avec délectation. Avec sa gueule d'empeigne ! Si le brave Martin Luther vous voyait, il reprendrait le froc !

Il mit cinq groschens de pourboire dans la main du valet cramoisi. C'était une insulte rare. Luther retourna sa main et laissa tomber les pièces sur le sol. Satisfait, Kochlowsky se dirigea vers l'entrée de la salle, où le maître de cérémonie devait l'annoncer.

Douglas le dispensa de ce devoir. Il vint aussitôt vers Kochlowsky et lui serra les deux mains.

– Où est votre ravissante petite femme ?

– Au lit, monsieur le comte. Un rhume avec fièvre. Par ce temps...

– Avez-vous appelé le médecin ? Puis-je lui envoyer mon médecin personnel ?

– Le médecin est venu, mentit Leo. Il lui a prescrit des suées et du repos.

Puis Kochlowsky fut englouti dans la foule des invités. Il aperçut bientôt une apparition que chacun suivait des yeux. Une robe d'un vert vénéneux au profond décolleté, qui épousait le corps de façon provocante, le masquant tout en le dévoilant, surmontée d'un flot de cheveux roux brillants et d'un visage à couper le souffle.

Blandine Rechmann.

La Française s'immobilisa devant Leo et lui jeta un regard provocant de ses yeux d'émeraude. De tous côtés, on observait le couple à la dérobée avec une vive curiosité. Un fort beau couple, en vérité : la cocotte française et le rustre du lointain Pless...

– Ah, vous êtes là... susurra Blandine. Je comprends mieux pourquoi mon mari n'a pas voulu venir ! Voulez-vous le remplacer ? Une femme seule est si exposée dans la société...

Sans attendre sa réponse, elle se coula près de lui et passa son bras sous le sien. Un soupir inaudible parcourut la foule des invités. Tiens donc !

C'était fatal – ils devaient se rencontrer. Wurzen tenait son scandale.

– Que buvons-nous ? demanda Kochlowsky d'une voix que l'irritation rendait rauque.

– Cette question ! Du champagne, évidemment ! (Son rire perla à travers la musique, tel un instrument de l'orchestre.) Aimez-vous le champagne, Leo ?

– Jusqu'à un certain point. Ensuite, je deviens comme fou !

Blandine fit de nouveau entendre son rire perlé, qui montait d'octave en octave. Elle ploya son joli corps et accentua la pression de son bras sous celui de Leo.

– Je veux voir ça ! lui murmura-t-elle à l'oreille. A mon sens, ce doit être pareil à un raz de marée...

De toute la soirée, Kochlowsky ne put échapper à Blandine Rechmann. Au cours de la première heure, on les observa. Les femmes chuchotaient entre elles, tandis que les hommes jetaient des regards d'envie à Kochlowsky. Ensuite, à mesure que la soirée s'avançait, et notamment après que les chanteurs de l'Opéra se furent produits, on s'était habitué à voir Blandine s'accrocher à Kochlowsky de manière provocante, rejeter en riant la tête en arrière, secouer sa crinière rousse, pigeonner de la poitrine et donner d'elle une image que toutes les dames – et en particulier les moins jolies d'entre elles – jugèrent scandaleuse et vulgaire. Ce pauvre Ferdinand Rechmann ! chuchota-t-on quelque temps. Mais, en vérité, il n'avait que ce qu'il méritait. Quelle idée d'épouser une Française ! N'y avait-il pas assez de jolies et fidèles Allemandes ? Un garde forestier comtal devait faire montre de patriotisme, surtout depuis 1871 ! Quant à Kochlowsky, il ne surprenait personne; on le savait capable de tout. On l'avait surnommé « le Polonais », c'était tout dire ! Seule sa jolie petite femme était à plaindre... Quoique... Pourquoi avait-elle épousé un monstre pareil ? Il n'était que de le fréquenter dix minutes pour le jauger. Ne s'en était-elle pas aperçue ? Était-elle donc si naïve ? Au vrai, c'était encore une enfant. Elle avait à peine dix-huit ans... Cette brute de Kochlowsky devait l'avoir abusée.

Leo et Blandine allèrent s'asseoir à une petite table d'angle. Ils burent du champagne, pendant que l'orchestre de Leipzig jouait des extraits d'opéras de Verdi.

— Allez-vous enfin perdre la tête ? demanda Blandine en se penchant vers Kochlowsky. (Plonger dans son décolleté était grisant. Des seins opulents, parfaits, avec cette peau laiteuse qui n'appartient qu'aux rousses. Nul besoin de poudre pour masquer quelque défaut.) Leo, ne vous dérobez pas ! Vous me l'avez promis !

— J'ai promis quoi ?

Kochlowsky nota avec irritation les étincelles de ses yeux d'émeraude.

— Vous deviez exploser au bout d'une ou deux coupes ! Vous en avez déjà bu sept et vous vous conduisez encore comme un collégien. Quand allez-vous vous déchaîner ?

— Priez le ciel que cela n'arrive pas, Blandine !

— Au contraire, Leo... Enfin un peu de mouvement ! N'étouffez-vous pas, vous aussi, dans cette puanteur ? Il semble que tous ici, hommes et femmes, portent des sous-vêtements en laine de mouton. (Elle fit de nouveau entendre son rire perlé.) Moi, je porte de la soie aussi ténue qu'un souffle, bordée de dentelle, quasiment transparente...

– Et pour qui ?

– Bonne question, Leo ! Mon mari ne voit rien de tout ça... mais il s'inquiète quand il aperçoit un mouton estropié dans son secteur. Un chêne centenaire est-il malade, et le voilà qui fond en larmes ! Et Noël ! Quel cirque il a fait à cause de l'oie que vous avez emportée ! On eût cru que la maison avait brûlé. Mais quand il me voit dans mon négligé, il me regarde comme un tronc d'arbre auquel il faut mettre un numéro. Ah, Leo, n'est-ce pas une morne existence ? Pour répondre à votre question : je porte de la lingerie délicate pour moi seule. Je m'assois souvent devant mon miroir afin de contempler mon corps; je l'admire et tombe amoureuse de moi-même. En de pareils moments, il me faudrait un homme comme vous, Leo. Alors, je briserais mes chaînes... Mais juste mon reflet dans un miroir !

Ce franc-parler, dénué de toute honte, troublait et ravissait Kochlowsky. Il s'imagina les hanches et les cuisses de Blandine dans la fine lingerie transparente et avala à la hâte une longue gorgée de champagne. Rechmann est un fieffé butor, pensa-t-il. Il va se chercher semblable merveille en France pour l'intégrer à sa varenne ! Une telle idiotie est inouïe. Etonnant, au reste, que Blandine ne l'ait pas encore quitté.

– Qu'y faire ? demanda-t-il.

Sa question, il est vrai, ne brillait pas par son intelligence. Blandine le regarda fixement. Cette réplique ne correspondait pas du tout au Leo qu'elle s'était imaginé. Sa question était celle d'un demeuré !

– Avez-vous besoin de le demander ?

Elle se pencha par-dessus la table, faisant béer son décolleté. Leo voyait presque entièrement ses seins. Son parfum l'enveloppait tel un nuage.

– Je vous veux pour amant...

Ce langage direct, impudique, fit à Kochlowsky l'effet d'une morsure. Le regard de défi que Blandine lui jetait lui brûlait la peau. Ô ciel, pensa-t-il, où cela va-t-il nous mener ? En sera-t-il à Wurzen comme à Pless ? Pourquoi les femmes ne me laissent-elles pas en paix ?

– Je suis marié, dit-il, un peu sottement. Et heureux en ménage.

– Et alors ?

– J'ai un enfant que j'aime, tout comme j'aime ma femme.

– Je ne vous demande pas de m'épouser, Leo ! (Blandine s'adossa contre son siège et enroula une boucle de cheveux roux autour de son index.) Quand une chaudière de votre briqueterie menace d'exploser, que faites-vous ? Vous laissez s'échapper la vapeur. Je suis pareille à cette chaudière... sauf que nul ne se soucie de moi.

– C'est donc un mécanicien que vous cherchez ? Pour régler votre pression ?

– Leo, je voulais dire...

– Quand j'aime passionnément une femme, je l'aime à la folie.

– C'est ce que je voulais dire. C'est ce que je cherche... (Blandine souriait de nouveau, toute séduction dehors.) Je voudrais me perdre dans votre folie, Leo !

– Ce serait un double adultère...

– Un adultère ! Que disait donc Napoléon Ier, par ailleurs si circonspect ? « L'adultère n'est pas un phénomène rare... c'est monnaie courante. C'est une affaire de canapé ! »

– Je puis, en réponse, vous citer Goethe : « Regarder le haut de ton corps éveille mon appétit, mais la bête, au-dessous, me fait horreur. »

– Bravo, Leo ! (Blandine rit aux éclats et battit des mains.) Déchaînez donc la bête ! Vous n'êtes pas homme à avoir froid aux yeux. La bête se couchera si vous l'apprivoisez.

J'ai changé du tout au tout, constata Kochlowsky avec surprise. Autrefois, à Pless, cette conversation eût été inutile pour que les souhaits de Blandine se réalisent. C'eût été chose si naturelle.

On se serait même étonné que pareille sorcière rousse vécût plus de huit mois sans dommage à proximité de Kochlowsky. A présent, quelle différence ! Elle s'offrait à lui, et il discourait, il tentait de fuir. Oui, il se cachait derrière Sophie – et, ainsi qu'on brandit une croix devant Satan pour l'effaroucher, il brandissait contre Blandine son amour pour Sophie. Mais la sorcière ne faisait qu'en sourire. Elle était plus coriace que le diable.

– Comment diantre êtes-vous venue à Wurzen ? demanda-t-il, histoire de détourner la conversation.

– Comment je suis venue ici ? Si je vous le narre, Leo, vous allez gaspiller une grande partie de vos forces à rire. Le prestige de l'uniforme. Ferdinand faisait partie d'une délégation venue visiter un vaste domaine au bord de la Loire. A l'époque, j'étais la maîtresse d'un propriétaire de vignobles, un gros poussah toujours en sueur, une méduse, mais riche comme Crésus ! Puis j'ai vu Rechmann dans son pimpant uniforme vert, avec un chapeau orné d'une grande plume blanche... Je vous le dis, il avait meilleure allure que maintenant. C'est le propre de l'uniforme de faire un héros d'un avorton ! Imaginez-vous un général nu, avec ses jambes grêles et sa bedaine – après pareille révélation, une femme doit avoir des nerfs joliment solides ou le souci d'assurer ses vieux jours ! J'ai été éblouie par l'uniforme, d'autant que Rechmann faisait aussi bonne figure sur l'oreiller. Seulement j'ignorais à l'époque qu'il était comme l'artillerie : lorsque les munitions sont épuisées, le meilleur canon ne sert plus à rien ! Leo, qu'avez-vous à me dévisager ainsi ?

– J'admire votre franchise, Blandine. Je n'ai jamais entendu de tels propos dans la bouche d'une jolie femme.

– C'est l'erreur qu'ont commise les femmes, de

toute éternité. Il faut appeler un chat un chat :
cela permet de mieux vivre. Quoi de plus terrible
que l'hypocrisie ? Regardez un peu les femmes
dans cette salle ! Chacune se comporte comme si
vous étiez de l'air vicié. Dans le même temps,
chacune d'entre elles voudrait aller au lit avec
vous de ce pas. Toutes me haïssent, en ce moment,
d'être assise à vos côtés, de rire, de boire du
champagne, de montrer mon corps – toutes choses
qu'elles aimeraient faire, elles aussi, mais qu'il
leur faut refouler. Parfois, je me demande comment elles se conduisent chez elles avec leurs
maris. Sont-elles aussi hypocrites, aussi fausses,
à jouer toujours l'innocence dérobée ? « Je vous
en prie, éteignez les lumières, très cher ! » Et
chez vous, Leo, comment est-ce ?

— Attendez-vous vraiment une réponse à votre
question, Blandine ? Si oui, je vous répondrai que
Sophie est une épouse merveilleuse. De la même
façon que le soleil est nécessaire à la vie, j'ai
besoin de Sophie pour vivre.

— Que vous avez joliment dit cela, Leo ! Votre
Sophie doit être une femme heureuse et je l'envie.
Et cependant, vous la trompez...

— Jusqu'à présent, jamais.

— Jusqu'à présent... mais maintenant, vous allez
la tromper avec moi.

De nouveau, la franchise de Blandine désar-
çonna Leo. Sa gorge devint sèche à la pensée de
tenir cette femme dans ses bras. Il avait l'expérience des rousses. Pour autant qu'il s'en souvînt,
il avait eu six liaisons avec des rousses, dont
quatre avaient failli être fatales. Deux avaient
voulu se pendre à cause de lui, la troisième l'avait
menacé avec un couteau de cuisine et la quatrième
avait loué les services d'un spadassin pour l'espion-
ner. Leo n'avait échappé à une grave blessure
que parce qu'il avait négocié et versé au sbire le
double de la somme.

S'il devait avoir une liaison avec Blandine, il

n'était pas facile d'en imaginer le terme. Il était probable qu'elle surpasserait, et de loin, toutes les femmes qui l'avaient précédée ! Il répondit évasivement :

– L'affaire ne sera pas simple. Nous serons surveillés par des centaines d'yeux.

– Nous saurons les aveugler ! Je partirai le soir pour Leipzig et descendrai à Borsdorf. Il y a là un petit hôtel, une auberge de campagne, un paradis à l'abri des regards indiscrets.

– Et combien de fois êtes-vous allée à Borsdorf ?

– Fi donc, Leo !

– Je ne couche pas dans des draps qui portent encore l'empreinte de mon prédécesseur.

– Pour qui me prenez-vous, Leo ?

– Je vous le dirai à Borsdorf.

– Dois-je comprendre que vous viendrez ?

Blandine avait presque crié. Des invités leur jetèrent des regards consternés; mais Blandine ne s'en souciait guère. Elle posa ses mains sur celles de Kochlowsky.

– Quand ? Leo, quand ? Mon corps tremble tout entier... Quand ?

– Je vous le ferai savoir.

– Démon ! « Je vous le ferai savoir » ! Comme dans une lettre commerciale. Que ne puis-je vous griffer le visage !

– Mais il s'agit aussi de commerce : je dois trouver des affaires susceptibles de me conduire à Leipzig. Quel motif aurais-je, sinon, de me rendre là-bas ?

– Les bras accueillants de Blandine...

– Je puis difficilement dire cela au comte. N'oubliez pas que cet âne bâté de Langenbach est là, lui aussi.

– Vous ne l'aimez pas ?

– Il est bien près de recevoir quelques vigoureux camouflets. Sophie est l'objet de ses assiduités...

– Merveilleux ! (Blandine frappa dans ses

mains.) Langenbach va rejoindre votre femme et nous disparaissons à Borsdorf... Est-il solution plus élégante à tous nos problèmes ? A chacun la sienne...

— Sapristi, j'aime Sophie ! dit Kochlowsky d'une voix courroucée. Tout homme qui la touchera aura affaire à moi !

— C'est à moi que vous le dites ?

— A bas l'hypocrisie, avez-vous dit. Eh bien, je ne vous aime pas, Blandine... Avec vous, je ne fais que lâcher la vapeur.

— Malotru ! lança-t-elle.

— Je vous croyais capable de supporter la vérité !

— Avec vous, tout est différent. Je voudrais que vous me mentiez. De votre bouche, je veux entendre que vous m'aimez, que jamais encore vous n'avez aimé une femme autant que moi...

Rien ne change sous le soleil, pensa Kochlowsky, et il but une gorgée de champagne. A Pless ou ailleurs... Les femmes sont toutes les mêmes, qu'elles soient brunes, blondes ou rousses, chacune veut se croire l'unique et la meilleure. Blandine elle-même ne fait pas exception. La différence, c'est qu'elle le dit sans ambages.

— Dansons-nous ? demanda-t-il.

— Non !

— Pourquoi ?

— Comment le pourrais-je ? Sentir votre corps contre le mien me rendrait folle.

— Reprenez-vous, Blandine.

— Pourquoi me reprendrais-je ?

— Plus de cent cinquante personnes nous entourent.

— Je n'en vois aucune. Je ne vois que vous ! Où donc sont les autres ? (Elle se pencha de nouveau au-dessus de la table, dévoilant son décolleté.) Quand irons-nous à Borsdorf ? Et peu m'importe que vous me preniez pour une grue. Je vous veux ! Pour vous avoir, je mettrai tout dans la balance...

– Y compris le scandale ?

– Y compris un scandale ! Quand j'aime, la raison ne compte plus...

Sacrebleu, quelle femme ! pensait Kochlowsky. Et une telle créature vit dans la province saxonne. Par-delà cet étonnement, il sentait cependant le danger qu'il courait s'il devait un jour rompre avec Blandine.

– Leo, une question ! (Elle lui jeta un regard provocant.) M'embrasseriez-vous devant tous les invités ?

– Non !

– Moi si. Mon Dieu, vous êtes comme tous les hommes, fort en gueule, mais lâche ! Qui l'eût imaginé d'un Leo Kochlowsky ?

– Vous ne pensez donc jamais à l'avenir ?

– Non, jamais. À quoi bon ? C'est aujourd'hui que nous vivons. Que m'importe le monde dans vingt ou trente ans ?

– Vous aussi, Blandine, vous serez vieille un jour, dit Kochlowsky, assez peu galamment.

Mais sa remarque laissa la jeune femme de marbre.

– Bien sûr... Et alors ?

– Que se passera-t-il ?

– Comment le saurais-je ? Peut-être serai-je la femme d'un homme richissime, peut-être serai-je une petite vieille paralytique, dans un hospice. Peut-être habiterai-je une villa au bord de l'Elbe, à Sassnitz, ou une cahute dans les monts Métallifères. Cela doit-il m'empêcher de profiter du présent ? Et si je me retrouve un jour à tricoter seule dans mon coin, je pourrai toujours me dire que j'ai bien vécu, que j'ai eu plus de choses que toutes celles qui aujourd'hui font tapisserie.

– Je ne suis pas d'accord. (Kochlowsky n'était pas mécontent d'avoir détourné la conversation.) On ne vit pas de souvenirs. Blandine, désirez-vous quelque chose au buffet ?

– Comment pouvez-vous parler de nourriture, espèce de monstre ?

– Parce que j'ai faim. Si vous souhaitez jeûner, libre à vous ! Quant à moi, j'ai l'estomac qui crie famine; je vais aller me chercher de la longe de chevreuil avec de la compote de myrtilles.

– Voici comme je vous aime, Leo. (Blandine se redressa en riant.) Un homme qui sait ce qu'il veut. Quand nous voyons-nous à Borsdorf ?

Elle riait encore quand Kochlowsky se dirigea vers le buffet et la société prit bonne note du fait que cette rouquine sans vergogne et ce monstre de la briqueterie s'entendaient à merveille. Deux êtres s'étaient rencontrés, qu'on souhaitait voir au diable.

11

La chose ne surprendra personne : le bal du comte Douglas fit des cercles, comme un caillou dans une mare.

Sophie, lorsqu'elle fit ses emplettes à Wurzen, fut servie par tous les commerçants avec une politesse pleine de compassion. Il en fut de même pour Rechmann; avec lui, cependant, on se montra plus explicite. Ainsi, à la taverne, le droguiste Manfred Schwinge formula carrément les choses :

– Si j'avais une femme qui offre sa poitrine à la cantonade sur un plateau d'argent, je la chasserais dans les bois vers les renards.

Il faisait allusion au décolleté de Blandine et aux aperçus qu'il offrait quand la Française se penchait.

– Et certaines femmes donnent aux hommes l'impression d'être dans leur lit quand ils sont assis en face d'elles, dit le fabricant de tapis Louis Krachener en se passant la langue sur les lèvres.

– Eh oui, certaines femmes ont le diable au corps ! approuva le fabricant de biscuits Fabricius Böhlen. Croustillantes, à croquer – et on s'aperçoit tout à coup qu'on a avalé du poison !

Rechmann, ce soir-là, quitta la taverne de bonne heure. On ne lui apprenait rien de neuf, Blandine s'était fait un plaisir de tout lui rapporter dans le moindre détail. Elle avait poussé le sadisme jusqu'à lui décrire la forme des mains de Kochlowsky et d'ajouter qu'elle rêvait d'être caressée par elles.

– Et c'est moi qui vais payer l'oie de Noël, avait-elle conclu. Combien en veux-tu ? Cinq marks ou une nuit avec moi ?

– Si tu es si bon marché...

Voilà tout ce que Rechmann avait répliqué.

Le rire provocant de Blandine était une insulte; il était sorti en hâte et était allé visiter les mangeoires d'hiver de ses chevreuils. Il rêvait de tuer Kochlowsky. Cela seul apaisait son âme bouleversée.

Quatre jours après le bal, Leopold Langenbach, en route pour Wurzen, rendit visite à Sophie. C'était la première fois qu'il revoyait la jeune femme depuis que Leo l'avait éconduit à Noël.

Comme à l'accoutumée, Sophie lui servit du café frais, une part de l'habituel gâteau aux raisins – cette fois, elle ajouta un gros morceau de brioche cuite d'après une recette de Wanda Lubkenski – et, pour finir, un petit verre d'une eau-de-vie de la distillerie du comte.

– Je dois vous présenter mes excuses pour Leo. (Assise dans un fauteuil en face de Langenbach, Sophie faisait au crochet un paletot de laine gris-rouge pour Wanda.) Mais vous savez comment il est...

– Et vous, le savez-vous ?

– Il est jaloux de vous ! Vous imaginez-vous cela, Leopold ?

– Il n'a pas motif de l'être.

– Et pourtant, c'est ainsi. Il y a de quoi rire, non ?

– Non, Sophie.

– Mais si, c'est risible !

– Vous et moi parlons de deux choses différentes, Sophie – vous de fidélité… et moi de l'infidélité de Leo…

Sophie posa son crochet sur ses genoux et jeta à Langenbach un regard interrogateur. Un instant, ses grands yeux bleus et son étroit petit visage pâle parurent figés. Mon Dieu, ce n'est encore qu'une enfant ! songea Langenbach. Ai-je le droit de parler ? Quelle canaille, ce Kochlowsky, pour précipiter un tel ange dans le malheur ! On devrait le chasser sous une volée de coups, le traquer, l'envoyer au bout du monde…

– Que disiez-vous, à propos de Leo ? demanda Sophie d'une voix étonnamment calme.

– Mieux vaut que vous l'appreniez par moi plutôt que par des mauvaises langues. Sophie, ce n'est pas facile… (D'un geste nerveux, il se passa la main sur le visage; il transpirait d'abondance.) Leo s'est conduit de façon impossible au bal du nouvel an…

– Je m'en doutais. (Elle eut un sourire teinté de tristesse.) Qui a-t-il insulté ? A-t-il renversé du vin sur la chemise de quelqu'un ? Quelle femme a-t-il traitée de pimbêche ?

– Mon Dieu, cela ne vous fait pas plus d'effet que ça…

– Qu'y puis-je changer ?

– Quelle vie est-ce là, Sophie ! (Langenbach soupira, bouleversé.) Mais il ne s'est rien produit de tel.

– Dans ce cas, Leo s'est conduit en hôte civilisé…

– Un ange comme vous, il n'y en a pas deux ! Votre mari a eu une conduite éhontée.

– Leo ? Impossible ! (Sophie secoua la tête.)

On peut tout lui reprocher sauf l'impudence. Qu'a-t-il donc fait ?

— Il n'a pas quitté Blandine Rechmann de toute la soirée.

Langenbach ne vit pas les doigts de Sophie se crisper sur son ouvrage. Son visage demeura figé dans une ébauche de sourire.

— Et qu'y a-t-il là de répréhensible ?

— Leur façon d'être ensemble, de rire, de se comporter, de danser...

— C'était un bal plein de gaieté, n'est-ce pas ? Et Leo débordait d'entrain.

— Nous avons tous trouvé leur conduite scandaleuse. Ce n'était plus de l'entrain, c'était... c'était... une parade érotique... Pardonnez-moi l'expression, Sophie !

La jeune femme le considéra de ses grands yeux incrédules; de nouveau, Langenbach pensa, le cœur douloureux : Quelle innocence ! Quelle naïveté ! Et elle reste fidèle à Kochlowsky ! Nul ne l'a donc mise en garde, à Pless ? Quels gens sont-ce donc là pour rester froids devant une honte pareille ?

— L'a-t-il embrassée ? demanda Sophie d'une voix un peu plus basse.

— Non...

— A-t-il disparu un moment avec elle ?

— Mais non...

— Ils ont toujours été ensemble dans la salle ?

— Oui.

— Alors, que reprochez-vous à Leo, au juste ? Pourquoi était-ce scandaleux ? Les pensées de cette société ne sont-elles pas beaucoup plus scandaleuses ? De quelles monstruosités croit-on mon mari capable ? Est-il responsable de la garde-robe de Mme Rechmann ? Si elle montre trop ses seins, c'est l'affaire de son mari. N'avez-vous pas, vous aussi, lorgné son décolleté ? Et les autres hommes ? Et qu'avez-vous pensé dans le secret de votre cœur ? Allons ! Leo est moins éhonté et hypocrite que vous tous ! Il reconnaît que la jolie poitrine de Mme Rechmann lui plaît. Ne tombez-vous pas en admiration devant une toile de Rubens, avec toutes ces gorges qui s'offrent à vous ? Vous ne levez pas les bras au ciel en vous écriant : « Fi ! Quelle cochonnerie ! » Alors, pourquoi le faire quand il s'agit de Leo ?

– Sophie, votre manière de voir les choses m'atterre... (Langenbach essuya encore une fois son visage en sueur.) Evidemment, pareille vision des faits ne laisse plus guère de place à la morale. Si vous saviez la réputation de Blandine Rechmann à Wurzen...

– Cela regarde son mari, non ?

– Ferdinand est un homme trop faible, trop honnête.

– Dans ce cas, il n'a pas épousé la femme qu'il lui fallait.

– En effet.

– Et tout Wurzen attend que mon mari devienne l'homme qu'il lui faut.

– Votre franchise est désarmante, Sophie.

– Et ce uniquement parce qu'ils ont ri ensemble toute une soirée... (Sophie secoua la tête.) Je commence à comprendre Leo quand il dit : « Si tu veux vomir, regarde tes semblables. » Il n'a pas entièrement tort...

Langenbach se leva, assez raide et très déprimé. Il était inutile d'exposer plus avant à Sophie ses soupçons et ceux de tous les habitants de Wurzen. Elle ne les croyait pas, elle refusait de voir la vérité. Elle défendait Kochlowsky, quoi qu'on pût produire contre lui. Elle était son esclave... oui, c'était cela ! Sa volonté s'annihilait devant lui. Son univers était celui de son mari. Que c'était épouvantable pour cette femme qui n'était encore qu'une enfant ! Que cela était destructeur pour cette jeune existence !

– Je dois partir, dit Langenbach.

– Sans avoir mangé votre brioche ? Ni bu votre verre d'eau-de-vie ?

– Y ai-je encore droit après tout ça ?...

– Quoi donc, Leopold ? Vous m'avez simplement raconté les niaiseries de la société de Wurzen.

Langenbach se rassit et prit le morceau de brioche d'une main tremblante. Sophie lui resservit du café frais, fumant et odorant. Puis elle alla chercher l'eau-de-vie et deux petits verres dans le buffet. C'était la première fois qu'elle trinquait avec lui; elle avait bien besoin d'une gorgée d'alcool.

Leo et Blandine Rechmann – pourquoi pas ? songeait Sophie. Blandine était tout à fait le type de femme que Leo poursuivait jadis. Que n'avait pas raconté Wanda Lubkenski au sujet du fougueux Kochlowsky ! S'il y avait eu un prix pour les hommes comme pour les taureaux, Leo aurait remporté la médaille d'or. Mais Wurzen n'était pas Pless... Et Leo, surtout, avait sa petite femme et sa fille Wanda – qui ne resterait pas enfant unique –, ils devaient fonder une belle famille. Je dois me battre, pensa-t-elle, même contre Blandine Rechmann. A ma manière, sans faire d'éclat, en silence, mais avec efficacité. Qu'avait dit Wanda ? « Avec des cris, tu n'arriveras à rien avec Leo. Les cris lui font plaisir. Il est dans son élément. Mais il est désarmé quand il se retrouve dans le vide, quand nul écho ne lui répond. Ça le désarme. Si tu veux obtenir quelque chose de lui, transperce-le du regard, comme s'il n'existait pas. » C'était une sacrée entreprise : Kochlowsky était un homme qu'on ne pouvait pas ne pas voir, mais le coup d'essai avait été un coup de maître. Il s'agissait à l'époque du choix du prénom de Wanda, que Kochlowsky refusait à cor et à cri. Que faire ? Sophie ne lui avait pas adressé la parole de trois jours, elle était restée muette au lit à ses côtés, le transperçant du regard. Le quatrième jour, il s'était écrié : « Sacrebleu, elle s'appellera Wanda ! » Une ardente nuit d'amour l'avait alors récompensé. Ce qu'un Kochlowsky n'oubliait pas.

Sophie but son verre d'eau-de-vie, n'en fut pas le moins du monde réconfortée; elle fut soulagée quand Langenbach prit congé. Le reste de la journée, elle réfléchit à la manière d'amener Leo à une discussion au sujet de Blandine Rechmann. Si elle le questionnait sans détour, il s'en tirerait par des échappatoires.

Elle ne parvint à aucune décision.

Le soir, Kochlowsky rentra, le visage comme d'habitude rougi par le froid. Il secoua la neige et les cristaux de glace de sa pelisse et de sa barbe, donna un baiser à Sophie et, le nez en l'air, se mit à renifler.

— Ah ! s'écria-t-il. Ça sent le gibier.

— Des escalopes de chevreuil à la sauce aigre... (Sophie retourna à la cuisine touiller sa cocotte.) C'est un élève forestier qui les a apportées avec les salutations du garde forestier Rechmann.

C'était un mensonge habile, tout de subtilité. Kochlowsky n'irait jamais vérifier le fait. Il marqua quelque surprise puis alla se réchauffer les mains au poêle de faïence, dans le salon.

— Donnes-en d'abord à Jacky, dit-il.

Jacky était le spitz, le cadeau de Noël. On l'avait baptisé du nom d'un personnage d'un roman d'Eugen, qui savait imiter les aboiements des spitz.

— Craindrais-tu que le gibier ne soit empoisonné ?

— Avec Rechmann, on doit s'attendre à tout.

— Pourquoi ça ? T'es-tu disputé avec lui, Leo ? Il t'a pourtant vendu une belle oie, voilà peu...

A présent, Sophie était au cœur du sujet. Il lui fallait encore faire dévier adroitement la conversation sur Blandine. Mais Kochlowsky mit un terme brutal à l'escarmouche :

– Rechmann est un vieux ronchonneur. Il n'a pas trouvé nos dernières briques assez cuites. Je lui ai fait dire qu'il ne devait pas les mâcher mais en faire un mur.

Ce disant, il pénétra dans la cuisine. Il vint derrière Sophie, caressa ses cheveux blonds ramenés en chignon et huma la cocotte par-dessus son épaule.

– Pas une cuisinière qui t'arrive à la cheville, dit-il. (Il lui flatta la croupe.) Si je ne t'avais pas...

– De nouvelles contrariétés à la briqueterie ?

– Et comment ! Langenbach devient de plus en plus feignant. A présent, je dois me charger des visites à sa place. Mardi prochain, on m'envoie à Leipzig...

Sophie se contenta de hocher la tête et retourna la viande. Comme il mentait mal ! Leopold Langenbach n'avait rien dit de ce voyage à Leipzig. Ils ont rendez-vous dans la grande ville, où nul ne les connaît, où il est si simple de louer une chambre pour quelques heures... Ô Leo, tu t'y prenais plus subtilement, autrefois !

– Quelle bonne nouvelle ! dit-elle, affairée à lier la sauce. Je ne suis jamais allée à Leipzig. J'ai toujours souhaité connaître cette ville. Je t'accompagne.

Kochlowsky resta sans voix, ce qui était fort rare !

Kochlowsky, il va sans dire, ne partit pas pour Leipzig le mardi suivant. Il raconta à Sophie que l'affaire était réglée : entre-temps, le client avait passé commande par lettre.

– Quel dommage ! s'écria Sophie, aussi suave que d'habitude. (Elle eût cependant volontiers giflé Leo de sa petite main frêle mais vigoureuse. Comment eût-il réagi ?) Je ne suis encore jamais allée dans une si grande ville. Il doit y avoir de belles boutiques.

– Nous irons au printemps, mon trésor,

répondit Leo. Mais ne te fais pas trop d'illusions… Ce trafic dans les rues ! Diligences, calèches, charrettes, sans compter les automobiles, ces véhicules à moteur puants et pétaradants. C'est une invention abominable et sans avenir.

– J'aimerais bien voir un jour une de ces automobiles, Leo.

– À quoi bon ? D'ici deux ans au plus, elles pourriront dans une décharge. Un tel objet puant ne peut remplacer le cheval. Encore une poignée d'ingénieurs saisis de folie…

Blandine Rechmann n'apprécia pas que le voyage à Leipzig fût reporté à une date indéterminée. Elle se débrouilla pour voir Kochlowsky à la scierie de Fritz Habermann. Leo avait besoin de bois pour la briqueterie et c'était le domaine du comte qui fournissait les grumes. La rencontre eut l'air fortuite. Mais à peine furent-ils seuls, que Blandine attaqua :

– Que signifie ? Tu renonces ?

– Oui. Sophie voulait m'accompagner à Leipzig.

– Et tu n'as pu l'en empêcher ?

– Comment l'aurais-je pu ?

– Es-tu un homme ou un toutou qu'on tient en laisse ?

– Nous ne voulions pas de scandale, Blandine.

– Tu n'en voulais pas ! Moi, ça m'est égal.

– Cela me coûterait mon emploi.

– Nous partirions ailleurs… le monde est vaste. Et un homme comme toi, avec tes compétences, trouve un emploi n'importe où. Nous pourrions aller en France…

– Je devrais abandonner ma femme et mon enfant.

– Evidemment, tu peux difficilement les emmener ! railla Blandine. Mais je vaux bien le sacrifice, tu ne crois pas ?

– Non. (Kochlowsky lui lança un regard si pénétrant qu'elle en reçut comme un coup au visage.)

Une simple chaudière sous pression ne vaut pas ça...

– Salaud ! siffla-t-elle. Tu me le paieras. Comprends-tu bien ce que signifie de m'avoir pour ennemie ? Ici, à Wurzen ? Un jour, tu hurleras tel un chien écrasé.

Il voulut tourner les talons; elle lui barra le passage et l'agrippa par le revers de sa pelisse.

– Je dirai à Ferdinand que tu m'as prise... avant Noël, quand tu es venu chercher l'oie. Que tu as mis la main dans mon corsage, que tu as retroussé mes jupons, que tu m'as traînée sur le sofa... Le moyen de lutter contre un homme comme toi ? Et que sur le sofa, tu m'as fait l'amour. J'étais évanouie quand tu es parti... Comment diantre réagira Ferdinand ?

– C'est un faible, mais il n'est pas idiot !

Kochlowsky saisit les mains de Blandine et lui fit lâcher prise. Il la repoussa, elle s'élança à sa suite, mais ne rencontra que son mollet.

– Dis à ton mari que je l'attends.

– Faquin ! Monstre !

Kochlowsky quitta la scierie et se rendit à son bureau. Il y serait à l'abri de Blandine. Rechmann ne viendrait pas lui parler, il en était sûr. Le danger le plus grave était que Blandine colportât ses mensonges aux oreilles de Sophie, par des voies détournées.

En vérité, rien ne se produisit.

Rechmann demeura coi, Sophie ne semblait pas au courant, la société de Wurzen avait depuis longtemps trouvé d'autres sujets de conversation sur lesquels s'indigner vertueusement. Ainsi, on avait appris que la fille cadette du fabricant Heymaier avait accouché d'un bâtard, des œuvres d'un certain lieutenant Julius von Orthfurth, qui contestait la paternité et se proposait de nommer trois dc scs camarades à qui la gracieuse demoiselle... À Wurzen, une chose pareille ! Juliane Heymaier quitta Wurzen à la hâte et se rendit à

Überlingen, au bord du lac de Constance, chez une tante qui dirigeait un pensionnat de jeunes filles.

Kochlowsky respira. Une fois de plus, les choses s'étaient bien passées.

Quelle erreur !

Le 1er février, Theodor Plumps reprit son poste de chef comptable à la briqueterie. Il fut cordialement reçu par tous ses collègues. Kochlowsky lui-même lui serra la main, ce qui fit immédiatement le tour de la fabrique. Leopold Langenbach, ce jour-là, n'était pas à Wurzen. Il faisait la tournée des nouveaux clients dans la région de Torgau. On commencerait à construire la grande annexe de la briqueterie dès que le temps le permettrait, afin d'étendre le secteur des livraisons.

— Que c'est bon de se retrouver à son pupitre ! dit Plumps en éternuant violemment. Sans travail, on n'a rien, monsieur Kochlowsky. Le médecin a déclaré que j'étais tout à fait remis. Je puis durer encore un peu.

Il hésita, tripota les porte-plume. A sa mine, on devinait qu'un poids l'oppressait, mais qu'il ne savait comment le formuler. Kochlowsky vint près de lui.

— Vous avez quelque chose sur le cœur, monsieur Atchoum.

Plumps eut un rictus. Une sorte de peur le saisit.

— Je ne sais pas, monsieur Kochlowsky...

— Crachez le morceau !

— Voilà que vous vous mettez tout de suite à crier !

Kochlowsky sentit son cœur s'alourdir. Un sourd pressentiment le gagna.

— Je vous promets de rester calme, Atchoum.

— Je le tiens de ma femme, et elle est d'avis que vous devez en être informé. On raconte en ville toutes sortes de choses...

– A mon propos ?

– Oui... et à propos de Mme Rechmann...

La peur empourpra les joues de Plumps, mais Kochlowsky ne cria pas; il se contenta de pincer les lèvres.

– Et que raconte-t-on, à notre sujet ?

– Des horreurs...

– Des ragots stupides, Plumps !

– Tel est bien mon avis, mais vous connaissez les gens d'ici ! C'est comme une avalanche – plus elle a de pente à dévaler, plus elle est forte. Et ma femme dit : « La pauvre petite Mme Kochlowsky... avec sa petite fille maintenant... et tout ça... »

Kochlowsky sentit ses poils se hérisser. Il lissa sa barbe, mais l'impression persista.

– Eh bien, quoi, ma femme ? gronda-t-il.

– Elle... elle sait tout... (Plumps déglutit à plusieurs reprises.) On lui a tout raconté. Dès après le bal du nouvel an.

– Qui ?

– Oh, de grâce, ne me trahissez pas ! (Plumps fut pris de tremblements; il empoigna le gros livre de comptes.) Vous m'avez sauvé la vie, c'est pour cette raison que je vais vous le dire...

– Qui ?

– M. Langenbach...

Kochlowsky accusa le coup avec un calme étonnant. Il quitta le bureau sans un mot et alla se planter devant les énormes fours. Il l'a rapporté tout de suite à Sophie ! Il l'a fait pour m'anéantir. Il veut me prendre Sophie et Wanda. À présent, je dois me défendre, c'est toute ma vie qui est en jeu.

Leopold Langenbach, dépêche-toi de rentrer de Torgau...

12

Kochlowsky attendit toute une semaine que Sophie lui parlât de Blandine. Il avait préparé une foule de réponses pour des faits qu'il ne pouvait contester. Il avait eu l'intention de rencontrer Blandine à Borsdorf, faux-fuyants et explications n'y changeraient rien, mais il était honteux pour un homme d'avoir à avouer une faute sans présenter de motifs pour se justifier.

Sophie se montra très sage pour une jeune femme de son âge : elle se tut. En secret, elle prenait plaisir à observer comment Leo s'insinuait entre elle et Wanda, toujours sur ses gardes à l'idée d'être tout à coup confronté à des questions. Cela épuisait davantage Leo qu'une franche querelle, où sa puissance vocale lui eût sans doute donné l'avantage. Mais de querelle, point. Sa petite femme était affectueuse comme devant, le jour, tout au moins... Le soir, au lit, elle se plaignait de migraine et de maux d'estomac et s'enroulait dans sa couette. Kochlowsky restait longtemps éveillé à contempler le plafond, sur lequel se reflétait la pâle lumière de la nuit hivernale. Un doute le saisissait. Plumps avait peut-être avalé des couleuvres, Sophie ne savait rien... D'un autre côté, c'était bien dans le style de Langenbach de se précipiter pour parler de Blandine à Sophie... Oui, oui, il éclaircirait l'affaire quand Langenbach s'en reviendrait de Torgau.

À la fin de cette semaine d'attente, Kochlowsky se sentit mieux. La confrontation avec Langenbach fut repoussée, car le directeur de la briqueterie descendait l'Elbe jusqu'à Riesa et projetait de se rendre aussi à Meissen. Dresde figurait également à son programme. La briqueterie allait être restructurée et produire des pots de fleurs, des cruches, des vases, des coupes et des brocs, des cuillers et des plats. On avait même trouvé un nom : les Poteries de Lübschütz.

Lübschütz était le nom de la ville de marché voisine. Une bourgade coquette, entourée de forêts. Et la briqueterie était mise à mi-distance de Wurzen et de Lübschütz.

Lorsque le nom circula dans Wurzen, on en attribua sur-le-champ la paternité à Kochlowsky. Il n'y avait que lui pour préférer les « Poteries de Lübschütz » aux « Poteries de Wurzen ». Le nom, en fait, était une trouvaille du comte Douglas.

Par un mardi glacial de février 1890, Kochlowsky passa par Wurzen pour aller voir de nouveaux percherons à Lübschütz. Il devait traverser une région de bois et de halliers, qui cernaient une vaste zone sablonneuse qu'on appelait le désert de Wenigmachern; les gens le disaient peuplé d'esprits sylvestres, de magiciens et de sorcières. En réalité, ce n'était rien d'autre qu'une contrée sauvage, le paradis des faisans, des lapins, des lièvres, des perdrix et des renards.

Kochlowsky se trouvait en plein cœur de cette solitude, glacé jusqu'à la moelle. Comme il avait projet de rendre visite au maire de Lübschütz, il avait mis son haut-de-forme, qu'il avait drapé d'un châle épais afin de protéger du froid ses oreilles et ses joues. Seul le chapeau trahissait la présence d'un homme blotti sur le siège – le reste n'était qu'un amas de fourrure et d'étoffe. Le cheval soufflait de la vapeur, emportant la voiture au petit trot à travers l'étendue silencieuse et neigeuse du désert de Wenigmachern.

Sans qu'il eût rien vu ni entendu, Kochlowsky vit soudain son haut-de-forme s'envoler, comme arraché de sa tête. Le châle noué sous le menton tressauta violemment puis tomba, libéré du chapeau, sur les épaules de Kochlowsky.

Avec un « Ho ! » impératif, Kochlowsky immobilisa le cheval, sauta du siège et courut vers son haut-de-forme tombé au bord de la route. Comme il se baissait pour le ramasser, il resta figé un instant, à peine une seconde, puis se jeta à plat ventre dans la neige. Bien qu'il n'eût jamais servi sous les drapeaux, qu'il n'eût, de sa vie, mis le pied dans une caserne – ce qui, en Prusse, équivalait à une tare –, sa mise à couvert fut exemplaire et eût satisfait le plus exigeant des officiers prussiens.

Un trou rond ornait le chapeau. Il n'y avait pas d'autre explication : on avait tiré sur Kochlowsky. Et le tireur n'avait raté sa cible que de quelques centimètres. Le coup mortel. Kochlowsky s'était-il légèrement penché en avant à ce moment-là ?

Il resta immobile dans la neige, attendant la suite des événements. Mais rien ne bougea alentour. Seul le halètement du cheval écumant perçait le silence. L'idée qu'on s'était embusqué pour lui tirer dessus paralysa un instant Kochlowsky. Ses pensées n'en furent que plus vives : qui donc le haïssait au point de vouloir le tuer ? Il ne trouva pas de réponse. Il s'était fait suffisamment d'ennemis à Wurzen au cours de ces quelques mois. Nul ne pouvait le souffrir, à de rares exceptions près, au nombre desquelles figuraient le comte et Plumps, peut-être le pasteur Maltitz, mais c'était tout. Pour tuer un homme cependant, il faut plus que de l'aversion – il faut de la haine.

Au bout d'une minute, Kochlowsky se releva. Il regarda de tous côtés et retourna à sa voiture. Mais au lieu de continuer sur Lübschütz, il mit le cap sur le château d'Amalienburg.

Emil Luther, il va sans dire, lui barra le passage.

– Êtes-vous attendu, monsieur Kochlowsky ? demanda-t-il avec son arrogance coutumière, les sourcils bientôt aussi froncés que le nez.

– Tu t'écartes tout de suite de la porte, rustre

à galons, gronda Kochlowsky menaçant, ou tu seras le premier humain à voler sans ailes !

— M. le comte a donné des ordres pour que...

— Oh, ça va...

Kochlowsky repoussa Emil Luther, se rua dans le hall et entendit derrière lui le valet donner l'alarme. Avant que les autres serviteurs et le maître de cérémonie n'eussent pu intervenir, Kochlowsky avait ouvert la porte de la bibliothèque. Le comte, assis à son grand bureau sculpté, feuilletait des rapports sur ses domaines. Il leva des yeux surpris lorsque Kochlowsky fit irruption dans la pièce, accompagné du cri d'Emil Luther dans le hall.

— Eh bien, s'informa Douglas très cordialement, auriez-vous botté les fesses d'Emil ?

— Pas encore, monsieur le comte. En partant, peut-être... Je vous demande pardon...

— Qu'y a-t-il de si pressé ?

— Voyez !

Kochlowsky posa son haut-de-forme sur le bureau, le trou bien en évidence. Douglas haussa les sourcils.

— Un coup de fusil, Kochlowsky, sans aucun doute. Quand ?

— Il y a une demi-heure, monsieur le comte. Dans le désert de Wenigmachern.

— Dix centimètres de plus, et c'en était fait de vous...

— En effet, monsieur le comte.

— Qui ?

— Je n'ai rien vu ni entendu.

— Voilà qui est fort fâcheux, Kochlowsky ! (Le comte prit le chapeau, le tourna, examina le trou et le reposa sur le bureau.) Quelqu'un veut vous tuer. C'est bien que vous soyez venu me voir aussitôt. Je me sens responsable de ce qui arrive à mes directeurs. Il faut avertir la police.

Kochlowsky refusa.

— Elle ne pourra rien faire.

– Elle relèvera des empreintes.

– Elles ont disparu depuis belle lurette, monsieur le comte.

– Mais il faut dresser procès-verbal de l'attentat.

– En trouvera-t-on pour autant son auteur ? Non !

Douglas se leva et se mit nerveusement à faire les cent pas dans la grande bibliothèque. Il s'arrêta soudain devant les hautes fenêtres donnant sur le parc.

– Cet attentat contre votre personne est alarmant, Kochlowsky. Pareil fait ne s'est encore jamais produit à Wurzen. La contrée est paisible, à part quelques chapardages chez les commerçants. Un meurtre ? En un siècle, nous n'avons eu que trois cas : un paysan qui a tué son valet parce qu'il avait engrossé sa femme; une commerçante qui a empoisonné son mari, son père et son beau-père à cause de son amant et, voilà neuf ans, un soldat qui a tué son adjudant d'un coup de baïonnette lorsqu'il l'a découvert au lit avec sa femme. (Douglas leva les sourcils.) Toujours le même motif, Kochlowsky : les femmes ! Les coucheries ! Mais ce n'est pas votre cas, n'est-ce pas ? Un homme a voulu vous tuer. Y aurait-il une femme là-dessous ?

– Non, monsieur le comte.

– Réfléchissez, Kochlowsky...

– On m'a prêté voilà peu une histoire avec la femme du garde forestier...

– Je sais. On m'en a avisé. (Douglas se fit très grave.) Croyez-vous Rechmann capable d'agir ainsi ?

– Non, d'autant qu'il n'a pas motif à le faire.

– Aucun motif, vraiment ?

– Ma parole d'honneur, monsieur le comte. Entre Blandine et moi, il n'y avait encore rien.

– Ce qui signifie ?

– C'était imminent.

– Maudit coureur de jupons ! Avoir une jeune

femme jolie comme un cœur et vouloir s'envoyer en l'air avec cette sorcière rousse ! Mais je me félicite de votre franchise, Kochlowsky. On vous canarde. Ici, dans cette paisible bourgade de Wurzen. C'est terrible, Kochlowsky ! La situation est devenue effrayante. J'avais imaginé beaucoup de choses – je connais votre réputation –, mais pas qu'on voudrait vous tuer. Pour être tout à fait franc, je ne puis vous protéger. Comment le pourrais-je ? Le tireur peut vous guetter n'importe où et à tout instant.

– Vous... vous voulez vous défaire de moi, monsieur le comte ? dit Kochlowsky d'une voix rauque. C'est ce que vous voulez dire ?

– Kochlowsky, nul, ici, ne peut vous aider.

– Vous capitulez devant Wurzen, monsieur le comte ?

– Non. J'ai peur pour vous. Mais davantage encore pour votre femme et votre enfant. C'est à elles que vous devez songer avant tout. Si on vous rate, on pourra sans mal atteindre Sophie et Wanda.

– Une telle monstruosité est inimaginable...

– Les hommes, hélas, sont capables de tout ! Si l'oiseau de proie ne tue que pour se nourrir, l'homme peut tuer pour le plaisir. Il n'est pas de plus grand monstre que l'homme.

– Je devrais fuir avec femme et enfant devant ce tireur embusqué ?

– Nul n'est en mesure de vous protéger, je vous le répète. Si on veut à toute force vous tuer, on vous tuera. Tôt ou tard... Les meurtriers, eux aussi, peuvent avoir la patience d'attendre. Voilà la situation, Kochlowsky. Je ne souhaite pas vous perdre.

– Et... et si j'attendais, pour voir ?

– En qualité de cible ?

– Peut-être l'attentat ne se répétera-t-il pas.

– Aujourd'hui, c'était une balle. (Douglas tapota du doigt le trou dans le chapeau.) Demain, l'homme choisira peut-être des chevrotines. Il vous aura à coup sûr, et vous vous viderez de votre sang n'importe où, truffé de grenaille. Nous avons beaucoup de chasseurs, dans le coin... et la chasse aux faisans est ouverte. Pour l'un de ces chasseurs, vous êtes un faisan géant.

— À Dieu vat, monsieur le comte ! Je reste...

— Sans la protection de la police ?

— Oui, je vous en prie, monsieur le comte. Wurzen doit-il jubiler en apprenant l'attentat ? Ils seraient nombreux, je le sais, à se frotter les mains.

— Kochlowsky, pourquoi vous hait-on à ce point ?

— Parce que je ne sais pas... fermer ma gueule, monsieur le comte.

— Et pourquoi l'ouvrez-vous, saperlipopette ?

— Pour dire la vérité. (Kochlowsky reprit son chapeau percé et le serra contre sa poitrine.) Une question, en retour : pourquoi les hommes ne peuvent-ils supporter la vérité ?

— Parce qu'ils mentent tous et que la vie, sans mensonges, serait insupportable. Au royaume des aveugles, les borgnes sont rois, au royaume des mensonges, la vérité fait peur...

Le comte s'assit derrière son bureau, signifiant ainsi que l'entretien était terminé.

Kochlowsky se dirigea à pas lents vers la porte.

— Je m'occuperai moi-même de Rechmann, monsieur le comte.

— Au nom du ciel, non, Kochlowsky ! (Douglas leva les deux mains en signe de refus.) Contentez-vous d'ouvrir l'œil. Peut-être n'y aura-t-il qu'un avertissement...Kochlowsky, vous n'êtes à Wurzen que depuis huit mois, et toute la ville veut vous envoyer au diable. Vous admettrez que c'est un exploit !

— Oui, monsieur le comte, répondit Kochlowsky un peu platement.

Il s'inclina et quitta la bibliothèque.

Douglas secoua la tête et contempla la porte d'un air songeur.

– Un homme capable… mais son entêtement causera sa perte.

Dans le hall, Emil Luther, le maître de cérémonie et cinq serviteurs attendaient Leo. Ils formaient une haie en direction de la sortie, entre laquelle Kochlowsky devait se frayer un passage s'il voulait quitter Amalienburg. Leur rictus se fit railleur quand Leo hésita, figé devant la porte de la bibliothèque. Viens donc, espèce de lâche ! lui intimaient leurs regards. C'est facile d'avoir une grande gueule !

Kochlowsky réfléchissait. Sept contre un – le combat était inégal, il n'avait aucune chance. Devait-il faire demi-tour et informer le comte de ce qui se tramait dans le hall ? Devait-il tout simplement rester là et attendre la suite des événements ?

Le salut survint en la personne du baron von Üxdorf. L'écuyer du comte, ignorant ce qui se passait, s'étonna de ce déploiement ancillaire.

– Le comte reçoit-il un visiteur ? s'enquit-il d'un ton légèrement vexé.

Depuis son expulsion de l'armée, le baron souffrait d'un sentiment d'éternelle frustration. Lorsque le comte recevait, il était naturel d'en informer l'écuyer, car chaque visite passait traditionnellement par les écuries. Et les écuries étaient le domaine réservé du baron von Üxdorf. Ne pas le prévenir était un impair impardonnable.

– Personne, à part moi. (Kochlowsky indiqua les domestiques d'un signe de tête.) Les nouvelles vont vite, on dirait. Mais je suis très touché par cette haie d'honneur : le comte m'a chaudement félicité et m'a laissé espérer la direction de la nouvelle fabrique de Lübschütz.

– Félicitations, dit le baron avec raideur.

Lui non plus n'aimait guère Kochlowsky.

– Merci !

La tête haute, Kochlowsky franchit une haie de serviteurs réduits à l'impuissance. Au passage, il jeta un regard railleur à un Emil Luther écumant de rage.

Le maître de cérémonie courut derrière lui et le rejoignit tandis qu'il grimpait dans sa voiture.

– Nous nous retrouverons ! cria-t-il.

Kochlowsky s'assit sur le siège et opina.

– Misérable âme servile ! gronda-t-il. Si vous voulez me faire plier le genou, apprenez d'abord à pisser droit.

Avec un claquement de la langue plein de joyeuse vigueur, il lança le cheval au trot et reprit le chemin de la briqueterie.

Plumps vint au-devant de lui, porteur d'une triste nouvelle : Leopold Langenbach avait fait savoir de Meissen qu'il était souffrant. Il était alité dans une chambre d'hôtel, en proie à une forte fièvre, et craignait de devoir aller à l'hôpital. Si tel était le cas, il désirait être amené à Dresde. Le médecin n'y comprenait rien et parlait du typhus. Le typhus ? À Wurzen ou à Torgau ? En plein hiver ?

– Eh bien, nous allons prendre les choses en main, n'est-ce pas, Atchoum ? fit Leo en tapant sur les larges épaules d'un Plumps éternuant. Montrons-leur qu'on peut se passer de Langenbach !

– C'est vraiment votre intention, monsieur Leo ?

– Que croyez-vous, Atchoum ? Je ne suis pas du pipi de chat !

– Mais vous ne connaissez aucun des clients, vous n'avez jamais conduit de négociation, vous n'avez jamais fait que vous occuper de la gestion…

– Me croyez-vous moins capable que Langenbach, espèce de pot à tabac ?

– Il faut être circonspect et poli avec les clients, monsieur Kochlowsky. Et c'est différent pour chacun d'eux – ils veulent être traités individuellement. Cela sera-t-il à votre convenance ?

Le gros petit Plumps avait formulé les choses

avec toute la diplomatie et la prudence requises. Kochlowsky inspira à fond, se souvint qu'il s'était juré de ne plus jamais hurler après Plumps et dit en serrant les dents :

— Atchoum, si vous avez réussi à faire dix enfants, faites-moi confiance : je saurai me montrer poli.

Plumps riait sous cape.

— Vous êtes précisément en train d'en faire la démonstration, monsieur Kochlowsky.

— Eh bien, vous voyez !

Kochlowsky regagna son bureau et ôta son chapeau, perdu dans ses pensées. Plumps le suivait des yeux, pétrifié.

Il y a deux trous dans son chapeau ! On dirait une passoire. Dois-je en conclure que... Non ! Cela ne peut être vrai !

13

Les craintes de Langenbach étaient fondées : on dut le transporter à l'hôpital de Dresde. Les médecins étaient confrontés à une énigme : ils finirent par diagnostiquer une « fièvre aiguë ». Avec ça, on était joliment avancé ! On allait pouvoir progresser ! On donna au malade des vomitifs, on lui vida l'intestin avec des clystères, on lui enveloppa les jambes de linges mouillés, on le saigna, puis on attendit patiemment de voir comment allait réagir son organisme ainsi délesté. L'origine de la fièvre restait un point mystérieux. Seule constatation rassurante : ce n'était pas le typhus.

Comme on ne pouvait retarder la mise en chantier des Poteries de Lübschütz, il fallait lui trouver un remplaçant pour visiter la clientèle. Le comte hésita longtemps avant de se décider à envoyer

Kochlowsky à sa place. Une usine devait être agrandie, à Düben, en Prusse, mais le fabricant était un ronchonneur avec qui Langenbach ne s'entendait pas. Il voulait faire baisser les prix au point de ne laisser qu'une marge bénéficiaire dérisoire à la briqueterie. Si Kochlowsky hérissait ce client-là, la perte ne serait pas grande.

Kochlowsky se mit en route un mercredi matin. C'était un voyage agréable : la voie ferrée reliait Wurzen à Düben via Eilenburg. Dans le compartiment douillet, Leo voyait défiler sous ses yeux le paysage enneigé, tout en réfléchissant à la tactique qu'il allait employer pour persuader ce client récalcitrant.

On ne sut jamais au juste comment Leo se conduisit à Düben, ce qu'il dit, ce qui se passa, car l'entrevue se déroula sans témoins. Une seule chose est certaine : Kochlowsky revint à Wurzen le contrat en poche. À un prix acceptable et valable pour toutes les extensions futures de la fabrique de Düben.

Le comte eut la sagesse de ne pas poser de questions. Ce ne fut que beaucoup plus tard, lors d'une fête où avait été également convié le fabricant de Düben, que Douglas put lui parler seul à seul et apprit comment Kochlowsky avait décroché le contrat.

– Lorsque ce Leo Kochlowsky a surgi, narra le fabricant, nullement fâché, j'étais déjà résolu à signer avec votre concurrent de Dahlenberg. Mais votre Kochlowsky s'est montré si persuasif que j'ai changé d'avis. Je n'ai jamais eu à le regretter...

– Comment vous a-t-il convaincu de la qualité de nos produits ? demanda le comte.

– Nous avons discuté ferme. D'entrée de jeu, lorsque Kochlowsky a vu le contrat avec Dahlenberg, il s'est écrié : « Fichez ce torchon là où je pense... » Ensuite, nous nous sommes entendus à merveille.

Le fabricant de Düben arrêta là ses confidences, mais Douglas en avait appris suffisamment. Et puis, cela n'avait plus grande importance; Langenbach avait depuis longtemps repris ses fonctions et sillonnait le pays.

Au début du mois de mars – la neige recouvrait encore le comté –, un événement vint troubler les habitants de Wurzen : une nuit, Blandine Rechmann disparut.

Kochlowsky, après mûre réflexion, était arrivé à la conclusion que le tireur embusqué, qui ne l'avait raté que de quelques centimètres, ne pouvait être que Rechmann. Il s'était rendu au pavillon forestier quelques jours après l'attentat – en vérité, seulement après avoir appris que Blandine avait repris ses escapades à Leipzig.

Ferdinand Rechmann, qui était en train d'inscrire le dernier abattage d'arbres dans son livre de comptes, jaillit de son siège quand Kochlowsky surgit dans son bureau. Sa pelisse était couverte de neige, des cristaux de glace collaient à sa longue barbe noire – en cet instant, il ressemblait à un paysan russe qui vient de quitter sa paille chaude pour partir sur son traîneau de bois. Rechmann posa son porte-plume et regretta que son fusil fût accroché au mur de la pièce voisine. Il était complètement sans défense.

– Que... que voulez-vous ? balbutia-t-il. Ne vous a-t-on pas appris à frapper avant d'entrer ?

– J'ai une proposition à vous faire, dit Kochlowsky d'une voix forte. Et si je dois frapper, ce sera sur votre crâne.

– Dehors ! gronda bravement Rechmann.

– Vous me devez un chapeau neuf. Je vous dois une oie. Les prix devraient se compenser... nous sommes donc quittes. D'accord ?

– Je suis d'accord avec tout ce que vous voudrez pourvu que vous quittiez le pavillon sur-le-champ.

– Merci. (Kochlowsky affichait un sourire sombre.) À présent, les comptes sont justes. Je suis un homme d'ordre. Mais dites-moi, comment un garde forestier peut-il si mal tirer ? Il est vrai que vous n'êtes qu'un lâche, un couard, qui chie dans son froc...

Sur ce, Kochlowsky tourna les talons et s'en fut. Que Rechmann eût accepté sans protester le prix du chapeau en dédommagement de son oie confirmait ses soupçons : c'était bien Rechmann qui avait tiré sur lui. Et il se garderait bien de tenter un second attentat.

Et Blandine avait subitement disparu ! Toutefois, il ne s'agissait pas d'un crime, car le fils du fabricant de chaussures Güldenschütz avait également plié bagage pour une destination inconnue, en même temps que la sorcière rousse. La famille Güldenschütz s'empressa de faire courir le bruit que leur fils Harald était parti étudier à Londres, mais nul n'y crut. On avait parfois vu Blandine et le jeune Harald au café et, lors d'une promenade en traîneau, ils n'avaient pas eu le comportement de gens qui se connaissent à peine.

On plaignit Rechmann. Cependant, on fut déçu que les espérances fondées sur Blandine et Leo Kochlowsky ne se fussent pas concrétisées. On avait tant escompté un joli scandale, qui eût rendu impossible à Kochlowsky de demeurer à Wurzen. Et les événements avaient suivi un autre cours... Les habitants de Wurzen ne se débarrasseraient pas de Kochlowsky à si bon compte.

Leo, deux jours durant, attendit que Sophie parlât de la fuite de Blandine avec le jeune Güldenschütz. Elle n'en souffla mot. Pour finir, Leo mentionna, en passant, au cours du dîner :

– C'est fou, non ? Voilà notre Mme Rechmann qui fiche le camp de nuit avec le jeune Güldenschütz...

– Plutôt lui qu'un autre, répliqua Sophie, très calme.

Kochlowsky se garda bien de poursuivre plus avant. La petite phrase lui servit d'avertissement.

Quatre jours après la disparition de Blandine dans le vaste monde, l'élève forestier Fritz Grimm retrouva son supérieur Rechmann dans l'enclos des chevreuils apprivoisés. Il était assis par terre, adossé au mur de la cabane, ses bien-aimés chevreuils devant lui, qui le regardaient fixement. Mais Rechmann ne leur parlait plus comme il avait coutume de le faire... sa main droite agrippait un revolver et, à sa tempe droite, on voyait un horrible trou au bord noirci de poudre.

Fritz Grimm, un instant paralysé, alerta la police et le comte Douglas et prêta son concours pour mettre son supérieur dans un cercueil. La police découvrit le motif d'un acte à première vue incompréhensible – le départ de Blandine ne pouvait l'avoir à ce point bouleversé qu'il eût attenté à ses jours –, en examinant les papiers qui se trouvaient sur le bureau du garde forestier. Il y avait aussi une lettre écrite de sa main le lendemain de la fuite de Blandine.

C'était une lettre bouleversante. Rechmann y dépeignait avec minutie sa vie et son mariage avec Blandine. Les dernières phrases disaient :

« À présent, elle m'a quitté, et je devrais m'en réjouir. Mais je ne le puis – je l'aimais vraiment. Ce qui me tue, cependant, c'est son journal, qu'elle a posé sur mon bureau à mon intention. Il contient les noms de tous les amants qu'elle a eus au cours de notre union. Des noms connus à Leipzig et à Dresde, à Chemnitz et à Wurzen, et c'est une liste que je ne puis ignorer. Ces hommes de Wurzen qui ont eu une liaison avec Blandine, je les croise tous les jours; ils bavardent avec moi, comme si de rien n'était, parce qu'ils supposent que je ne suis pas au courant... et je serais en face d'eux, à penser : Toi aussi ! Personne ne peut supporter ça ! Je quitte cette vie pour avoir la paix, pour ne plus être forcé de voir et d'entendre quoi que ce soit... Je suis anéanti... que ferais-je encore sur cette terre ? Je demande pardon à Leo Kochlowsky de lui avoir tiré dessus... C'était un coup manqué. Que Dieu en soit remercié ! Lui n'a pas succombé à Blandine. Mais s'il me fallait tuer tous ceux avec lesquels Blandine m'a trompé, les fabricants de cercueils de Wurzen devraient travailler nuit et jour. C'est pourquoi je préfère m'en aller... Que Dieu daigne me pardonner... Ferdinand Rechmann. »

Bien que la police eût versé la lettre au dossier et qu'elle eût été la seule à l'avoir lue, et bien que le procureur eût rendu le corps en concluant à un suicide incontestable, le bruit filtra par tout Wurzen que Rechmann avait reçu de Blandine un journal avec une liste de tous les noms... En dépit de recherches exhaustives, la police n'avait pas encore mis la main sur ce document accablant, mais lorsqu'il viendrait au jour, cela équivaudrait à une catastrophe.

Wurzen fut la proie d'une agitation invisible de l'extérieur. Nul ne mettait en doute l'existence d'une liste aussi scandaleuse... Rechmann devait l'avoir si bien cachée que la police la cherchait toujours. Même si l'on devait s'en remettre à la discrétion de la police, le seul fait que la nouvelle que Rechmann avait laissé une lettre eût transpiré si vite démontrait dans quel danger on se mouvait. Les « intéressés » à l'identité encore secrète furent saisis d'une panique silencieuse.

Où était la satanée liste de Blandine ?

Trois jours à peine après les funérailles de Rechmann – qui avait revêtu une allure de fête patriotique, avec drapeaux et salves d'honneur au bord de la fosse, un orchestre à vent et de touchantes allocutions –, la police dut retourner au pavillon forestier : il y avait eu effraction.

Le ou les voleurs avaient mis toute la maison

sens dessus dessous, lacéré les boiseries des murs, éventré les sols, défoncé le plafond – avec quel succès, nul, évidemment, ne pouvait le dire. On savait juste que les lieux avaient été fouillés de fond en comble.

– Il semble que certains aient le derrière qui les brûle, dit Kochlowsky avec une joie maligne. Quelques-uns vont y laisser des plumes...

Avec d'infinies précautions, quelques honnêtes bourgeois et hommes mariés enquêtèrent de leur propre initiative. Ils posèrent des questions à la ronde, parlèrent avec les ouvriers du domaine et les élèves, avec le trésorier, les bûcherons et les paysans des fermes avoisinantes et apprirent un fait étonnant et extrêmement inquiétant : l'un des derniers visiteurs à avoir vu Rechmann vivant et à lui avoir parlé était Leo Kochlowsky. Quatre témoins oculaires le confirmèrent, ajoutant qu'après cette visite le garde avait paru quelque peu troublé.

La nouvelle souda toutes les paniques secrètes : douze messieurs très dignes, à la réputation irréprochable, se rencontrèrent dans la salle de réunion de la fabrique de meubles Schimsky et Fils. On se salua comme de vieux amis, on fuma de gros cigares, on but du bon porto vieilli ou du cognac français, puis on écouta d'abord le propriétaire de la blanchisserie, Lohrmann, qui conclut au terme de longues digressions :

– Ne fermons pas les yeux devant la réalité. La publication de la liste signifierait notre ruine. Les divorces qui en résulteraient seraient encore le moindre mal. Prenons pour point de départ que Kochlowsky a obtenu la liste de Rechmann en compensation de cet absurde attentat et qu'il nous tient tous à sa merci; ne vous voilez pas la face, je vous en conjure, c'est un fait ! Un fait dont je n'ai pas besoin de vous expliquer la portée plus en détail avec un type comme Kochlowsky. Il est en mesure de nous ruiner en se jouant.

— Quelle stratégie adopter ? demanda le fabricant de carton. (Il était particulièrement menacé. Il était en effet entré dans la fabrique par son mariage et si sa femme demandait le divorce – ce qu'elle ferait à coup sûr –, il n'aurait plus qu'à aller mendier sur les routes. Il jouait là son va-tout.) Lui tirer dessus, et cette fois avec succès ?

— En serions-nous plus avancés ? Cela ne détruirait pas le journal. Il nous faut mettre la main sur la liste.

— Avez-vous la naïveté de supposer que Kochlowsky vous la remettra spontanément ?

— On devrait le sonder, histoire de voir quelles sont ses intentions.

— Et que vous répondra-t-il ? Moi, je le sais : « Vous allez tous sauter ! »

— Mais il faut bien faire quelque chose ! Pouvons-nous vivre en permanence sur une poudrière ?

— Il faut réfléchir, dit le fabricant d'articles de cuir, très philosophe. Peut-être devrait-on s'y prendre tout à fait différemment avec Leo Kochlowsky. Et si, par exemple, nous l'admettions dans notre club ?

— Impossible ! (Le club de Wurzen était le plus élégant cercle de la ville.) Nos dames en auraient des vapeurs.

— Elles en auront plus encore quand elles auront connaissance de la liste.

— Tenons-nous-en à ceci : vérifions d'abord si Kochlowsky est en possession de la liste, et si oui, l'usage qu'il compte en faire. (Schimsky fit circuler une nouvelle tournée de cognac.) Je suis disposé à parler à Kochlowsky. Ma proposition a-t-elle votre assentiment ?

Les onze hommes hochèrent la tête en silence. A quoi servait de discuter ? L'œuvre de toute une vie pouvait voler en éclats uniquement à cause d'un mot de faiblesse, à cause de cette Blandine Rechmann. On maudissait doublement Kochlowsky, car lui, justement, ne prenait pas rang parmi les membres de l'illustre compagnie. Cela aurait simplifié les choses, réglé le problème.

Mais, au fait, qui prétendait que Kochlowsky n'était pas sur la liste ? Qui la connaissait, cette liste ? Rechmann, et lui seul. Et pourquoi Rechmann avait-il, ainsi qu'on le supposait, donné la liste à Kochlowsky ? En manière d'expiation pour l'attentat, et ce uniquement parce que le nom de Kochlowsky y figurait bel et bien ! Peut-être aussi avait-il voulu blesser Kochlowsky dans sa fierté ?

Telles étaient les questions de Schimsky lorsqu'il accomplit sa démarche auprès de Kochlowsky, dans son bureau de la briqueterie.

Kochlowsky était seul, l'apparition de Schimsky le surprit; il lui offrit un siège.

– Cigare et porto ? demanda-t-il.

– Non, mille mercis. (Schimsky s'assit en soupirant. Sa délicate mission l'accablait. Rien ne sert de tourner autour du pot, pensa-t-il. Avec Kochlowsky, c'est absurde.) Vous avez entendu parler de la liste ?

– Quelle liste ? (Leo s'assit en face de Schimsky.) Notre nouveau catalogue ? Cela vous étonne ? Oui, nous allons accroître l'entreprise d'importance et élargir notre gamme.

Schimsky s'essuya le visage.

– La liste qui, paraît-il, figure dans le journal de Blandine Rechmann. Une liste de noms...

– Ah, celle-là ! (Kochlowsky eut un petit sourire. Soudain, il devinait le motif de la visite de Schimsky, sans comprendre toutefois ce que luimême avait à voir avec la liste. Schimsky était assis en face de lui, et tout indiquait que son nom y figurait.) Oui, je la connais.

Schimsky inspira à fond et eut un râle. Il admet qu'il l'a ! Il dit : « Je la connais. » Le danger qui menaçait son existence était en face de lui. Ils avaient supposé juste.

– Pouvons-nous nous entretenir de cette liste

diabolique, monsieur Kochlowsky ? demanda-t-il d'une voix sourde.

L'émotion l'étranglait.

– Naturellement ! Pourquoi pas ? Pourquoi ne devrait-on pas en parler ? Elle n'a pas fini de faire couler de l'encre...

– Ah oui... (Schimsky blêmit et se couvrit d'une transpiration glacée.) Cela veut-il dire qu'on va l'exploiter ?

– C'est de l'or en barre.

Kochlowsky alluma un cigare. Quel crétin, ce Schimsky !

– S'il s'agit d'argent... (Schimsky reprenait espoir.) On peut en discuter... Si l'affaire peut se régler ainsi...

Il se pencha en avant, fixant Kochlowsky, et pensa : Sale maître chanteur ! Il grimaça un sourire. Pour sauver son honneur et son entreprise, il était prêt à puiser dans sa bourse.

Ce fut une conversation difficile, à l'issue de laquelle Schimsky ne sut plus ce qui s'y était dit vraiment. Il ne parvint à aucun résultat, il apprit seulement on ne peut plus clairement que Kochlowsky n'était pas à vendre, en dépit des concessions les plus mirifiques. « C'est de l'or en barre », la réflexion n'était qu'une fleur de rhétorique. Kochlowsky ne s'intéressait – Schimsky en prenait conscience avec effroi – qu'au pouvoir qu'il détenait sur les hommes concernés. Tous lui étaient livrés pieds et poings liés. Que Kochlowsky laissât échapper quelques remarques anodines, et il pouvait tous les détruire.

Accablé, sous ses airs faussement fringants, Schimsky prit congé au bout d'une heure et s'en retourna à Wurzen. Ses compagnons de misère furent épouvantés du résultat de l'entretien, mais ils s'y attendaient. Ce Kochlowsky était le diable. On comprenait à présent pourquoi ce pauvre Rechmann lui avait tiré dessus ; toutefois, on ne s'expliquait pas pourquoi il lui avait remis la liste mortelle. Sauf que la vengeance faisait souvent fi de toute raison.

Ce soir-là, Kochlowsky dîna de boulettes farcies à la saxonne avec des côtelettes de porc cuites au four. Quel luxe d'avoir pour épouse une cuisinière – celle d'un prince, de surcroît. Il mangea de grand appétit, but de la bière que Sophie avait mise dans une carafe de verre, puis, rassasié, s'assit dans son fauteuil et déploya le journal local.

– Des bruits courent, dit-il, l'air de rien et sans regarder Sophie. En as-tu eu vent ?

– A Wurzen, ce ne sont pas les rumeurs qui manquent.

Sophie s'assit sur le banc près du poêle de faïence et prit son tricot. Une veste pour Wanda, quand on pourrait la sortir au printemps. Jacky était roulé en boule aux pieds de Leo... image d'une vie familiale paisible, telle qu'en peignait Richter.

– Wurzen, sans ses rumeurs, serait à peine supportable. Les rumeurs sont le sel de Wurzen, conclut Sophie.

– Je pensais à ce fameux journal...

– Ah ! (Sophie s'absorba de nouveau dans son ouvrage.) Le journal de Blandine Rechmann ?

– Oui. Tu sais quelque chose ?

– Rien. Et toi ?

– Davantage depuis aujourd'hui.

– Tu l'as vu ?

– Non, mais j'ai rencontré un homme qui craint d'y figurer. Le journal, paraît-il, contient une liste de tous les hommes qui...

– On le dit. (Sophie jeta un rapide coup d'œil à Leo.) Qu'as-tu donc à voir avec cette liste ?

– Justement. (Leo eut un petit rire.) On me croit en possession du journal.

– Toi ? Pourquoi toi ? Comment Mme Rechmann aurait-elle pu te le donner ?

– Je te le dis, c'est ridicule. Au reste, c'est

Ferdinand Rechmann et non Blandine qui me l'aurait donné. Pour se venger.

— Tiens donc ! Et tu l'as ?

— Non. On le suppose.

— Sur quel fondement ?

— Fondement ? (Leo comprit que sa douce et intelligente petite épouse l'acculait à se défendre. Ses questions naïves, qui étaient bien dans sa manière, le jetaient dans l'embarras.) Ça veut dire quoi, en l'occurrence ? Peut-on fonder des rumeurs ?

— Toute rumeur a un fond de vérité, Leo. Il n'y a pas de fumée sans feu.

— Toi et tes fichus dictons que tu sors du placard de ta grand-mère ! Il ressort de tous les discours que j'ai entendus qu'on suppose que Rechmann m'a confié le journal avec la liste.

— Pourquoi à toi ? répéta naïvement Sophie.

— Mais je l'ignore ! (Sophie n'avait pas eu connaissance de l'attentat perpétré par Rechmann. Leo avait brûlé son haut-de-forme à la briqueterie et raconté à Sophie qu'un cheval l'avait piétiné, après qu'un coup de vent l'eut projeté sous ses sabots. Il était sûr et certain que Sophie avait gobé l'histoire.) J'étais ahuri.

— Et qu'as-tu dit ?

— Je ne les ai pas détrompés.

— Leo !

— Ne t'évanouis pas. Il faut les laisser mijoter dans leur jus.

— Dois-tu avoir des querelles avec tout le monde ?

— Des querelles ? Celle-ci est finie. (Leo avala une large rasade de bière, l'air très à son aise.) Désormais, ils vont tous se coucher devant moi. Ces arrogants imbéciles !

— Ce que tu fais là n'est pas bien, Leo, dit calmement Sophie tout en continuant son tricot. Un jour, la vérité éclatera... et alors quoi ? On peut avancer dans le monde avec des mensonges, mais on ne peut revenir sur ses pas.

– Dicton de bonne femme ! (Kochlowsky froissa le journal.) Moi aussi, j'ai de tels adages en réserve : lorsque le soleil brille sur un tas de fumier, le fumier pue. Et, en la circonstance, ce ne sont pas les tas de fumier qui manquent. Ils vont cesser désormais de m'empuantir.

– Tu dois savoir ce que tu fais, Leo. (Sophie secoua la tête.) Tu sais tout mieux que tout le monde.

– En effet.

Kochlowsky étendit les jambes, caressa sa barbe et se plongea dans son journal. Il ne vit pas Sophie qui l'observait, il ne vit pas son regard qui disait : « Tu es un pharisien, tout comme les autres... mais je t'aime. »

14

Le printemps survint d'un coup avec la fonte des neiges, des vents chauds venus de Thuringe et, une semaine durant, des chemins boueux et détrempés.

Leopold Langenbach, après une longue maladie qui demeura un mystère pour tous, était revenu à la briqueterie. Il avait félicité Leo d'avoir assuré l'intérim de main de maître.

– Epargnez-moi vos éloges, avait répondu Kochlowsky selon toute attente. Celui-là seul peut juger mon travail qui le fait mieux que moi.

Comme il connaissait désormais Kochlowsky depuis un an, Langenbach avait pris cette réponse avec placidité et recommencé ses voyages auprès de la clientèle.

Avec le dégel commencèrent les travaux d'extension de la briqueterie. La nouvelle enseigne, *les Poteries de Lübschütz*, était déjà appendue au-dessus de l'entrée. Le comte en personne avait enfoncé le dernier clou dans la solive et offert de la bière pour fêter la journée. Le brasseur Fleckmann avait mis l'occasion à profit pour entreprendre Kochlowsky. Il lui demanda, en y mettant des formes, s'il lui plairait de devenir membre du club très fermé de Wurzen. Ainsi, Fleckmann lui aussi était sur la liste ! Ô Blandine, garce zélée !

– Je dois en discuter avec ma femme, éluda Leo. Nous, appartenir au club ? Moi, me commettre avec cette lie ?

Fleckmann détourna les yeux, prit congé, conforté dans son opinion que Kochlowsky était un rustre.

Le printemps 1890 était plein de promesses.

Un soir, alors que Leo était rentré fatigué de la briqueterie et s'était assis dans son fauteuil, Sophie lui dit :

– Je suis allée consulter le Dr Brenneis.

– Quoi ? (Kochlowsky fit un bond dans son fauteuil). Wanda serait-elle malade ?

– Non, non, tout va à la perfection... J'attends un nouvel enfant.

– Sophie ! (Leo sauta sur ses pieds, étreignit sa femme et couvrit son visage enfantin de baisers. Nul ne l'eût reconnu; c'était l'être le plus tendre du monde.) La naissance est prévue pour quand ?

– Le 16 février 1891, selon le Dr Brenneis.

– Est-il devin ?

– Il a un tableau de calculs. En tout cas, ce sera en février. (Sophie se dégagea et écarta ses cheveux blonds de son visage.) A présent, nous allons de nouveau avoir tout le temps de nous quereller à propos des prénoms...

– Plus jamais ! (Kochlowsky se frotta les mains.) Nous avons déjà Wanda. Et la grosse marraine Lubkenski n'a pas de deuxième prénom. Si c'est un garçon, il s'appellera Leo !

– Sûrement pas ! Un Leo Kochlowsky me suffit amplement.

– Et c'est parti ! (Leo donna une tape sur les fesses de Sophie et éclata d'un rire tonitruant.) Pleure donc, mon trésor. J'ai toujours souhaité avoir une grande famille, ne serait-ce que parce que nul ne m'en croyait capable. Mais tout le monde n'a pas le bonheur d'être marié à un ange.

Langenbach émit un avis radicalement opposé lorsqu'il apprit que la famille Kochlowsky allait s'accroître d'un rejeton. Ce fut Plumps qui l'en informa discrètement et, au cours d'une conversation, Kochlowsky lui-même y fit allusion.

– Et vous vous en réjouissez ? demanda Langenbach, amer.

– Cette question !

– Votre fragile petite femme est beaucoup trop faible pour supporter une nouvelle grossesse.

– Vous n'en êtes pas juge et ce ne sont pas vos oignons.

– Par ailleurs, c'est faire preuve d'irresponsabilité envers le genre humain que de mettre au monde de nouveaux Kochlowsky.

La rupture entre Langenbach et Kochlowsky était définitivement consommée. Les deux hommes se faisaient face, et chacun attendait que survînt l'irréparable. En son for intérieur, Leo regrettait le fouet de cuir avec lequel il sillonnait Pless, tandis que Langenbach se félicitait d'avoir entretenu ses muscles depuis sa jeunesse.

– Malotru ! jeta Kochlowsky avec mépris.

– Irresponsable ! rétorqua Langenbach. Quand quittez-vous Wurzen ?

– Quand on vous aura noyé dans la merde.

Les ponts étaient désormais coupés entre les deux hommes. À pas raides, Langenbach se dirigea vers la porte.

– Je vous interdis, à l'avenir, de franchir le seuil de mon bureau. Quand vous aurez quelque chose à me dire, vous enverrez un messager.

– C'est précisément ce que je voulais vous dire, moi aussi ! aboya Leo. Si vous montrez encore une fois votre stupide crâne, vous recevrez un tabouret à la tête.

— N'oubliez pas qui est le chef, ici.

— Le comte Douglas ! rugit Leo. (On ne pouvait le blesser davantage.) Depuis quand la queue est-elle l'appendice le plus important chez un chien ?

En proie à une fureur sans bornes, Langenbach claqua la porte derrière lui. Il était tout à fait vain de se quereller avec Kochlowsky. En vérité, il n'y avait qu'un moyen d'avoir la paix. Il fallait proposer un ultimatum au comte : Kochlowsky ou Langenbach. Il n'y avait pas de place pour eux deux aux Poteries de Lübschütz.

Le club secret des « affiliés de Blandine », ainsi que le fabricant de tissus nomma les ex-amants qu'avaient réunis des liens amicaux, s'était quelque peu rasséréné. On constata que Kochlowsky ne tirait pas parti de ses informations et s'enfermait dans le silence. Ce n'était sans doute pas par philanthropie, mais bien plutôt parce que lui-même figurait sur la liste, et qu'il avait donc toutes les raisons de garder le silence. Il n'avait pas réagi à l'offre que lui avait faite Fleckmann d'entrer au club. Apparemment, il n'avait pas pris la proposition au sérieux, l'attribuant à un excès de bière.

Fin mai, cependant, l'occasion se présenta de montrer à Kochlowsky qu'on était on ne peut plus sérieusement disposé à l'admettre dans le monde; Eugen Kochlowsky, dont le talent de romancier avait été entre-temps reconnu, vint rendre visite à son frère à Wurzen.

Il arriva sans crier gare, surgit dans le vestibule et tendit les bras vers Sophie qui sortait de la cuisine, portant Wanda.

— Contre mon cœur, belle-sœur aux boucles d'or ! cria Eugen, théâtralement comme à son habitude. (Jacky, lequel avec force aboiements, bondissait autour de lui, cessa d'un coup son manège pour renifler le pantalon d'Eugen puis courut vers la porte en glapissant.) Votre roquet l'a tout de suite senti – je ne suis pas seul. J'ai amené César. Il voulait absolument venir rendre visite à son ancien maître. Reconnaîtra-t-il Leo ? À Pless, on l'appelle toujours la bête de l'intendant. Ô douce belle-sœur, quel printemps !

Il embrassa Sophie et la petite Wanda, retourna à sa calèche et libéra César, un énorme doberman. Celui-ci, sans un bruit, fondit aussitôt sur Jacky, qui se renversa sur le dos à la vitesse de l'éclair et mordit César au ventre. Le doberman en resta stupide. Il poussa un hurlement retentissant, sauta de côté et se ramassa pour bondir. Mais on en resta là. Il s'approcha avec prudence, flaira Jacky, perçut l'odeur de Leo et se mit à vaciller. Eugen éclata d'un rire de crécelle.

– Les créatures à quatre pattes se sont mises d'accord... Sophie, mon ange, que dirais-tu d'un petit vin frais ? Tel que je connais mon frère, il doit en avoir du bon dans son cellier.

– Leo est-il au courant de ta visite ? demanda Sophie, tandis qu'ils buvaient au salon un vin léger de Moselle.

Eugen bâfrait – il n'y a pas d'autre terme – la moitié du kouglof que Sophie avait fait cuire pour le samedi suivant. Il poussait des grognements ravis et dut s'asseoir à l'extrême bord de la chaise tant son postérieur et son ventre étaient gros.

– Combien pèses-tu, au juste ?

– Est-ce que je sais ? Plus de cent kilos.

– N'as-tu pas peur d'éclater ?

– J'ai crevé de faim pendant quarante et un ans... À présent, je me rattrape. N'est-ce pas une bonne mesure ? Lorsque j'étais maigre, personne ne lisait mes manuscrits, pas même une page. Mais arrives-tu bien nourri, sans souci, le succès accroché à ta chaîne de montre, et les voilà qui t'arrachent les feuillets des mains... Récemment, je me suis livré à une expérience. J'ai envoyé un récit à un grand journal de Berlin. L'histoire d'une chaussette qui sentait la sueur. Je pensais recevoir une lettre fort grossière en réponse. Eh bien, le récit paraît, et c'est un immense succès ! Un critique a même été jusqu'à écrire : « Un auteur socialiste est né ! Nous en avions besoin. Finies les bluettes, voilà l'odeur du véritable monde du travail. C''est l'expression de notre siècle industriel. » On croit rêver, non ? Une chaussette empestant la transpiration devenue l'emblème de la nouvelle littérature... Où allons-nous ? Or donc, merveilleuse belle-sœur, ne râle pas à cause de ma panse. Elle est le symbole du succès.

Ce soir-là, Kochlowsky Junior, c'est-à-dire Leo, eut une surprise de taille. Dans le vestibule, un puissant doberman se précipita à sa rencontre, lui sauta dessus, se dressa debout contre lui et lui lécha le visage.

— César... balbutia Leo, profondément ému. Mon grand ! Mon sale chien ! Mon moignon de queue ! D'où sors-tu ?

Il étreignit le chien, regarda à la ronde et aperçut Eugen sur le seuil. Jacky surgit en jappant, à la manière des spitz, et se rua sur Leo. Entouré des deux chiens, Kochlowsky avança d'un pas hésitant et s'exclama :

— Et tout ça sans prévenir ! Te voilà, Eugen ! Quelle foutue semaine en perspective – car tu vas bien rester huit jours, je te connais. Mon Dieu, tu es gras comme une loche !

— Comment un ange tel que toi peut-il rester avec un démon pareil ? répliqua Eugen, entourant de son bras la taille de Sophie. Reviens à Pless... au château. On hissera les drapeaux et les cors de chasse te joueront la sérénade.

— Où est le gourdin pour estourbir les lièvres ? cria Leo, mais ses yeux brillaient de joie. Je vais ôter vingt livres de graisse à cette panse.

Ce fut une soirée agréable. Après dîner, Eugen but deux bouteilles de vin à lui tout seul, déclama les vers d'un nouveau drame qui se passait à l'époque du roi de Suède Gustave-Adolphe. Une vivandière en était le personnage central; dans sa carriole, elle faisait davantage commerce de ses charmes que d'autre chose.

– Espèce de cochon ! dit Sophie après cette lecture. Et on jouerait ça sur une scène ? La culture allemande est tombée bien bas.

– Sans doute... (Leo éclata de rire.) Une nation qui imprime et lit Eugen a parcouru bien du chemin.

Eugen ne but pas la troisième bouteille. Leo alla le mettre au lit et vit avec étonnement César sauter sur sa couche et s'installer confortablement aux pieds d'Eugen.

– Eh bien, César ? fit Leo, sévère. Quand tu étais avec moi, à Pless, tout le monde te redoutait. Et te voilà réduit à l'état de grosse momie inoffensive. Honte à toi, César !

César fixa Leo tristement de ses grands yeux bruns, poussa un soupir à fendre l'âme, ferma les paupières et émit un sourd ronflement pour couper court à tout nouveau reproche. Leo quitta la chambre en secouant la tête.

– Combien de temps va-t-il rester ? demanda Sophie tandis qu'elle emportait les verres.

– Je l'ignore. Je ne le lui ai pas demandé, au demeurant. Je suis content qu'il soit venu. Mon trésor, fais une oie rôtie, demain. Eugen aime tant l'oie rôtie avec du chou rouge...

Ainsi était aussi Leo, si incroyable que ce fût.

15

Eugen demeura deux semaines. Il trouvait Wurzen très beau, ce qui le rendait suspect aux yeux de Leo.

Son soupçon se renforça quand Fleckmann, le brasseur, apparut à la briqueterie dès le quatrième jour après l'arrivée d'Eugen. Il informa Leo que le club était fort désireux d'organiser une soirée littéraire avec l'écrivain Eugen Kochlowsky.

— Mon frère lirait ses propres œuvres ? demanda Leo, épouvanté.

— En effet. (Fleckmann entrevoyait une lueur d'espoir.) L'orchestre de chambre de Wurzen jouera entre deux lectures, Mme Hille, soprano, a tout de suite proposé de chanter quelques lieder de Schubert. Ce sera une belle représentation.

— Savez-vous à quoi vous vous exposez ? s'enquit Leo, la mine sombre.

— Nous connaissons deux, trois ouvrages de votre frère, naturellement !

— Eugen donnera lecture d'un de ses nouveaux drames, tel que je le connais.

— Fantastique !

— Il y est question de la guerre de Trente Ans et de Gustave-Adolphe.

— Remarquable ! (Fleckmann resplendissait, telle une tomate lustrée.) C'est un sujet qui intéresse tous les habitants de Wurzen.

— Prenez garde, monsieur Fleckmann ! (Leo caressait sa longue barbe.) Est-ce bien nécessaire ?

— Nécessaire, non, mais ce serait pour nous une joie et surtout un honneur d'entendre l'écrivain Eugen Kochlowsky lire une de ses œuvres.

Fleckmann quitta la briqueterie certain d'avoir enduit la satanée grande gueule de Leo d'assez de miel pour pouvoir ensuite parler un peu plus concrètement de la liste meurtrière des amants de Blandine Rechmann.

C'était prévisible, Eugen donna son accord sans hésitation quand, au cours d'une conversation autour d'un verre de vin, on le pria de faire ladite lecture. Le comité directeur du club était enthousiasmé à la perspective de son après-midi avec Eugen, d'autant que le poète déclama quelques-uns de ses vers – fort inoffensifs, au demeurant – ainsi qu'une ballade des monts des Géants où apparaissait aussi l'esprit silésien des montagnes Rübezahl. La représentation fut fixée au samedi de la semaine suivante.

On envoya les invitations sans délai, on imprima les affiches, l'orchestre de chambre commença ses répétitions. Mme Hille mit toute sa famille sur les nerfs en répétant pendant des heures des lieder de Schubert, notamment la célèbre *Truite*.

Tous étaient de joyeuse humeur, excepté Leo. Trois jours avant la représentation, il prit Eugen à part.

– Je te le répète, gras-double, si tu te mets à réciter des vers salaces, je te ferai descendre de scène et te rouerai de coups devant toute l'assemblée. Tu m'as bien compris ?

– Tu t'es exprimé assez clairement, comme toujours, Leo.

– Les habitants de Wurzen ont eu leur dose avec vos tableaux vivants.

– Tous portaient un maillot. Nous ne sommes pas responsables de l'imagination hypocrite des gens de Wurzen.

– Ce n'était qu'une mise en garde, Eugen. (Leo regarda son frère d'un œil perçant.) Je ne puis me permettre aucun scandale, mon cher Eugen. Aucun.

– Aurais-tu encore offensé tout le monde jusqu'à l'éternité ?

– J'ai rompu toute relation avec Leopold Langenbach.

– Eh bien, à la tienne !

– Il tourne autour de Sophie ! cria Leo.

– Ta femme est un morceau de roi...

– Il me reproche sa nouvelle grossesse. Langenbach, me faire des reproches... Dois-je lui demander la permission de coucher avec ma femme ? Doit-il réglementer ma vie conjugale ?

– Peuh, Leo ! (Eugen déploya ses mains en éventail au-dessus de son ventre proéminent.) Tes éternelles querelles ne m'empêcheront pas de montrer mes talents artistiques. J'ai désormais une réputation à défendre. Enfin, le nom de Kochlowsky a une résonance, au reste uniquement en relation avec Eugen. Tu devrais en être fier.

– Je te préviens, dit Leo d'une voix sourde. Eugen, je te le répète ! Je serai sans pitié.

Le samedi soir, à vingt heures, la salle de l'hôtel *Stadt Leipzig,* où se réunissait le club, était archicomble; il fallut disposer des sièges supplémentaires le long des murs. On eût cru que la moitié de Wurzen voulait assister à la soirée littéraire d'un Kochlowsky pour pouvoir transmettre l'événement aux générations futures.

Le comité directeur du club, debout à la porte, saluait chacun d'une poignée de main. Un murmure courut parmi l'assistance lorsque Kochlowsky et Sophie apparurent et furent cordialement accueillis. Fleckmann et Schimsky baisèrent la main de Sophie, ce dont Leo se vengea en jetant des regards enflammés aux épouses des deux hommes, lesquelles en rougirent de confusion. En dépit de sa triste renommée, Leo Kochlowsky était un homme qui libérait d'emblée chez les femmes des nostalgies secrètes.

On conduisit Sophie et Leo au premier rang, à une place d'honneur, et une écolière en robe de dentelle blanche tendit à Sophie un bouquet de fleurs dans une profonde révérence. Rien ne fut épargné pour que Kochlowsky se sentît d'humeur amène.

En coulisse, Eugen, accroupi devant ses manuscrits, mémorisait son texte. L'orchestre de chambre de Wurzen avait déjà pris place sur la scène et accordait discrètement les instruments. Dans une arrière-salle minuscule, baptisée « loge des artistes », Mme Hille s'exerçait. *Tirilili... tralala...* Son vieux professeur de chant, autrefois professeur de musique au lycée de Wurzen, branlait du chef. Le régisseur de la soirée, le caissier de banque Flügge, observait le public par le trou du rideau, et surtout Leo Kochlowsky.

– Ils sont là comme des harengs en caque, annonça-t-il. On ne pourrait pas y glisser une aiguille à tricoter. On n'a jamais vu ça. Cela va faire rentrer des sous dans la caisse du club.

– Et comment est M. Kochlowsky ?

– Il attend.

– L'orchestre ?

– Prêt.

– Mme Hille ?

– Prête. Elle s'exerce...

– Dans dix minutes, lever de rideau !

Sigmar Flügge, gagné par le trac, avait fort envie d'une bière fraîche. Derrière lui, surchargé de fleurs, se dressait le pupitre où devait lire Eugen.

Peu avant le lever de rideau, Eugen apparut sur la scène. Il portait un costume d'été clair, à la mode à Londres ce printemps-là; c'était bien sûr le tailleur polonais de Pless qui l'avait coupé d'après les gravures venues de la métropole anglaise. « Vous serez l'homme le plus élégant de tout le pays ! avait crié Moshe Abramski avec enthousiasme et force battements de mains, lorsque Eugen avait essayé le costume. Mais les petites femmes ne regarderont que l'homme. »

146

Il avait tu, cela va de soi, que la bedaine d'Eugen rendait inopérante l'élégance britannique : un bon tailleur se doit d'être enthousiaste.

Les lumières de la salle s'éteignirent. Un silence solennel s'abattit sur les citoyens de Wurzen : une très grande soirée commençait. Leo se caressait la barbe avec nervosité et jetait des regards de côté à Sophie qui, les mains comme toujours croisées sur les genoux, un peu affaissée sur sa chaise, fixait le rideau encore fermé. Tout le monde, eût-on dit, retenait son souffle. Lorsqu'un spectateur émit des toussotements retenus, l'émoi de la salle devint presque palpable.

Derrière le rideau, un gong retentit – un prêt des sapeurs pompiers. Aux accords de *La Petite Musique de nuit* de Mozart, le rideau se leva avec une lenteur majestueuse. Le pupitre fleuri au centre de la scène fit courir un frisson de bien-être anticipé dans le dos de l'auditoire.

Un poète allait faire une lecture...

À la fin de la première phrase de *La Petite Musique de nuit,* Mme Hille fit son entrée. Vêtue d'une robe de soirée bleue ornée de ruchés de dentelle, elle était très pâle. Le pianiste plia les doigts, souffla dans ses mains et tendit les bras. Un virtuose doit d'abord se décontracter. Puis il déplaça le tabouret à quatre reprises avant de trouver la position correcte et adressa un signe de tête à Mme Hille.

– « Au fil d'une onde claire, passait et re-eu-passait... »

La voix de Mme Hille, encore un rien hésitante sous l'effet du trac, emplit la salle. On était fier, à Wurzen, de la voix de Mme Hille. Sans atteindre, bien sûr, à la qualité de voix d'une cantatrice de l'Opéra royal de Dresde, Mme Hille retenait l'attention.

Eugen attendait en coulisse, ses feuillets sous le bras. A ses côtés, le régisseur rayonnait.

– Combien de temps va-t-elle encore brailler ? demanda Eugen tout à trac.

Flügge frissonna douloureusement.

– Elle chante trois lieder en introduction.

– J'aurais aussi bien pu amener César.

– Vous lisez vos propres œuvres, je crois ?

– César est mon chien. Un doberman. Quand je lui pince la queue, il hurle mieux que cette bonne femme.

Flügge ne répliqua mot. Eugen ou Leo... ce sont des Kochlowsky. Blanc bonnet et bonnet blanc – même comportement, même langage. Enfin, il faut s'en accommoder !

A la fin du troisième lied, un silence impatient régnait dans la salle. Leo rentra légèrement la tête dans les épaules. Pour la première fois de sa vie, il ressentait une manière de honte; il avait honte à l'avance pour Eugen.

Un rayon lumineux, produit par une forte lampe à gaz et un réflecteur d'argent, illumina le pupitre. Eugen monta sur scène. Souverain, gras, l'air encore plus obèse dans son costume sur mesure de style anglais, souriant, les cheveux brûlés par le fer à friser. Leo ignorait tout de cette débauche capillaire. Il réprima un gros soupir. Eugen s'avança vers le pupitre et posa ses feuillets sur la tablette. Il laissa son regard errer sur l'assistance, aperçut son frère au premier rang et se rembrunit : Leo se frappait le front de l'index.

En Eugen, une authentique révolte se fit jour. Mon petit frère se gausse de moi ! Eh bien, attends, Leo ! La soirée ne fait que commencer.

Le poète commença sa lecture par une ode imitée de Hölderlin. Il y chantait la beauté d'un bouton-d'or. Pourquoi un bouton-d'or et non une rose ou du lilas blanc ? Telle est justement la liberté du poète. Quoi qu'il en fût, tout cela avait bon air, l'auditoire était enthousiaste. Personne n'avait jamais vu un bouton-d'or de ce genre. À Wurzen, les boutons-d'or des prairies étaient considérés comme de la mauvaise herbe.

Les applaudissements furent frénétiques. Eugen

abaissa un regard triomphal sur Leo. Son frère, certes, applaudissait, lui aussi, mais avec le dos des mains. Comme au jardin d'enfants de Nikolaï. Quand Eugen, l'aîné, morigénait Leo, ce dernier l'applaudissait du dos des mains en criant : « Bancroche ! Bancroche ! » Et Eugen ne pouvait lui botter l'arrière-train, parce qu'il boitait, justement, de naissance et que Leo était plus rapide que lui.

Et voilà que dans cette salle, il recommençait ! Sauf à crier : « Bancroche ! » Mais aujourd'hui, Eugen était plus fort que Leo. Son frère l'ignorait encore.

Le deuxième morceau de lecture fut un chapitre de son roman encore inédit, *Le Père au cœur de pierre*. Il y était question d'un fort méchant bougre qui ne cessait de tourmenter sa famille et son entourage. Comme beaucoup de spectateurs, sinon tous, pensèrent à Leo Kochlowsky au cours de cette lecture, Eugen récolta des applaudissements à tout rompre. Il y répondit par une révérence.

L'orchestre de chambre de Wurzen donna un bref intermezzo. Eugen resta debout à son pupitre à feuilleter ses manuscrits, en proie aux délices d'une douce vengeance.

Attention, Leo ! C'est parti ! Trop tard, désormais, pour frapper dans tes paumes !

– Voici à présent, cria-t-il d'une voix théâtrale et harmonieuse dans la salle au silence solennel, le monologue de la vivandière Julie Guenon, tiré de mon drame sur Gustave-Adolphe *Le Camp au bord du fleuve*. Acte III. Le soir. Julie Guenon, dans sa roulotte, compte sa recette de la journée. Son chien, Duculot, assis auprès d'elle, se lèche là où les humains ne le peuvent faire...

Leo roula les yeux. Non, criait une voix en lui, non, Eugen, pas ça ! Je t'en adjure... ferme ta gueule !

Une agitation encore étouffée parcourut la

salle : Eugen venait de nommer la partie de son anatomie que léchait le chien. Le nom de Duculot lui-même, pour un chien, était pour le moins inhabituel.

Eugen se métamorphosa, par son attitude et sa mimique, en la vivandière Julie Guenon et déclama :

– « Ne me regarde pas si niaisement, Duculot ! Eh oui, ça n'a guère été une bonne journée ! Qui ai-je eu ? Les pires vauriens parmi les éclopés. Rien dans la bourse, pas plus ailleurs. Six gaillards se sont succédé sur cette paille et m'ont donné trois misérables sous. Mais avons-nous les moyens de faire les difficiles, Duculot ? Tu veux bouffer, moi aussi, alors ne me regarde pas avec cet air stupide ! N'ai-je pas encore un corps appétissant, hein ? Que veux-tu... Qui joue sur une harpe désaccordée se satisfait du moindre accord... »

On s'agita au deuxième rang. La femme de l'apothicaire s'était évanouie. Fleckmann jeta un regard épouvanté à Leo. Du fond de la salle, une voix cria :

– C'est obscène ! Ça suffit ! Autre chose ! Musique...

L'agitation générale s'amplifia. Des pieds raclaient le sol, un brouhaha, encore assourdi, emplit l'obscurité. Eugen Kochlowsky fit le tour du pupitre, incarnation parfaite de la vivandière Julie Guenon, et se déhancha jusqu'à la rampe. Sa voix était mûre pour le Théâtre royal de Dresde.

– « Voilà dix-sept ans que je parcours le monde, toujours par monts et par vaux, par les marais et les bois, toujours au service de ces gaillards. Hier l'adjudant, aujourd'hui le lieutenant de cavalerie, demain l'aumônier... »

C'est alors que le pasteur Maltitz bondit au milieu de la salle et se fraya un chemin entre les rangées de sièges. Il ne protesta pas, mais son départ agit comme un signal. La moitié de l'auditoire se leva et se pressa vers la sortie. Les autres hésitaient encore. La Julie Guenon, c'était quelque chose, mais les épouses, indignées, laissaient couler le fiel de leurs bouches.

– « Quelle vie a donc une femme comme moi ? tonna Eugen en direction de l'assistance. Quand je serai près de mourir, toujours sur ma paille, un calotin viendra, qui me demandera : "Julie, quelle a été ta vie ?" Et je ne pourrai que répondre : "Curé, j'ai eu jusqu'à ce jour – je les ai soigneusement marqués par des traits – quatre mille neuf cent quatre-vingt-un hommes. N'est-ce pas là une existence de merde, hein ?" »

L'arrière-garde des spectateurs bondit et poussa les femmes hors de la salle. Quelqu'un rugit de la porte :

– Hors de Wurzen, cochon de Kochlowsky !

Et le tailleur Limpcrich, par ailleurs si réservé, alla même jusqu'à brandir le poing. Sa femme s'accrochait à lui, en proie à une crise nerveuse.

Leo et Sophie furent les seuls à rester. Devant une salle désormais vide, Eugen se pencha au-dessus de la rampe.

– Eh bien, frérot, dit-il avec hostilité, es-tu content de moi ?

– Descends de là, gueula Leo, que je t'étripe ! (Puis il hurla à pleine gorge :) Espèce de gros castrat ! Sais-tu ce que tu as fait ? Tu nous as mis au ban de Wurzen, Sophie et moi !

Il passa un bras protecteur autour de Sophie et la serra contre lui.

– Ne pleure pas, ma petite femme, dit-il d'une voix tremblante, ne pleure pas... nous continuerons notre vie ailleurs.

– Pourquoi pleurerais-je ? Je ne pleure pas ! (Sophie se libéra de l'étreinte de Leo et écarta ses cheveux blonds de son front.) Mais qu'est-ce qui vous prend, à la fin ? Ce qu'Eugen a lu est remarquable. Tel était le sort des prostituées de la guerre de Trente Ans. C'étaient de pauvres femmes. Pourquoi cette agitation, alors, quand Eugen dit la vérité ?

Bouche bée, Leo vit Sophie grimper sur la scène, étreindre Eugen et l'embrasser sur les deux joues. Puis elle cria d'une voix forte à la salle vide :

– Vous êtes tous des sots et des hypocrites ! Espèces de boules puantes !

– Hourra ! rugit Eugen, levant les bras. Elle est devenue une vraie Kochlowsky ! Leo, ô toi le plus heureux des hommes, où y a-t-il une femme qui tienne autant au monstre qu'elle a épousé ?

Ce fut la première fois que Leo se détourna, vaincu, et s'en alla sans un mot. Sophie le rattrapa à la porte et se suspendit à son bras. Fiers, ils se frayèrent un chemin à travers la foule qui se massait dehors. Ils en sentirent le mépris, un mépris qui leur était tout à fait indifférent.

Eugen quitta le dernier l'hôtel, par une porte de derrière. Flügge lui avait appris, le souffle court, que dix hommes l'attendaient dans la rue pour le rosser.

– L'art est et sera toujours incompris, soupira Eugen. Rien ne changera jamais dans ce domaine. Pauvres poètes de demain...

Puis il songea au reste de la soirée et au lendemain et se sentit très mal.

16

Le séjour d'Eugen chez sa jolie belle-sœur fut écourté. Ce ne fut pas Leo qui jeta dehors son frère révolté par la réaction des bourgeois de Wurzen. Non, ce fut Eugen lui-même qui déclara :

– Je rentre, mes chers enfants. Par Leipzig et Berlin, puis de là en Silésie. Vous avez déjà assez de problèmes sans avoir encore à me supporter. Je voudrais bien savoir combien de temps Leo va rester ici. Je m'étonne qu'il n'y ait pas encore eu d'incident.

– On m'a tout de même tiré dessus.

– Ah, je l'ignorais ! Sinon, j'aurais lu ma ballade du franc-tireur, taillée sur mesure pour Wurzen.

Eugen claudiquait de long en large dans le salon, le souffle court. Il se laissa lourdement tomber dans le fauteuil à oreillettes. C'était un robuste fauteuil ; il résista à la masse d'Eugen. De la cuisine, parvenait une odeur de rôti, senteur paradisiaque pour les narines d'Eugen.

– Leo, tu t'es étonnamment assagi. Serais-tu malade ?

– J'ai une famille, désormais. Bientôt, nous serons quatre. (Leo jeta un regard torve à son frère.) Si je t'entends dire : « Pauvre Sophie ! » je te cogne.

– Il n'est pas bon de dire le fond de sa pensée.

Eugen lança un coup d'œil à César. Roulé en boule sur une couverture à côté de Jacky, le doberman ronflait, les yeux à demi ouverts. Visiblement, il se sentait chez lui.

– Veux-tu le garder, Leo ? demanda Eugen.

– César ? Oh que non ! Il te ressemble, à présent. Lui aussi, il va éclater à force de trop bouffer ! Quand pars-tu ?

– Pourquoi cette question ? Tu veux désinfecter la chambre ?

– Je vais t'accompagner à la gare.

– Non, Leo !

– Mais si.

– On y verra une provocation.

– Ils peuvent tous aller se faire foutre !

– Pas de danger. Ils ont trop bon goût pour ça. Mais tu vas encore te faire des ennemis.

– Je m'en contrefiche.

– Toi oui, mais pense à Sophie. On la fustigera à chaque emplette qu'elle fera à Wurzen.

– Elle n'en mourra pas. Elle s'est endurcie.

– Tu oublies qu'elle n'est encore qu'une enfant. Elle vient d'avoir dix-neuf ans. Si jeune, tu lui fais mener une existence...

– Gare à la gifle !

Leo alla à la fenêtre et regarda le jardin en fleurs. Les grands tournesols brillaient dans le soleil – souvenir de Pless et de la Pologne. Il était parfois difficile de tirer un trait définitif sur le passé.

– Je me suis fait à Wurzen, les Poteries de Lübschütz seront bientôt connues dans toute la région, je m'entends à merveille avec le comte. C'est un endroit où je pourrai vieillir, conclut Leo.

– Une vie sans amis...

– Je n'ai jamais eu d'amis, Eugen. (Leo rentra la tête dans les épaules.) Ce n'étaient tous que des lèche-bottes, des faux jetons, des linottes envieuses, des imbéciles !

– C'est ton regard sur le monde qui est déformé.

– De nos jours, un homme honnête est un proscrit. Il faut en prendre son parti. Personne ne supporte d'entendre la vérité. « Ah, madame la conseillère ! Quelle allure, comme toujours ! Et quelle robe ! Une pure merveille... Elle vient sans doute de Paris ? » Et Mme la conseillère de se gonfler comme un dindon ! Alors qu'on devrait dire : « Ô mon Dieu, dans cette robe, on croirait votre grand-mère ! Jetez ces hardes à la tête de votre couturière. Et votre maquillage ! Fardez-vous vos rides tous les matins ? » Voilà ce qui serait honnête !

– Mais hors de question, Leo.

– Et pourquoi, s'il te plaît ?

– L'homme est vaniteux, avide, envieux et sans scrupule. Et parce qu'il en est conscient, c'est le contraire qu'il veut entendre. (Eugen leva le nez, huma les effluves venus de la cuisine et poussa un soupir à la perspective du rôti odorant.) Leo, tu dois accepter les compromis.

– Je ne puis. (Il se détourna de la vue de son joli jardin.) Je dis sans fard aux gens ce que je pense d'eux.

– Et ils finiront par avoir ta peau, d'une façon ou d'une autre. En te perdant de réputation, par exemple.

– Mais non !

– Et Sophie ! Mon Dieu, Leo, pense à ta femme ! Tu es tel un rocher dans un incendie, mais Sophie sera balayée… Et tes enfants… Quand ils seront grands, les parents interdiront à leurs rejetons de jouer avec des Kochlowsky. Ce seront les enfants les plus solitaires et les plus impitoyables au monde. Est-ce une vie ?

Selon toute attente, la discussion tourna court : Leo se mit à grogner et Eugen poussa un soupir de joie lorsque Sophie apporta le repas. On ne pouvait changer un homme comme Leo Kochlowsky.

Eugen partit le lendemain matin. Leo l'accompagna à la gare dans un landau découvert, conduit par un cocher de la briqueterie qui, visiblement, avait honte de cette mission commandée. Ils durent traverser toute la bourgade, au vu et au su des habitants de Wurzen. Eugen, son gras visage cramoisi d'énervement, admirait Leo d'avoir la bravoure de faire le trajet. Lorsqu'un piéton cria, du trottoir : « Kochlowsky, dehors ! » Leo fit arrêter le landau et regarda sa montre.

– Nous avons encore largement le temps avant le départ du train, dit-il d'une voix dangereusement calme. Demi-tour, cocher ! Nous allons refaire le tour de la ville.

– Sans moi, monsieur Kochlowsky, rétorqua celui-ci d'une voix rauque. Mes nerfs ne le supporteraient pas. J'ai soixante-quatre ans. Faites excuse…

– Tous des couards ! Donnez-moi votre fouet. (Leo avança la main vers le bâton garni de cuir, l'arracha des mains du cocher et sauta sur le siège.) Descendez ! cria-t-il. Allez en face, à l'auberge.

Il claqua de la langue, lâcha la bride et, par des rues latérales, rejoignit à vive allure la grand-rue.

Le grand tour, encore une fois ! pensait-il, hors de ses gonds. Et je vais saluer tous ceux que je connais. Ils en cracheront de rage. Ils en cracheront !

Il s'engagea dans la grand-rue et tira sur les rênes. Le cheval se mit au pas, les roues du landau grinçaient sur les pavés inégaux. Eugen s'était enfoncé dans le siège autant que le lui permettait sa corpulence.

— Est-ce vraiment nécessaire, Leo ? demanda-t-il d'un ton plaintif.

— Oui !

Les habitants de Wurzen comprirent aussitôt la parade de Kochlowsky. Ceux qu'il salua ne lui répondirent pas; et lorsqu'ils détournaient la tête, il les appelait par leur nom, d'une voix tonitruante. Une seule personne lui rendit son salut : le pasteur Paulus Maltitz. Il s'empressa de lever son couvre-chef lorsque Leo souleva son élégant chapeau gris. Calotin ! pensa Leo, grinçant des dents. Toujours le pardon aux lèvres, toujours à répandre la grâce de Dieu...

— Puis-je vous déposer quelque part, monsieur le pasteur ? demanda Leo d'une voix grondante.

— Volontiers. (Maltitz s'approcha de la portière.) Où allez-vous ?

— Où vous voudrez. Terminus : la gare.

— Alors, je décline votre invitation.

— Je ferai un détour. Montez donc, monsieur le pasteur !

Maltitz ouvrit la portière, se hissa dans le landau; il prit place près d'Eugen et lui tendit la main. Kochlowsky, de son siège, fit un signe de tête. Voilà un geste qui va lui valoir les reproches de ses ouailles, se dit-il, hargneux. Et je sais ce qu'il leur répondra : « Dieu est bonté. Il peut pardonner. » Ecœurant !

– Menez-moi au 14 de la Chemnitzer Strasse, mon bon. (Maltitz étira les jambes devant lui.) Il y a là un homme gravement malade qui souhaite se réconcilier avec Dieu.

Leo fit claquer son fouet et le landau repartit. Le pasteur se tourna vers Eugen, dont le visage avait encore rougi.

– Vous êtes un excellent déclamateur, monsieur Kochlowsky. Sincèrement. Vous avez su rendre à la perfection la tragédie de cette vivandière...

– Monsieur le pasteur, balbutia Eugen, je...

– À Berlin, on vous eût fait un triomphe. Mais nous sommes à Wurzen, nos braves bourgeois ont besoin d'un peu de temps avant que les façons modernes ne viennent à eux. Vous leur avez envoyé une rafale, et les voilà tous enrhumés. La province a toujours au moins un an de retard. Vous auriez dû en tenir compte.

– Qui y aurait songé ? bégaya Eugen, désemparé.

– En tout cas, cela m'a plu. (Le pasteur rit à la vue du visage incrédule d'Eugen.) Peut-on savoir vos projets ?

– Je vais écrire une pièce sur Luther.

– Sur Luther ! Et pourquoi cela ?

– Cet homme a eu une vie effrayante.

– C'est vrai.

– À commencer par l'histoire avec la nonne Katharina de Bora. Certes, il l'a épousée... mais avant ! C'est un sujet qui m'attire.

– Je parie qu'on interdira la pièce. On la fera saisir par la police et on en empêchera toute représentation.

– Pourquoi ? cria Leo de son siège. A-t-il couché avec elle, oui ou non ?

– On ne parle pas de ces choses-là.

– C'est là qu'est la différence, voyez-vous, monsieur le pasteur. (Leo fit de nouveau claquer son fouet sans en toucher le cheval.) Nous autres Kochlowsky sommes des hommes probes, nous en parlons.

Lorsque Leo eut déposé Maltitz à la porte de son malade, il était grand temps de se rendre à la gare. Eugen embrassa son frère, disparut à la hâte dans le compartiment, content d'avoir échappé à Wurzen. Deux bourgeois de la ville, qui montaient, s'empressèrent de changer de voiture à la vue d'Eugen.

Leo attendit que le train se fût ébranlé. Il alluma un mince cigare puis rejoignit le landau à pas lents. Dans le hall de la gare, il se heurta à Fleckmann qui avait accompagné un associé au train. Le brasseur fit mine d'être ravi de la rencontre.

— Gare ! cria Leo d'une voix forte, qui résonna dans l'édifice. Pas un pas de plus, monsieur Fleckmann ! Danger de contamination.

Fleckmann eut un rire chevrotant. Le journal encore secret de la fugitive Blandine était de la dynamite et liait entre eux tous les intéressés.

— Je tenais juste à vous dire, monsieur Kochlowsky, que cette malheureuse soirée de lecture n'avait aucune incidence sur votre admission au club. Vous et votre charmante épouse serez les bienvenus à n'importe quel moment. C'est aussi l'opinion du comité directeur.

— Bien, bien... (Leo se dirigea vers la sortie. Fleckmann trottina à ses côtés.) Le club va se scinder.

— Dieu merci, il y a différents tempéraments.

— Chez lesquels l'hypocrisie prédomine. Pensez à la rousse Blandine.

Fleckmann blêmit, brisa là et convoqua le soir même une séance extraordinaire des messieurs concernés.

— Il a le journal, dit-il d'une voix tremblante d'émotion. Il l'a !

— Il a avoué ? cria le fabricant de carton.

— Pas directement. Mais il a fait une allusion dénuée de toute ambiguïté en me regardant d'un air entendu. Eh bien, nous voilà livrés à ce monstre... Nous devons faire avec.

– Nous ne pouvons vivre sous la menace d'une bombe jusqu'à la fin de nos jours ! cria le fabricant d'articles de cuir. (Il exprimait l'opinion générale, mais nul ne voyait d'issue.) Il n'est pas pensable d'être l'objet d'un chantage permanent !

– Le moyen d'amener Kochlowsky à détruire le journal ? (Fleckmann porta à ses lèvres son verre de bière d'une main tremblante.) Avec de l'argent, pas question. Au nom de la morale, bernique ! Il promène avec lui la comptabilité de nos faux pas, empli d'une joie démoniaque.

– Au temps jadis, on aurait tué un type comme lui, point final.

Soudain, la phrase résonna dans la pièce, où il se fit un silence de mort. Nul ne savait qui l'avait prononcée.

Ces honnêtes messieurs se dévisageaient sans mot dire. Trop de choses étaient en jeu pour que l'on fût effrayé. Mais aucun parmi eux n'osait exprimer à voix haute ce que tous pensaient : il était exclu de lever la main contre Kochlowsky; pour de l'argent, cependant, il y avait suffisamment de crève-la-faim qui accepteraient d'accomplir la besogne. Mais qui, de ces messieurs, allait se charger du recrutement ? Et combien cela coûterait-il ? Si tous participaient, le financement de l'opération ne serait pas un problème.

Les idées qui voltigeaient dans la tête de ces messieurs respectables étaient si monstrueuses qu'ils se séparèrent rapidement pour rejoindre leurs familles. Là, dans le cercle que formaient leurs épouses fidèles et leurs enfants bien élevés, ils respirèrent d'aise, burent un lourd porto et apaisèrent leurs nerfs. Puis ils considérèrent ce qui les entourait. Une maison splendide, des meubles sculptés, des tapis, des enfants heureux, une femme douce et sans soupçons... Et tout cela devrait être anéanti par Kochlowsky ?

Au temps jadis, on l'aurait tué, point final. Au temps jadis, mais aujourd'hui ? Un bon Allemand est un homme qui respecte la tradition. Il règle sa vie selon les modèles du passé. Michael Kohlaas n'a-t-il pas tué ses tortionnaires ?

Il n'était que de fouiller l'histoire pour être réhabilité.

17

Le plus grand désir de Kochlowsky se réalisait enfin : il allait avoir son propre cheval.

Après avoir insisté longtemps dans son refus, Leo accepta l'offre de Sophie d'utiliser l'argent des princes de Pless et de Schaumburg-Lippe pour acheter un cheval.

– Je te le rembourserai, déclara Leo avec solennité et levant la main pour prêter serment. Le comte m'a promis, ainsi qu'à Langenbach, de nous intéresser au chiffre d'affaires si les Poteries de Lübschütz continuent de se développer d'aussi satisfaisante façon. Tu seras remboursée jusqu'au dernier sou. Cet argent est pour nos enfants. Je ne fais que l'emprunter. Ah, mon trésor ! Tu es un ange du ciel !

En matière de chevaux, il n'y avait pas de meilleur expert que le baron von Üxdorf. À son corps défendant, Leo devait admettre qu'en Saxe il ne connaissait aucun éleveur qui vendît de belles bêtes. En Silésie, ah ça, il savait où une jument mettait bas et qui était le père du poulain ! Il connaissait tous les étalons des haras renommés, au nombre desquels le haras de Pless, le meilleur. Et, lui annonçait-on un prix, il pouvait éclater d'un rire tonitruant, se frapper le front et rugir : « Quoi ? Une telle somme pour ce mollasson ? Plongez-vous la tête dans un seau d'eau froide ! Le père est Justus von Ahrfeld, qui a engendré cet avorton peu avant d'être frappé d'impuissance.

160

La moitié du prix, et c'est encore royalement payé. »

Mais ici, en Saxe ? Il fallait s'en remettre à l'écuyer du comte.

Le baron dut sourire d'aise quand Leo apparut dans les écuries du comte Douglas, pour lui demander son concours. Kochlowsky, demander des conseils... voilà qui était nouveau ! Von Üxdorf se remémora aussitôt que Kochlowsky, tout au début de ses activités à Lübschütz, avait critiqué les chevaux de la briqueterie et, lorsqu'il avait appris que le baron s'en occupait aussi, était allé sur-le-champ au château, hurlant : « Quel est l'imbécile qui confond béliers et chevaux ? »

À l'époque, le baron en était resté mortifié plusieurs semaines, ne correspondant plus avec Kochlowsky que par lettres ou par messager.

— Il y a un célèbre haras de chevaux prussiens, à Torgau, le haras de Luisenhof.

Von Üxdorf parlait parfois avec le débit haché des soldats de la cavalerie. Par ailleurs, les civils étaient à ses yeux des hommes de seconde catégorie; c'était un coup du sort que lui-même fût ravalé à ce rang. Il compensait le fait en portant une espèce d'uniforme de fantaisie et en réglementant les écuries de façon militaire. Le comte lui passait cette marotte. Les chevaux, au demeurant, étincelaient comme à la parade.

Kochlowsky secoua la tête.

— Je ne connais rien par ici, monsieur le baron.

— Luisenhof a une réputation égale à celle de Donnerhall. Quand envisagez-vous d'acheter le cheval ?

— Le plus vite possible.

— Demain ?

— Si votre emploi du temps le permet...

— Sinon aurais-je dit demain ?

Kochlowsky ne rétorqua mot. Paltoquet ! pensait-il, l'humeur assombrie. Et ces bottes de cuirassier... monte-t-on de bons chevaux avec des bottes pareilles ? Demain, tu verras mes bottes en cuir de Russie, du meilleur artisanat polonais, un cuir souple comme un gant, qui permet une pression des cuisses que nul ne perçoit. Le cheval semble mené par une main de fée. Attends seulement de m'emmener à Luisenhof... Tu ouvriras les yeux et fermeras ta gueule !

– Comment irons-nous ?

– En voiture jusqu'à Eilenburg puis en train jusqu'à Torgau.

– Et au retour ?

– Idem. Le cheval voyagera avec nous dans le fourgon à bagages. (Le baron leva le menton et observa Leo avec l'arrogance de qui porte l'uniforme envers un civil.) D'Eilenburg, il vous faudra revenir seul. Vous en sentez-vous capable ?

– J'essaierai ! grinça Leo.

– Emportez de la graisse de bœuf pour vos fesses. On a tôt fait d'attraper des ampoules.

Le baron toucha sa casquette du doigt, adressa un regard bienveillant à Leo et s'éloigna vers ses écuries.

Espèce de merdeux ! pensa Kochlowsky en le suivant des yeux. Au haras de Luisenhof, tu verras comment monte un homme de Pless ! Il n'est pas assis sur un cheval, il ne fait qu'un avec lui. Chaque muscle de l'animal devient le sien, tous deux ne forment qu'un seul être. Ce sont les cosaques qui nous ont appris ça.

Il tourna les talons et sauta en selle.

Le baron l'observait par une fenêtre des écuries.

Il monte comme un Tartare, pensa-t-il. Il fit la lippe. Quel spectacle horrible pour un officier de cavalerie ! Et comme il se tient en selle... De quoi remuer le cœur d'un soldat.

Il était donc prévisible que le trajet ferait date.

Au vrai, tout se passa d'abord fort paisiblement. Les deux hommes se firent emmener à Eilenburg en diligence. Le premier cocher du comte conduisait lui-même le cheval; il s'attendait à tout instant à des reproches de Kochlowsky. Emil Luther l'avait mis en garde : « Tu dois conduire ce type ? Il faudrait le jeter dehors en cours de route comme de la crotte ! Garde ton calme, s'il t'insulte. Le comte l'a à la bonne, c'est à n'y rien comprendre. Nous le détestons tous. »

Mais il ne se passa rien. Leo contemplait le paysage et discutait avec le baron de la chasse au cerf. Leo la décrivait comme une pratique barbare depuis qu'il avait vu, dans les forêts de Wilczek, comment on forçait l'animal avant de le transpercer de piques. Von Üxdorf, il va sans dire, ne partageait pas du tout cette opinion, ne serait-ce que pour prendre le contrepied de Leo. Il s'ensuivit une querelle qui ne cessa de s'envenimer. Enfin, Kochlowsky déclara :

– Brisons là, c'est préférable, sinon j'oublierai ma bonne éducation.

Le baron, ébahi, s'étonna que Kochlowsky eût jamais reçu quelque éducation que ce fût.

En fin d'après-midi, ils atteignirent Torgau. Un landau du haras de Luisenhof les attendait à la gare. Les chevaux avaient belle allure, soignés, la robe lustrée, les sabots propres, les crinières tressées et l'anus impeccable. Leo souleva sans plus de façons la queue du premier cheval pour s'en assurer.

– Satisfait ? dit le baron, ironique.

– Très. (Leo rendit le coup :) Le comte n'a pas souvent l'occasion de voir ça chez ses chevaux.

Le baron se figea. Autrefois, c'eût été prétexte suffisant à un duel au pistolet, mais le bon vieux temps était révolu. Depuis 1871, un souffle de modernisme déferlait sur l'Empire allemand. On assistait à une poussée du prolétariat... de la plèbe. Le baron vissa son monocle plus fermement sur son œil et se détourna sans un mot.

Le haras de Luisenhof était semblable à celui de Pless, et correspondait aux vœux secrets de Leo. Clôtures blanches, écuries nickel, des garçons d'écurie vêtus d'une sorte de livrée, le maître d'écurie en tenue d'équitation noire, les nombreuses voitures garées dans une grande remise, propres, astiquées, huilées, le haras aussi étincelant qu'une salle à manger, rien, nulle part, qui ne fût dégradé... Un tel lieu réjouissait l'âme.

Von Üxdorf présenta Leo au maître d'écurie, un M. von Okritz.

— J'ai entendu parler de vous, fit von Okritz d'un ton vif. Par le baron ainsi que par un certain M. Langenbach, de votre briqueterie. Il est venu nous faire une offre pour la construction d'un nouveau manège.

— Tiens donc... (Leo, qui était tout disposé à trouver von Okritz charmant, se raidit. Langenbach ne pouvait avoir parlé de lui en bien.) Foin de digressions ! Quels chevaux avez-vous à me proposer ?

— Tout dépend de ce que vous voulez en faire, monsieur Kochlowsky.

— Je n'ai pas besoin d'un cheval de parade. Il me faut un bon cheval de monte, vigoureux. Un cheval avec un caractère. En trouve-t-on encore ?

— Pourquoi pas ?

— Il me paraît que, chez les hommes, le caractère a vécu.

Von Okritz jeta un bref regard à von Üxdorf. En effet, signifiait ce regard, c'est bien un grincheux. Changeons de sujet.

— J'ai neuf chevaux dans l'écurie de vente. Voulez-vous me suivre ?

— Volontiers.

L'écurie en question était aussi propre que le reste du haras; une sorte de petite halle avec une estrade, et, tout au fond, du sable et de la paille hachée. Quelques chaises étaient disposées derrière une barrière; on pouvait tranquillement regarder évoluer les chevaux et les juger. Les garçons d'écurie amenèrent les bêtes et coururent avec elles dans la halle, puis les laissèrent. Les splendides chevaux se mirent à trotter et à galoper sur le sable, déployant toute leur beauté et leur force.

Leo, la mine sombre, suivait chacun des chevaux, les yeux étrécis. C'étaient de très bons chevaux, sans plus. Au haras du prince de Pless, ils n'eussent été que des bêtes de second choix. Le baron l'agaçait prodigieusement. Sur le siège à côté du sien, il ne cessait de frapper dans ses mains et de crier, plein d'enthousiasme :

– Qu'il est beau ! Ça, c'est un cheval ! Merveilleux ! (Entre ses exclamations, il demandait :) Toujours rien à votre convenance, monsieur Kochlowsky ?

Après la présentation du neuvième cheval, von Okritz s'approcha. Il vit la mine de Leo.

– Avez-vous fait votre choix ?

– Oui, répliqua Leo laconiquement.

– Lisa ?

– Non.

– Ewald ?

– Non plus.

– Lequel, alors ?

– Aucun.

Le baron poussa un soupir déchirant.

– Je n'ai encore jamais vu de bêtes aussi magnifiques, dit-il.

– Vous, peut-être.

– Et tous dressés à la perfection, ajouta von Okritz.

– Cela reste à prouver. (Leo se leva.) Où puis-je me changer ?

– Vous changer ? fit von Okritz, déconcerté.

– Pensez-vous que je n'aie dans mes bagages que des provisions de bouche ? Un cheval que j'achète, je veux d'abord le monter. Où puis-je me changer ?

– Dans le bureau.

Von Okritz adressa un signe à l'un des garçons d'écurie. Celui-ci emmena Leo. Von Okritz attendit que Kochlowsky fût hors de portée d'oreille.

– Que doit-on penser ? s'enquit-il, assez troublé.

– Je vous avais prévenu, Okritz.

Von Üxdorf se racla la gorge.

– Il y a trois de mes meilleurs chevaux dans le lot.

– Et quand bien même vous lui présenteriez les chevaux arabes du roi du Maroc… Kochlowsky n'admettra jamais que quelque chose lui agrée.

– Alors, que veut-il, sapristi ?

– Si on le savait ! Attendons la surprise. J'ai hâte de voir son costume. Mais retenons nos rires…

Il n'y avait pas de quoi rire quand Leo revint. Il portait un costume d'équitation noir sur mesure de la meilleure, de la plus moelleuse et brillante étoffe anglaise. Le clou, en vérité, c'étaient les bottes : chef-d'œuvre de l'artisanat polonais, en cuir de Russie de la meilleure qualité. Von Okritz, quelque peu connaisseur, avança la lèvre inférieure. Von Üxdorf assujettit son monocle.

– Allons-y ! dit Leo.

– Vous n'avez pas d'éperons, remarqua von Okritz. Puis-je vous prêter les miens ?

– Au diable les éperons ! Je monte au sentiment. Au cheval de me comprendre, sinon adieu !

– Par lequel commençons-nous ?

– Aucun des neuf. Voulez-vous me montrer vos écuries, monsieur von Okritz ?

– Volontiers. Mais elles ne renferment aucun cheval à vendre.

– N'empêche, elles m'intéressent. Si les chevaux que vous dissimulez sont aussi remarquables que les bâtiments, je vous félicite.

Le compliment était inattendu dans la bouche de Leo. Von Okritz, visiblement dérouté, jeta un regard muet au baron.

– Vous… vous aurez ce plaisir, dit-il, étourdi.

Et pour un plaisir, c'en fut un ! Leo déambula parmi les stalles, euphorique. Il caressa les naseaux gonflés des étalons, et sa manière de faire indiqua à von Okritz quel connaisseur il était. Il s'attarda près des juments et les observa, sous le charme.

— Je vous envie, monsieur von Okritz, dit-il soudain. C'est autre chose que de vendre des briques...

Le cœur de von Okritz s'emballa. Il voyait tout à coup un Kochlowsky fort différent parmi les chevaux; c'était un homme tendre à l'âme sensible.

Dans une stalle, Leo aperçut un cheval qui le regardait de ses grands yeux. Une bête splendide et vigoureuse à la robe roux foncé, le front marqué d'une étoile en forme de croix. Son corps était idéalement proportionné, ses muscles indiquaient sa résistance physique; sa croupe aux cuisses bien formées et aux jarrets puissants montrait ses qualités de sauteur.

Kochlowsky entra dans la stalle.

— Attention ! cria von Okritz. Revenez ! Immédiatement !

Leo resta debout près du cheval qui le regardait de ses yeux froids.

— Qui est-ce ?

— Reckhardt von Luisenhof. (Von Okritz avait le front emperlé de sueur.) Revenez immédiatement !

— Pourquoi ?

— Ce cheval est un démon. Il a déjà piétiné quatre garçons d'écurie, sans parler des morsures. Je vous prie de...

Von Okritz ne bougeait pas. Le baron, lui, recula de trois pas.

— Et pourquoi se comporte-t-il ainsi ?

— Allez savoir ! Il est comme fou depuis qu'on l'a châtré.

— C'est compréhensible. Je n'aimerais pas perdre un élément aussi important de mon anatomie, moi non plus. (Leo eut un large sourire, flatta les naseaux du hongre magnifique et siffla entre ses dents lorsque l'animal découvrit aussitôt les dents, mais sans ouvrir la bouche pour mordre.) Qu'allez-vous faire de lui ?

— Je voulais le vendre, mais qui le prendra ? Pas un cavalier n'est resté plus de cinq minutes en selle. (Von Okritz haussa les épaules.) Je ne sais pas encore.

— Reckhardt est votre plus beau cheval. Une bête magnifique.

— En effet. Mais c'est un cheval qui piétine et qui mord.

— Il me plaît. Monsieur le baron, à votre avis, me convient-il ?

Leo sortit de la stalle et s'appuya contre la balustrade. Von Üxdorf grimaça un sourire.

— Vous ne voulez tout de même pas dire que vous êtes capable de monter cette bête...

— À vous l'honneur, monsieur le baron ! En tant qu'ancien officier de cavalerie...

— Je vous préviens, Üxdorf ! s'interposa aussitôt von Okritz. La témérité n'est pas de mise dans cette affaire.

— J'ai déjà maté d'autres bêtes entêtées ! cria le baron, plein de pétulance.

— Je vous en prie ! (Leo montra le beau hongre roux foncé.) Il n'attend que ça.

Une demi-heure durant, von Okritz tenta de dissuader le baron de se lancer dans cette entreprise insensée. Mais von Üxdorf s'obstina à montrer au civil Kochlowsky comment un officier prussien monte à cheval. C'était désormais une question d'honneur. Il emprunta un pantalon et des bottes, fixa des éperons et ordonna de passer un mors à Reckhardt. Je vais te mater, pensa-t-il lorsque le cheval passa près de lui. Le hongre caracolait avec coquetterie, mais on lisait dans ses yeux une envie meurtrière. J'étais le meilleur cavalier du régiment. On ne jette pas un von Üxdorf à bas de sa selle !

Tout se passa très vite, ce dont von Okritz se réjouit. Le baron monta en selle, tira sur le mors, éperonna sa monture pour la faire avancer, lâcha un peu la bride et perçut entre ses cuisses la force du cheval. Un merveilleux animal, foi d'officier !

Comme si le cheval voulait lui accorder un plaisir, il fit d'abord un tour majestueux du quadrilatère. Von Üxdorf, fier de sa victoire, bombait déjà le torse quand Reckhardt s'arrêta d'un coup; il arqua le dos, se souleva du sol et exécuta dans les airs une splendide cabriole.

— Hé ! cria le baron.

Il tenta désespérément de s'agripper, vola de sa selle et roula dans le sable pour se mettre hors de portée des sabots de Reckhardt qui cherchaient à le frapper.

— Quel démon ! siffla-t-il. (Trois garçons d'écurie durent retenir le hongre qui tremblait de fureur.) Okritz, ce n'est pas un cheval, c'est le diable !

— Je vous avais prévenu. (Von Okritz jeta un regard à Kochlowsky qui, face au cheval, le considérait fixement.) Eh bien, Kochlowsky, qu'en dites-vous ?

— Faites sortir les trois valets ! Je veux être seul avec Reckhardt.

— Renoncez à cette folie.

— Quel prix en demandez-vous ?

— Pour cinq cents marks, vous pourrez l'emmener et vous faire piétiner à mort.

— Marché conclu ! (Leo, avec un grand courage, s'approcha tout près de Reckhardt.) Écoute-moi bien, à présent, mon garçon. Tu t'appelles Reckhardt, moi, c'est Leo. Tu vas déployer toute ta force pour me vaincre et moi je vais tout faire pour que tu viennes me manger dans la main. Nous nous comprenons ? Tu es une tête de lard, moi aussi, et pire. En vérité, nous allons bien ensemble. Qu'en penses-tu ?

Le cheval leva les naseaux et montra les dents.

– Attention ! cria von Okritz. Il va ruer.

– Moi aussi.

Bouche bée, le baron von Üxdorf vit Leo bondir près du cheval, s'élancer en selle. Un Tartare, pensa-t-il. Non, un cosaque – ce en quoi il ne se trompait pas.

Reckhardt demeurait immobile, comme paralysé. Von Okritz retenait son souffle. Qu'allait-il se passer ? Comment allait réagir Reckhardt ?

Le cheval n'eut aucune réaction; Kochlowsky glissait déjà de selle. Reckhardt tourna la tête et regarda Leo avec étonnement.

– Enlevez-moi cette selle ! dit Leo d'une voix forte. Ôtez le mors, je ne veux que le bridon. N'écarquillez pas des yeux aussi stupides ! Le bridon, ai-je dit !

– C'est suicidaire ! cria von Okritz. Êtes-vous fou, Kochlowsky ?

– Je vous prie de faire ce que j'ordonne ! rugit Leo en réponse.

Il était vain de discuter. On dessella Reckhardt pour lui passer le bridon. Le cheval attendait la suite, les oreilles dressées. Leo revint vers lui. Von Okritz essuya son front mouillé de sueur.

– Il va se tuer, murmura-t-il au baron.

– Sa mort en réjouira plus d'un à Wurzen. N'empêche, il a du courage. Étonnant de la part d'un civil...

D'un bond, Leo s'élança de nouveau sur le dos du cheval. Cette fois, cependant, Reckhardt réagit. Il ne sauta pas en l'air ni ne se cabra, ainsi que l'eût fait n'importe quel autre cheval; il s'affaissa dans le sable, le corps devenu mou d'un coup, et se tourna sur le dos.

Von Okritz hurla d'épouvante, mais Leo s'était déjà laissé tomber sur le sol, à côté de Reckhardt. Le cheval se retourna et lança ses sabots contre Kochlowsky, qui n'évita le coup mortel que de justesse.

En un éclair, Leo roula sur lui-même pour

s'éloigner du hongre. Il se mit debout et retourna vers le cheval qui, couché sur le flanc, le regardait d'un œil torve.

— Sale bête ! fit Leo presque avec tendresse. Nous avons fait match nul, mais nous nous habituons l'un à l'autre... Nous sommes assortis à souhait.

— Que dites-vous ? bégaya von Okritz. Personne ne montera ce cheval.

— Je vais vivre avec lui, dit paisiblement Leo.

— Quoi ?

— Je vais le nourrir, l'étriller, je dormirai la nuit à ses côtés. Le jour, nous nous entraînerons au manège. C'est un cheval unique. Monsieur le baron, retournez à Wurzen et excusez-moi auprès de tous. À mon retour, je serai sur le dos de Reckhardt et ferai le tour de la ville à cheval...

Par la suite, on parla beaucoup de l'amour-haine entre le cheval et Kochlowsky. On exprima des vérités, davantage encore de mensonges. Ce qui est vrai, c'est que Leo resta quatre jours et quatre nuits auprès de Reckhardt; il dormit à ses côtés dans la grande stalle, et le cheval ne le piétina ni ne lui trancha l'aorte. Il lui parlait, l'appelait « mon salaud » et « charogne », lui racontait les domaines de Pless et lui donnait à flairer ses bottes en cuir de Russie. Personne n'alla jusqu'à prétendre que le cheval le comprenait, mais il se laissait caresser, mangeait des croûtons dans sa main, levait spontanément les jambes pour qu'il lui ôtât ses fers. Von Okritz affirma par la suite — et ce jusqu'à sa mort — que s'étaient rassemblés deux démons.

Le quatrième jour, Leo chevaucha avec élégance à travers les champs du domaine. Reckhardt caracolait et soufflait joyeusement, jetant toutes ses forces dans un galop à couper le souffle. Von Okritz reçut ses cinq cents marks et lorsque Kochlowsky quitta le haras, il faillit se frotter les mains.

Six jours plus tard, Kochlowsky, venant de la gare d'Eilenburg, traversa Lübschütz et passa devant le château du comte. Douglas lui serra les deux mains, devant un baron von Üxdorf blême de dépit.

Se débarrasser de Leo Kochlowsky tenait quasiment de la gageure.

18

La jalousie, qui peut faire de la vie un enfer, n'est pas l'apanage des seuls humains. On la rencontre aussi chez les animaux. À cet égard, les bêtes ont un comportement fort humain. Kochlowsky en fit l'expérience quand, monté sur son fier Reckhardt von Luisenhof, il termina son long périple par un trot autour de la maison et appela Sophie, qui parut à la fenêtre, Wanda dans les bras. Le seul à ne pas se réjouir, ce fut Jacky.

Contrairement à son habitude, le spitz ne courut pas en jappant au-devant de son maître pour sauter après lui; il demeura assis, la tête penchée, sur les marches de l'entrée et attendit en silence que Leo eût sauté à bas de sa monture, claqué joyeusement ses bottes de son fouet et flatté les naseaux fumants de Reckhardt. Jacky gronda au vu de cette marque de faveur.

Leo s'approcha de la fenêtre et prit Wanda dans ses bras pour jucher l'enfant sur la selle du cheval. Jacky bondit tel l'éclair et mordit Reckhardt à la jambe postérieure gauche. Il disparut aussi vite qu'il était venu – le coup de sabot du cheval résonna dans le vide.

– Jacky ! rugit Kochlowsky, pressant Wanda contre sa poitrine afin de la protéger du cheval qui se cabrait. Charogne ! À la maison, sale carne !

Le spitz, mortellement offensé, n'obéit pas. Il alla se blottir à une distance sûre, poussa un grognement sonore et observa le rival qui lui volait l'amour de son maître. Reckhardt von Luisenhof hennit farouchement, chercha un endroit où s'enfuir et opta pour le jardin. Dans un galop d'enfer, il bondit vers les plates-bandes de fleurs, piétina les fragiles tournesols et, tremblant de tout son corps, s'arrêta enfin dans les planches de légumes.

Par la fenêtre, Leo tendit Wanda à Sophie – l'enfant hurlait de terreur –, fit siffler son fouet et se dirigea vers Jacky. Le chien le fixait de ses petits yeux en boutons de bottine, agitait sa queue touffue et grognait sourdement, les oreilles couchées.

– Viens ici, sale bête ! ordonna Leo d'un ton dur. Tout de suite ! Tu m'entends ? Ici !

Jacky ne bougea pas. Dans le jardin, Reckhardt goûtait les tournesols et, à la fenêtre, Wanda hurlait de navrante façon. Kochlowsky avança de deux pas. Jacky courba l'échine, son regard se fit infiniment triste et humble, puis le fouet claqua sur son dos, coupant telle une lame.

Le chien reçut le coup sans une plainte ; il pressa son museau entre ses pattes et demeura immobile. Il me bat, semblait-il penser, c'est la première fois que mon maître me bat. Et à cause d'une autre créature qu'il caresse comme moi. Quel monde est-ce donc ? Comment peut-il aimer l'autre autant que moi ?

Jacky resta couché, et ferma les yeux, dans l'attente des coups suivants. Son petit univers était devenu un monde de désolation.

– Ne refais jamais ça, Jacky, insista Kochlowsky. Reckhardt fait désormais partie de la famille au même titre que toi. Nous sommes une grande famille... et, l'année prochaine, il y aura un enfant de plus. Pense que tu as sur Reckhardt un avantage qu'il n'aura jamais : tu as le droit de dormir dans mon lit. Honte à toi d'avoir mordu Reckhardt. Fi donc ! Honte à toi !

Leo laissa le chien et fit sortir un Reckhardt légèrement rétif du carré de légumes en le tirant par son bridon. Le cheval paraissait avoir apprécié les tournesols. Il dressa les oreilles et s'ébroua.

– Ta gueule, butor ! murmura Leo avec une tendresse qu'il ne réservait qu'aux chevaux. Le petit démon blanc s'appelle Jacky. Tu t'habitueras à lui. Même si je dois vous enfermer quelques nuits ensemble dans l'écurie...

L'écurie... l'affaire mérite d'être contée.

Lorsqu'il apparut que Kochlowsky pouvait réaliser son rêve et s'acheter un cheval, six ouvriers de la briqueterie vinrent construire une écurie attenante à la buanderie. Le front plissé, Leopold Langenbach regarda s'éloigner les six hommes puis se rendit dans le bureau de Kochlowsky.

Leo, à son pupitre, écrivait une lettre à un bon client. Les formules de politesse l'agaçaient, et son agacement s'accrut à la vue de Langenbach.

– Où sont vos hommes ? demanda ce dernier, bien qu'il le sût parfaitement.

– À la chasse aux papillons.

– Votre réponse est stupide.

– Elle convient à merveille à une question plus idiote encore.

– Je suis en droit de savoir.

– Ce ne sont pas vos oignons ! dit Leo. Mais... ils vont construire une écurie.

– Une écurie ? Où ça ?

– Chez moi.

– Qui leur en a donné l'ordre ?

– Moi.

– Sans m'en demander la permission ?

– Dois-je aussi vous demander la permission de péter ?

– Six ouvriers qu'on enlève à la production des briques, ce n'est pas un pet de lapin ! gronda

Langenbach, furibond. J'aimerais qu'on me demande mon avis pour tout ce qui concerne la fabrique. C'est bien le moins. Qui est le directeur, ici ?

La plaie était toujours à vif chez Leo. Il posa son porte-plume, caressa sa longue barbe et lança à Langenbach un regard noir, ce regard que tout le monde, à Pless, redoutait et qui faisait se signer les travailleurs polonais. Mais on n'était pas à Pless et Langenbach n'avait pas un tempérament d'esclave.

– Si j'envoie six ouvriers bâtir mon écurie, dit Leo d'une voix dangereusement douce, je puis en justifier. Que cela vous plaise ou non, je m'en tape ! Occupez-vous plutôt des nouvelles commandes, qui sont assez mauvaises. Et ne restez pas là comme une bûche !

– Vous êtes le plus beau mufle sous le soleil de Dieu ! Mais patience ! Vous trouverez votre maître.

Langenbach sortit du bureau, claqua la porte et s'en fut voir le comte à Amalienburg. C'est lui ou moi, pensait-il, étouffant de colère. Il faut que ça cesse. Cet homme est mûr pour l'asile.

Mais Langenbach ne put adresser son ultimatum à Douglas. Il apprit que Kochlowsky avait demandé au comte l'autorisation de prélever six ouvriers de la briqueterie pour bâtir son écurie. Au lieu du discours prévu, Langenbach fit un rapport sur les expériences réalisées pour trouver un nouvel émail résistant au gel. L'idée était de lui, et le comte l'en avait félicité.

Le cœur serré, Langenbach quitta le château à l'issue de l'entretien et se rendit à l'hôtel *Stadt Leipzig* où il but trois verres de bière et trois d'eau-de-vie. Je vais sombrer dans l'alcoolisme, songea-t-il, si Kochlowsky reste à Wurzen plus longtemps. Mais aussi, sans alcool, le moyen de le supporter ?

Ainsi donc, Kochlowsky menait son splendide cheval à l'écurie, une écurie de luxe, en vérité, bâtie sur le modèle du haras de Pless : deux stalles avec des portes coulissantes, une pièce pour le fourrage, une sellerie, une mangeoire dallée, de grandes et hautes fenêtres, deux abreuvoirs carrelés, le tout rutilant et plus propre que bien des maisons.

Reckhardt parut s'en rendre compte. Il caracola dans la première stalle, souffla bruyamment près de la mangeoire emplie de foin et de la petite auge d'avoine et de paille hachée, plongea ses naseaux dans l'abreuvoir et s'ébroua. Puis il se retourna, leva la tête, les yeux soudain méchants. Kochlowsky, qui connaissait mieux les chevaux que les hommes, le remarqua aussitôt.

– Qu'y a-t-il, mon garçon ? Qu'est-ce qui te déplaît ?

Il suivit le regard du cheval et vit Jacky sur le seuil. Cheval et chien se regardaient fixement, tous deux immobiles, les oreilles dressées et l'œil mauvais.

– Je vous préviens, dit Leo d'une voix calme. Libre à vous d'avoir votre volonté propre, mais ici, seule compte la mienne. Si vous le comprenez, nous serons tous trois amis.

La phrase était typique de Kochlowsky. C'était lui le maître, ici et partout. En douter était une manière de blasphémer.

Kochlowsky sortit de sa magnifique écurie et en ferma la porte à clé, laissant Jacky avec le cheval. Il entendit le spitz gratter et gémir aussitôt à la porte. Le cœur gros, il rentra la tête dans les épaules et se hâta de gagner la maison. Il faut s'habituer à vivre avec autrui, pensa-t-il.

La sentence, toutefois, valait pour tous, excepté pour lui.

19

Le pavillon forestier, vide depuis le suicide de Ferdinand Rechmann, eut un nouvel occupant. Le comte Douglas arrêta son choix sur un garde qui venait des grands domaines du comte von Kanitz. C'était un homme jeune et fringant, aux yeux bleus intelligents et à la moustache ronde. Grand, athlétique, élégant – son uniforme semblait taillé sur mesure –, il avait la langue agile. Mais surtout, il était célibataire; la tragédie de Rechmann ne se répéterait pas. Il s'appelait Willy Cranz, et Wurzen eut tôt fait d'apprendre qu'il était un tireur hors pair. À l'époque de son service militaire, il avait remporté plusieurs prix ainsi que le cordon d'argent des tireurs.

Selon l'usage, il alla se présenter auprès de la société de Wurzen. Il fit la meilleure impression aux familles visitées. Les filles des bourgeois en eurent les yeux qui brillèrent. Par la force des choses, il se rendit en calèche chez Kochlowsky, vêtu de son meilleur uniforme et saturé de mises en garde contre le fauve venu de Sibérie. Afin de ne causer aucun malheur, il choisit un dimanche matin, après le culte.

Si détesté que fût Kochlowsky, on le créditait cependant de sa présence à l'église tous les dimanches. Sophie y tenait, et il se pliait à ses souhaits. Il demeurait assis près de sa très jolie femme, ne mêlait pas plus sa voix aux hymnes qu'aux prières, ne récitait pas l'oraison dominicale. Il se contentait d'être présent, parce que tel était le vœu de Sophie. Le pasteur Maltitz, en observateur attentif, glissait çà et là dans ses prêches : « Dieu est reconnaissant de tout, même de la présence des muets et des faibles d'esprit… »

Kochlowsky, qui appréciait son porto dominical avant le déjeuner, alla ouvrir la porte lorsque Willy Cranz y toqua. Sophie, par la fenêtre, l'avait vu arriver. Elle s'empressa d'ôter son tablier, coiffa ses cheveux blonds et se lava les mains. Une épaule de mouton parfumée au thym rissolait dans le four. Elle la servirait avec des oignons et une galette de pommes de terre. Toute la maison fleurait bon le succulent déjeuner.

– Willy Cranz, le nouveau garde forestier, se présenta le visiteur.

– Je le vois bien, gronda Leo. Un mendiant a une autre allure. Vous désirez ?

– Je voulais me présenter à vous.

– Eh bien, c'est chose faite ! Je suppose que vous savez comment je m'appelle et qui je suis, nous avons donc fait connaissance.

Avant que Kochlowsky n'eût pu refermer la porte, Sophie survint de la cuisine, semblable à un ange, et s'écria d'une voix claire :

– Oh, Leo, nous avons de la visite ! Le nouveau garde forestier, à ce que je vois. Entrez donc, je vous en prie, monsieur le garde.

– Mon nom est Willy Cranz.

– Monsieur Cranz. Entrez, entrez...

Kochlowsky ne pouvait plus claquer la porte au nez de Cranz. Il s'écarta d'un pas, laissa entrer le jeune garde et la referma bruyamment derrière lui, en signe de mise en garde : Mon gaillard, tu viens de pénétrer dans une zone dangereuse, et si tu t'assois tout de suite dans un fauteuil, les fesses vont t'en cuire !

Leo précéda Cranz au salon, lui indiqua un siège et attendit que le garçon y eût pris place – ce que Cranz ne fit qu'une fois Sophie assise. Il avait baisé la main de la jeune femme dans le vestibule et Sophie s'était félicitée de s'être lavé les mains à l'eau chaude pour les débarrasser de l'odeur d'oignon.

Le front plissé, Leo avait observé la scène...

Dès ce moment, Cranz lui avait été antipathique. Un paltoquet, rien d'autre. Un faquin, un butor vaniteux ! Regardez-le, dans son uniforme sur mesure, on croirait qu'il pose pour le photographe ! La tête haute, souriant, content de lui...

— Un verre de porto ? demanda Sophie avec un sourire adorable.

— Volontiers, chère madame.

Cranz jeta à Sophie un regard rayonnant. Les gens ont raison, pensa-t-il. C'est une femme merveilleuse. Et un tel mari ! On dirait un vautour.

— Vendrez-vous aussi des oies de Noël comme votre prédécesseur Rechmann ? demanda Kochlowsky pour entamer la conversation.

— Assurément. Je continuerai tout ce que mon collègue avait instauré.

— On dirait presque une menace ! (Leo se carra dans son profond fauteuil.) Rechmann était tellement fou avec ses oies qu'il les aurait bientôt prises dans son lit. D'où venez-vous ?

— De chez le comte von Kanitz.

— Von Kanitz ! Ah ! Eux aussi possèdent de vastes propriétés en Silésie.

— Presque aussi vastes que celles de Pless.

Kochlowsky plissa le front.

— Par rapport aux Pless, les Kanitz sont des miteux, dit-il en grondant comme un chien. Vous êtes silésien ?

— Non, je suis né en Westphalie.

Sophie entra avec un verre de porto. Cranz lui porta un toast et la mine de Leo s'assombrit encore. Il remarqua que sa femme riait autrement que d'habitude – du moins se l'imaginait-il –, il crut voir une lueur nouvelle dans ses yeux bleus et son visage enfantin lui parut rayonner comme jamais. C'était absurde, naturellement, mais quand un Kochlowsky faisait une constatation, il n'en démordait plus.

— Resterez-vous à déjeuner ? demanda Sophie.

Kochlowsky leva le menton et caressa sa barbe.

– Je ne voulais prendre que quelques minutes de votre temps, répondit poliment Cranz. Juste me présenter...

Kochlowsky se racla la gorge et se leva.

– Voilà qui est fait ! Ravi d'avoir fait votre connaissance...

– L'épaule de mouton est assez grosse. M. Cranz pourrait bien rester déjeuner, intervint Sophie devant ce congé implicite.

Cranz la regarda, les yeux brillants.

– Telle n'était pas mon intention.

– Dans ce cas...

Kochlowsky se dirigea vers la porte, mais Cranz ne bougea pas de sa place.

– Mais si la charmante Mme Kochlowsky m'invite si gentiment... comment résister ? (Il se tourna vers Leo, qui lui renvoya un regard furieux.) Je ne voudrais pas froisser votre femme par un refus, monsieur Kochlowsky.

Ce fut un déjeuner mémorable.

Cranz se servit trois fois, but une demi-bouteille de vin rouge et s'accorda en dessert une énorme part de pudding aux amandes nappé de sauce à la vanille. Il refusa le cigare que Leo lui offrait pour digérer, mais avala deux tasses de café serré.

– Exquis ! dit-il. C'était tout simplement exquis, chère madame. Je n'avais de ma vie mangé un mouton pareil ! Un goût, une cuisson ! Vous êtes un véritable cordon-bleu ! (Il lança un coup d'œil à Leo qui avait englouti le repas sans un mot et ajouta :) On ne peut que savourer de tels mets sous peine d'être un barbare !

Il était trois heures lorsqu'il prit congé par un nouveau baisemain. Il monta dans sa calèche, claqua la langue et adressa des signes à Sophie tandis que la voiture roulait.

Kochlowsky le suivit d'un regard mauvais.

– Un homme agréable, dit prudemment Sophie.

– Un goinfre, oui ! Ce que Rechmann conservait comme la prunelle de ses yeux, ce gaillard va le bouffer en cinq sec' ! Le domaine forestier va y passer ! Comment un homme peut-il bâfrer ainsi ? Et en plus, c'est un fat. Il est vaniteux comme une femme.

– Je suis vaniteuse, peut-être ? fit Sophie, vexée.

Et elle rentra dans la maison.

– Tu n'es pas comme les autres femmes.

– Comment suis-je donc ?

– Tu es venue d'une autre planète.

– Mais je fais des enfants comme toutes les autres.

– C'est ce qu'il y a de bien, dans l'affaire.

Il la saisit par ses hanches étroites, l'embrassa et l'entraîna vers la chambre à coucher.

Les jours et les semaines s'écoulèrent, rythmés par le travail. L'été fut très chaud. À la briqueterie, les ouvriers qui travaillaient aux fours et ceux qui extrayaient l'argile transpiraient d'abondance. Kochlowsky conclut un marché avec le propriétaire d'une source afin qu'on leur livrât chaque jour de l'eau minérale.

Venant de Kochlowsky, le geste surprit d'autant qu'il s'ensuivit une querelle avec Langenbach, à qui, une fois de plus, Leo n'avait pas demandé son avis. Plumps, qui s'efforçait d'éviter la discorde dans le bureau, ne mâcha pas ses mots.

– Vous avez eu tort, dit-il à Langenbach.

– À quel sujet ?

– La dispute à propos de l'eau. Tous les ouvriers font désormais front derrière M. Kochlowsky. Il est des nôtres, disent-ils. Il compatit à notre sort. Il faut en tenir compte.

– Je ne puis tout de même pas faire les quatre volontés de Kochlowsky ! s'indigna Langenbach. Plumps, si nous ne mettons pas le holà, il régentera un jour la fabrique. (Il jeta un regard à Plumps.) Vous avez de la sympathie pour ce rustre ?

– Il m'a sauvé la vie. Et je devine qu'il est à

l'origine de la somme que me remet le pasteur tous les mois, malgré ses dénégations. Je crois que pas un parmi nous ne connaît Kochlowsky. Nous ne voyons que sa grossière carapace, ses piques... Qui est allé voir derrière ?

– Vous, peut-être ?

– Par une fente minuscule. À Noël. C'était un autre Leo Kochlowsky.

– Celui que je connais me suffit ! (Langenbach se gratta le nez et regarda pensivement Plumps.) Outre l'eau, que pourrait-on faire en faveur des ouvriers ?

– Peut-être... changer les horaires de travail ?

– Comment ça ?

– Uniquement durant les grandes chaleurs, bien entendu. On pourrait travailler de six heures du matin jusqu'à onze heures, puis envisager une longue pause aux heures de midi et reprendre de quatre à huit. Les Italiens ont adopté cet horaire...

– Nous sommes à Wurzen, Plumps, pas en Italie !

– Mais le soleil est le même.

C'est ainsi que, cas unique peut-être parmi toutes les fabriques de l'Empire allemand, les Poteries de Lübschütz de Wurzen introduisirent les « horaires italiens », comme les ouvriers appelèrent la nouvelle réglementation. Tous applaudirent lorsque Langenbach fit le tour de la briqueterie après cette décision.

Les nuages assombrissaient le front de Leo : il était contre, naturellement.

– C'est de l'efféminement ! dit-il à Plumps. Crever de chaleur, transpirer... et après ? Quand on sue, on pisse moins.

Plumps se garda bien d'ébruiter cette opinion.

À l'instar des ouvriers, Kochlowsky, bien qu'il n'appartînt pas à la direction, resta lui aussi jusqu'à huit heures. Quand il fermait la porte de son bureau, il était l'un des derniers à partir.

Tout fut la faute de ces longues journées de labeur. Kochlowsky se rendait chaque matin à la briqueterie sur son magnifique Reckhardt von Luisenhof; quand il n'allait pas à pied, il était à cheval. Il faisait même ses courses à cheval dans Wurzen, insigne folie aux yeux de tous.

Au mois d'août, par une journée torride, il décida de rentrer chez lui durant la longue pause de midi et d'emmener Wanda faire une promenade en forêt.

Il trouva la maison déserte. Il n'entendit même pas japper Jacky. Mal à l'aise, il fit le tour de la maison, alla au jardin, n'y comprenant rien. Il remonta en selle et partit en direction de la forêt.

Il dépassa au trot les étangs de Galgen et de Salweiden et gagna la forêt, profondément abîmé dans ses pensées. Où était donc sa femme ? Un aboiement le tira d'un coup de sa méditation. Jacky ! pensa-t-il. Il n'y a qu'un spitz pour japper ainsi, nul doute. Que fait Jacky dans la forêt de Tresen ?

Il lâcha la bride à Reckhardt et prit, à l'orée du bois, une large allée herbeuse. Il arrêta le cheval brusquement – Reckhardt, qui n'y était pas habitué, répondit par un hennissement furieux. Devant Kochlowsky, la calèche du garde forestier avançait à petite allure. À l'abri d'un grand parasol, Sophie était assise auprès de Cranz, Wanda sur ses genoux. Jacky, sur le dossier, aboyait après chaque oiseau qui passait. Ils étaient apparemment si absorbés dans une joyeuse conversation qu'ils ne remarquèrent pas le cavalier qui se penchait derrière eux. Jacky, bien sûr, l'aperçut aussitôt et, reconnaissant son maître, poussa un jappement de joie. D'un bond vigoureux, il sauta du véhicule et se précipita vers Leo.

– Jacky ! Qu'y a-t-il ? cria Sophie. Ici !

Elle se retourna. À la vue de Leo et de son regard sombre, elle posa la main sur le bras de Cranz. La calèche s'arrêta.

Reckhardt s'approcha en caracolant. Jacky et lui n'étaient pas encore devenus des amis – le spitz était bien trop jaloux –, mais ils se toléraient.

– Mon Dieu… Leo ! laissa échapper Sophie.

Sur ses genoux, Wanda se mit à pleurer. L'enfant tira Cranz par la manche de son uniforme vert, désireuse de ramper sur ses genoux. Kochlowsky sentit un étau de fer enserrer son cœur. Ils sont intimes à ce point… songea-t-il. Ma fille veut monter sur ses genoux…

– Oui, *mon Dieu*, fit-il, maintenant Reckhardt à hauteur de la calèche. Tu as raison de l'invoquer. Il faut qu'il intervienne… tu vas assez à l'église !

– Bonjour ! lança Cranz, amical. N'est-ce pas une journée splendide ?

Kochlowsky regarda le garde comme s'il venait de lui cracher dessus. Jacky avait sauté dans la calèche et agitait frénétiquement sa queue en panache.

– J'exige une explication, dit Kochlowsky avec raideur.

– Une explication ? Mais pourquoi ?

Sophie serra Wanda contre elle. Elle connaissait ce ton… c'était le grondement sourd qui vient des entrailles du volcan avant qu'il n'entre en éruption.

– Leo, M. Cranz a eu l'amabilité de m'emmener avec Wanda…

– Nous en reparlerons plus tard. (D'un geste péremptoire, Leo balaya les paroles de Sophie.) Descends !

– Un instant ! (Cranz retint Sophie par la manche de sa légère robe à fleurs.) Est-ce ainsi que vous parlez à votre femme ?

– Mêlez-vous de vos affaires ! Et enlevez vos pattes de sur ma femme !

La voix de Kochlowsky s'enflait.

Jacky s'aplatit aussitôt et se fit tout petit. Son flair délicat de chien percevait l'imminence de l'orage. Quant à Cranz, il ne lâcha pas la manche de Sophie et haussa les sourcils.

– Vous ne manquez pas d'imagination, monsieur Kochlowsky, dit-il d'un ton froid. Êtes-vous sûr de ne pas être dans l'erreur ? J'ai invité votre famille à faire une promenade. Qu'y a-t-il là de répréhensible ?

– Combien de fois ?

– C'est la onzième.

– Le consolateur de l'épouse esseulée…

– C'est une honte, vraiment, de rester toujours enfermée par un si beau temps.

– Descends ! ordonna Kochlowsky. Allez !

– Leo, sois raisonnable ! s'écria Sophie, épouvantée.

Elle étreignit Wanda, qui jetait à son père des regards craintifs de ses yeux gris-vert et lança ses bras autour du cou maternel.

– Ne te rends pas malheureux, Leo ! M. Cranz nous a montré la région, qui est fort jolie. Il a offert de la limonade à Wanda, nous avons observé les animaux de la forêt – les chevreuils, les faisans, les renards, les blaireaux… Leo, sois raisonnable, je t'en conjure !

Kochlowsky était descendu de selle et avait attaché Reckhardt par la bride à l'arrière de la calèche. Il s'avança vers Cranz, toujours assis sur le siège.

– Lâche ! cria-t-il. Morveux tremblant !

Willy Cranz prit une profonde inspiration. Trop, c'est trop, pensa-t-il. Je suis patient, mais j'en ai ma dose, à présent. Il sauta de la calèche et fit face à Leo.

Les deux hommes étaient presque de la même taille, mais Cranz avait l'air plus athlétique.

– Une fois, à Pless, j'ai démoli un officier de cavalerie à coups de fouet, gronda Leo.

– Et vous avez l'intention de répéter le procédé avec moi ?

– Non. Vous n'êtes pas officier. Vous n'êtes qu'un petit merdeux.

– Et vous un fou, assurément, dit Cranz d'une voix rauque. Les gens ont raison.

Un instant encore et ils se firent face, guettant qui allait attaquer le premier. Puis un frisson électrisa le corps des deux hommes et ils se ruèrent l'un sur l'autre.

Jacky se pelotonna et ferma les yeux. Sophie poussa un cri de désespoir. Elle se détourna et se courba au-dessus de Wanda, offrant à l'enfant le rempart de son corps.

Selon toute attente, Cranz était le plus fort; Kochlowsky, toutefois, connaissait une foule de tours que le jeune garde ne maîtrisait pas. Il les tenait des braconniers polonais qui sévissaient dans les forêts de Pless. Comme les forestiers ne relevaient pas de Leo, mais du garde forestier du prince, que Kochlowsky ne pouvait souffrir, il ne livrait pas les braconniers qu'il prenait sur le fait; il apprenait d'eux les coups vicieux qui leur permettaient de remporter l'avantage dans un corps-à-corps.

Dès le premier coup de poing, Kochlowsky se rendit compte de la supériorité de Cranz. Il se déroba, frappa de la tête la poitrine de son adversaire et lui enfonça le poing dans le foie. Cranz gémit, recula en vacillant et fixa Kochlowsky d'un regard incrédule. À cet instant, il reçut un deuxième coup du tranchant de la main. Sans un cri, le garde s'écroula et tomba à la renverse dans l'herbe.

— Voilà ce qui arrive à qui veut me prendre ma femme ! dit Kochlowsky, le souffle court. Et le monde entier peut bien me maudire, je n'ai pas de remords. Je ne me laisserai pas voler ce qui m'appartient.

Il empoigna Cranz sous les aisselles, le traîna à l'orée du bois. Il eut un sourire méchant lorsqu'il découvrit un coin de prairie recouvert de hautes orties. Il y tira le garde inconscient, le retourna pour lui presser le visage dans les orties.

Sophie, figée et blême dans la calèche, tenait Wanda contre son sein. L'enfant s'était endormie.

Kochlowsky tapota la poussière de son habit et lissa sa barbe emmêlée.

– Tu... tu l'as tué... dit Sophie à voix basse. Un innocent...

– Il m'a insulté.

– Il ne t'a rien fait.

– Il est allé se promener derrière mon dos avec ma femme. T'a-t-il enlacée ? T'a-t-il embrassée ? Que t'a-t-il dit ? Que j'étais un monstre ? T'a-t-il montré le pavillon forestier en te disant : « Viens vivre ici. C'est un univers paisible. Quitte ce diable. » Te l'a-t-il dit ?

– Tu... tu es jaloux, Leo, dit Sophie d'une petite voix d'enfant. Aussi jaloux qu'Othello...

– Que t'a-t-il dit ? gronda Leo. Je veux savoir !

– Chut ! Wanda dort.

– Ne te sers pas de l'enfant pour te dérober. T'a-t-il dit de me quitter ? Te l'a-t-il dit ?

– Il est mort, à présent. Leo, tu as tué un homme.

– Tu parles ! Il est évanoui, c'est tout. Quand il se réveillera, son visage aura doublé de volume. Et rouge ! Il va danser comme un diable une bonne semaine. Ces braves orties ! Descends de la calèche.

Il détacha Reckhardt, hissa Sophie en selle, donna un coup de pied à Jacky.

– Misérable traître ! gronda-t-il.

Il sauta en selle derrière sa femme et l'enfant. Il jeta un dernier regard en arrière : Cranz gisait toujours le visage dans les orties.

– Tu devras payer pour ce que tu as fait, Leo, dit Sophie tandis qu'ils rentraient au pas. Si je m'étais conduite comme toi...

– Tu n'as jamais eu le moindre motif...

– Ne mens pas ! Crois-tu que je ne sache pas que tu as rencontré en secret cette catin de Blandine Rechmann ? Tu voulais l'accompagner à Leipzig et coucher avec elle.

– Je ne suis pas parti.

– Parce que je t'en ai empêché, en voulant venir avec toi. Tu serais parti si je n'avais pas eu vent de l'affaire. Ne le nie pas. Mais tu serais capable de tuer par jalousie !

– En effet. Qu'un homme te touche et je le tue ! (Leo mit le cheval au trot et agrippa les épaules de Sophie.) Je n'ai que toi au monde, toi et Wanda. C'est pour vous deux que je vis et que je travaille, vers vous que se tournent mes pensées dans mes moments de liberté. Je ne permettrai à personne de pénétrer dans mon paradis.

– Et moi ? À dix-neuf ans, me voilà mère pour la deuxième fois. Si je devais, comme tes comptables, tenir un registre des mots gentils que tu me dis dans une année, combien de pages resteraient vierges ? Et pourtant, je t'aime...

Une fois chez lui, Kochlowsky se lava de la tête aux pieds dans un grand cuveau de bois, changea de vêtements et retourna à la fabrique. Il ne s'y montra guère loquace, se terra dans son bureau et dit grossièrement à Plumps qui apparaissait avec un bilan :

– Fichez-moi la paix avec votre bilan de merde, Plumps !

Vers six heures du soir, le Dr Brenneis arriva à la briqueterie et fonça droit dans le bureau de Kochlowsky. Il entra sans frapper. Kochlowsky rugit aussitôt :

– Dehors ! Que vous soyez médecin ne vous dispense pas de frapper.

– C'est votre tête que j'aimerais frapper. (Le médecin referma la porte.) Avez-vous perdu l'esprit ?

– Si tel était le cas, vous auriez déjà reçu mon encrier à la figure.

– Avez-vous une idée d'où je viens ?

– De chez un malade constipé depuis cinq jours. Quelle odeur...

– J'arrive de chez le garde forestier Cranz, dit le Dr Brenneis, imperturbable. Son visage est épouvantable. J'ai dû l'enduire d'une demi-livre d'onguent. C'est inimaginable !

– Et que voulez-vous ? s'enquit Kochlowsky avec raideur. Que je vous paie l'onguent ?

– C'est parce que votre femme me fait pitié...

– Encore un !

– ... que je suis venu vous dire que le comte avait été mis au courant de cet attentat. Et, pour la première fois, il a tapé du poing sur la table. C'est la goutte d'eau qui fait déborder le vase... Vous connaissez le proverbe ?

– C'est mon problème, pas le vôtre. Occupez-vous plutôt de vos malheureux patients ! Est-il vrai qu'un nouveau cimetière va être aménagé à Wurzen grâce à vos succès médicaux ?

Le Dr Brenneis considéra Kochlowsky avec tristesse, puis il secoua la tête et quitta le bureau. Leo, de la fenêtre, le vit repartir de la briqueterie dans son break.

Le comte, pensa-t-il, frapper du poing sur la table ! Il faut que je lui explique que l'amour que je porte à Sophie me rend capable de tout. Cranz m'a brisé l'âme... Je suis miné par la jalousie.

Plumps, étonné, nota ce jour-là que Kochlowsky, contrairement à ses habitudes, ne fut pas le dernier à quitter la briqueterie. Il sauta en selle une demi-heure avant l'heure et s'éloigna rapidement.

Il a dû se passer quelque chose, songea le gros petit Plumps. Pourquoi le Dr Brenneis est-il venu ? Mme Kochlowsky aurait-elle fait une fausse couche ? Mon Dieu, il faut que Berta aille tout de suite à son chevet pour la réconforter et l'aider. Nous n'avons que dix enfants vivants, ma femme a fait quatre fausses couches. Elle a l'expérience de ces choses-là... Voilà enfin venu le moment de témoigner un peu notre gratitude aux Kochlowsky. Kochlowsky verra que tous ne le haïssent pas.

20

Au château d'Amalienburg, ce fut bien sûr Emil Luther qui reçut Kochlowsky, son ennemi juré. À peine Leo avait-il remonté l'allée qu'on avait déjà alerté le maître de cérémonie qui, à son tour, avertit le comte. Douglas accepta de voir Kochlowsky.

– Je vais chez le comte ! rugit Leo, descendant de cheval et grimpant les marches du perron quatre à quatre. Âme de laquais, annonce-moi !

– M. le comte vous attend, répondit Emil Luther avec raideur.

– D'où sait-il que je viens ?

– Les gens de votre sorte sont précédés d'une odeur de soufre.

Luther ouvrit le vantail. Kochlowsky se rua dans le hall. De la tête, le maître de cérémonie lui indiqua la porte de la bibliothèque.

Kochlowsky ôta son chapeau, toqua civilement à l'huis avant d'entrer. Le comte Douglas, derrière son grand bureau comme à l'accoutumée mais vêtu cette fois d'une veste de chasse verte, lui jeta un regard chargé de gravité.

– C'est bien que vous soyez venu de vous-même, Kochlowsky, dit-il de sa voix paisible, sans attendre que je vous somme de comparaître. Je serai bref. Je sais dans quel état est mon garde, ainsi que l'identité de celui qui l'a mis dans cet état. Les motifs, Kochlowsky, ne m'intéressent pas, si bons soient-ils. On peut régler des divergences d'opinion de multiple façon... mais pas ainsi. On vous a déjà tiré dessus. Que se passera-t-il quand on saura à Wurzen comme vous avez arrangé Cranz – et on le saura vite –, je n'ose y penser. Kochlowsky, il me faut renoncer à votre collaboration, pourtant précieuse, je l'admets.

– Vous me congédiez, monsieur le comte ? murmura Leo.

– On peut aussi le formuler en ces termes-là.

– Le 1er du mois prochain ?

– Vous avez trois mois de préavis.

– Je les refuse. Je pars sur-le-champ.

– La fierté de Kochlowsky ! (Le comte s'adossa contre le dossier de son fauteuil.) Où voulez-vous aller ?

– Il y aura bien une place pour nous quelque part.

– Sans doute. Mais où que vous alliez, Kochlowsky, ce sera la même chose qu'ici. Vous attirez l'hostilité comme les fleurs les abeilles. Où cela se terminera-t-il ?

– Pas à Wurzen ! (Leo claqua les talons.) Puis-je me retirer, monsieur le comte ?

– Non ! Connaissez-vous Herzogswalde ?

– Non, monsieur le comte.

– Herzogswalde se trouve au sud-ouest de Dresde, entre Meissen et Freiberg. Le domaine du baron von Finck, avec qui j'entretiens des relations amicales, s'étend à la lisière du bois de Tharandt. Le baron possède une grande briqueterie. Je vais vous recommander à lui.

– Mes remerciements les plus humbles, monsieur le comte.

– Je ne le fais pas pour vous, Kochlowsky, je le fais pour votre jolie petite femme. La pauvre ! Et pour vos innocents enfants. Vous pouvez aller, à présent.

Kochlowsky fit volte-face et quitta la bibliothèque. Dans le hall, le maître de cérémonie lui adressa un regard railleur. Emil Luther lui-même semblait de belle humeur. Nul mur de château n'est assez épais pour les domestiques curieux.

– « Mon père était un voyageur, chantonna Luther, et j'ai le voyage dans le sang... »

Kochlowsky mit son chapeau et ouvrit le vantail, devançant le valet.

– Trou du cul ! gronda Leo. Ah ! Que l'air frais fait du bien après une pareille puanteur !

Il revint chez lui à petite allure, fit à cheval le tour du jardin et de la maison. Il contempla tout, en proie à une sourde nostalgie. Les arbres fruitiers avaient bien pris. Les tournesols se balançaient dans la brise tiède du soir, les légumes étaient magnifiques, le jardin d'agrément un océan multicolore.

Fini, tout ça, pensa-t-il. Fini à jamais. Je nous ai fait expulser du paradis. Moi ! Comment vais-je le dire à Sophie ? Mais devrai-je m'humilier ? Jamais ! Un Kochlowsky ne cède pas !

Il se pencha sur l'encolure du cheval et lui flatta la tête.

– Tu viendras avec nous, dit-il à voix haute.

Puis il adressa un signe à Sophie qui arrivait au jardin, Wanda dans les bras. Ce fut une vision qui lui tira les larmes des yeux.

Du jour de son entretien avec le comte, Kochlowsky ne remit plus les pieds à la fabrique, bien qu'il en fît partie pendant encore trois mois. Douglas avait insisté sur ce point. Uniquement pour Sophie, devina Leo : un trimestre sans salaire écornait sérieusement les économies.

Durant ces semaines, Kochlowsky resta la plupart du temps assis sur le banc du jardin, Jacky à ses pieds, à contempler le paysage. Il apparut que de tout Wurzen et ses alentours, un seul être se souciait encore de lui parmi tous ceux qui, même à contrecœur, avaient soulevé leur chapeau à sa vue : le gros petit Plumps, dont il s'était si souvent moqué.

Dès le surlendemain du renvoi de Kochlowsky, il était venu chez les Kochlowsky offrir son aide pour le jardin ou n'importe où où elle serait utile. Le jardinier de la briqueterie ne venait plus, ni l'aide ménagère à mi-temps – du jour au lendemain, Kochlowsky était devenu un banni. Les bruits les plus fous couraient à Wurzen : Kochlowsky avait fait manger des orties à Cranz, il l'avait obligé à danser dans les orties, le bas-ventre dénudé, il l'avait fustigé avec des orties... Willy Cranz était un homme psychiquement détruit, physiquement marqué de brûlures à vie. Si jeune, et déjà une épave... Pourquoi la police n'intervenait-elle pas ? Pourquoi ne portait-on pas plainte contre ce démon ? Sa place était derrière les barreaux. Oui, c'était pur hasard s'il n'avait pas tué Cranz.

— Où et comment puis-je vous aider ? demanda Plumps, ce soir-là.

— En m'épargnant votre vue.

Plumps, qui n'attendait pas d'autre réaction, conversa avec Sophie et se mit à arroser et à désherber les planches de légumes.

— Absurde ! cria Leo à travers le jardin. C'est un autre qui fera la récolte. Travaillez-vous déjà pour lui ?

Berta Plumps vint quatre fois par semaine aider Sophie. Elle faisait le trajet à pied de Wurzen – il lui fallait près de deux heures – et sitôt le déjeuner fini, elle reprenait le chemin du retour afin de préparer le dîner de son mari. Le dimanche, elle emmenait son fils aîné, un apprenti menuisier, ainsi que sa fille aînée, la seule des enfants Plumps à fréquenter le lycée de Wurzen ; la fillette était si douée que le pasteur Maltitz l'avait recommandée au conseil scolaire.

— Il faut vous ménager, madame Kochlowsky, conseillait Berta Plumps. Vous êtes si jeune et si fragile, et vous portez déjà un deuxième enfant dans votre sein. Pas de grosses tâches, certes non.

Sophie, il faut le dire, s'était comportée admirablement.

Lorsque Kochlowsky, en ce jour funeste, avait mis pied à terre, mené Reckhardt à l'écurie, l'avait dessellé avant de regagner la maison, la table était dressée, comme toujours, un bouquet de fleurs en son centre, et de la cuisine venait une odeur de roulades de bœuf aux oignons. Les pommes de terre n'étaient pas cuites, Leo était rentré plus tôt que d'habitude de la briqueterie.

– Tu as l'air fatigué, Leo, avait dit Sophie avant de suspendre la veste de son mari dans la penderie. Ç'a été encore une rude journée...

– Oui !

Kochlowsky s'en était tenu à cette réponse laconique. Il était allé se laver les mains et le visage. Le bortsch luisait d'un éclat rouge dans les assiettes. Un repas sans potage est comme un violon muet : c'est ce que Wanda Lubkenski, première cuisinière du prince de Pless, avait enseigné dès le premier jour à la petite Mlle Sophie.

Kochlowsky avait pris place, remué le potage puis reposé sa cuiller. Sophie le regardait pensivement.

– Un peu plus de crème, Leo ?

– Beaucoup de choses vont changer. Désormais, nous allons manger pas mal de gruau polonais et de chou. La viande sera réservée aux jours de fête. (Il avait levé la tête. Son regard était triste et semblait quêter l'indulgence.) Le gruau, c'est très sain, mon trésor. J'ai été élevé au gruau. Chez nous, à Nikolai, les saucisses pendaient hors de portée et la viande restait chez le boucher... Nous mangions de la soupe à la bière et du chou-rave, de la choucroute et des bouillies d'avoine. Nous ne sommes jamais morts de faim, nous avions toujours le ventre plein... même sans oie, sans faisan, sans rôti de bœuf ni chapon.

– Ainsi, c'est chose faite... avait dit Sophie d'un ton très calme. J'en étais sûre.

– De quoi ?

– Que nous devrions quitter Wurzen.

– Nous ne le *devons* pas ! avait rétorqué Leo d'une voix forte. Je m'en vais de moi-même.

Sophie avait opiné, bien qu'elle sût qu'il mentait. D'une main qui ne tremblait pas, elle avait pris sa cuiller et s'était mise à manger son potage. Les pommes de terre cuisaient sur le fourneau; de la cuisine, on entendait çà et là un sifflement aigu quand l'eau se sauvait et grésillait sur la plaque.

– Quand partons-nous ?

– Dès que possible.

– Où ?

– Je ne sais pas encore. (Leo avait regardé les cheveux d'or de Sophie. Penchée au-dessus de son assiette, la jeune femme avalait son potage avec lenteur.) Je vais passer des annonces dans plusieurs journaux. Un homme compétent peut trouver du travail partout. (Leo avait avalé deux cuillerées de bortsch, délicieux, comme toujours; et pourtant, il lui brûlait l'estomac.) L'Empire connaît un essor économique sans précédent, Sophie. Une ère industrielle s'ouvre devant nous. Les fabriques surgissent de terre tels des champignons. Et on a surtout besoin de gens capables. D'hommes qui n'ont pas peur de conquérir de nouveaux marchés...

– L'industrie n'est pas ton affaire, Leo, tu es un administrateur de domaines. La briqueterie est ton premier emploi en dehors de l'agronomie.

– Et comment m'en suis-je tiré ?

– À merveille ! On te fiche à la porte.

– Mais non pas parce que j'ai baissé les bras ! avait crié Leo, lançant sa cuiller sur la table. Je suis entouré d'ennemis. L'envie d'autrui est pareille à des dents de castor – l'arbre s'abat d'un coup.

Il était vain de poursuivre la discussion. Sophie s'était levée pour aller à la cuisine. Elle avait égoutté les pommes de terre et avait apporté le plat sur la table. Leo lui avait jeté un regard interrogateur. Il attendait des reproches.

– Est-ce tout ? avait-il demandé tandis qu'elle découpait les roulades sans mot dire.

Étonnée, elle avait levé les yeux sur lui.

– Tu ne manges jamais plus de deux roulades…

– Qui parle de ces fichues roulades ? Pourquoi ne râles-tu pas ?

– À quel sujet ?

– Je suis au chômage ! Flanqué dehors ! Fichu à la porte ! Nous devons quitter la maison, le jardin, tout… L'avenir est incertain…

– Est-il temps d'y changer quoi que ce soit, Leo ?

– Non.

– Alors, à quoi bon se lamenter ? La belle avance ! Se plaindre améliore-t-il les choses ? Il nous faut garder la tête froide et voir venir.

– Tu es une femme unique en ton genre, avait déclaré Leo, penaud.

– Ne t'y trompe pas. (Sophie s'était mise à manger.) Si je n'avais pas les enfants… (*les* enfants, avait-elle dit, comptant déjà celui qui grandissait en elle), les perspectives seraient peut-être autres. Allez, mange tes roulades. Elles refroidissent. Et tu as horreur de la sauce froide.

Depuis lors, on n'avait plus parlé de l'échec de Kochlowsky à Wurzen.

Le dimanche suivant, le pasteur Maltitz arriva dans sa calèche. C'était la première fois que Sophie avait manqué l'office. Les membres de la communauté tout entière, en bons chrétiens qu'ils étaient, étaient désappointés. On eût tant aimé voir comment réagissait l'épouse du monstre enfin chassé. On lui eût exprimé toute sa compassion, un rictus au coin des lèvres.

Le pasteur, certes, ne s'attendait pas à être reçu à bras ouverts, mais Kochlowsky le surprit. Leo était déjà à la porte quand il sauta de sa calèche.

– Si je vous dérange, cria Maltitz, dites-le ! Vous alliez sans doute vous mettre à table…

– Je n'ai encore jamais vu de pasteur faire demi-tour pour autant. Vous êtes invité.

– Merci. (Maltitz tendit la main à Leo.) Qu'a cuisiné aujourd'hui la maîtresse ès fourneaux ?

– Une bouillie à la royale.

– Qu'est-ce que c'est ?

– Du gruau à la cracovienne avec de la vanille, des raisins secs et des blancs en neige. Gratiné au four, enduit de marmelade de cerises aigres et arrosé de jus de cerise. Anna Jagiellonja, la cuisinière de la cour de la reine de Pologne, le servait au château en dessert. Nous, nous le mangeons en plat de résistance. Le gruau est bon marché et emplit l'estomac.

– C'est aussi la raison de ma visite. (Maltitz s'immobilisa sur le seuil.) Puis-je parler en présence de votre femme, monsieur Kochlowsky ?

– Sophie est un ange, je ne la mérite pas.

– Nous ne nous disputerons pas à ce propos.

Ils entrèrent. Sophie salua le pasteur. Dans son tablier blanc orné de ruchés, elle avait l'air d'une poupée grandeur nature. Lorsqu'elle voulut s'excuser de son absence à l'église, Maltitz écarta ses protestations d'un geste.

– Sage décision, Sophie. Il y a assez de cancans comme ça dans la ville.

– On devrait tous les arroser de purin ! gronda Leo. (Il attendit que Sophie eût apporté les verres et la bouteille et versa le porto.) Juste un verre, monsieur le pasteur. Le porto va devenir un luxe dont nous devrons nous passer.

Ils burent une petite gorgée pour faire durer le plaisir puis s'assirent. Maltitz toussota plusieurs fois; il était difficile de trouver le début adéquat.

– Dois-je intercéder en votre faveur auprès du comte, Leo ? demanda-t-il sans ambages.

– Non !

Le ton était dur et résolu.

– Et pourquoi ?

– Primo, ça n'a aucun sens. Ensuite, Wurzen me donne la nausée; enfin, nul ne peut exiger de moi d'avoir des remords.

— Quel entêté vous faites ! Vous devrez bien avoir des remords devant Dieu !

— Peut-être, mais je n'ai pas besoin de lui demander du travail.

— Lorsque vous avez rossé Cranz, vous deviez être hors de votre bon sens.

— Détrompez-vous. J'ai vu les orties et le déclic s'est produit aussitôt. J'avais toute ma raison. Il voulait partir avec Sophie, monsieur le pasteur...

— Ce n'est pas vrai.

— Il s'est promené onze fois en forêt avec elle.

— Ce n'est pas un crime.

— Dans ce cas, pourquoi l'avoir fait en cachette, quand tout le monde savait que je travaillais jusqu'à huit heures à la briqueterie ? Celui qui agit en cachette a quelque chose à dissimuler.

— Vous n'avez jamais eu de petits secrets pour votre femme ? Des broutilles ?

— Non.

— Et les paiements mensuels que je fais à Plumps...

— Ce n'est pas la même chose.

— Comment ça ? Vous tenez à l'anonymat parce que vous avez honte d'avoir bon cœur.

— Foutaises !

— Et Sophie taisait ses innocentes excursions, car elle redoutait vos accès de colère. À juste titre, on s'en rend bien compte après coup. (Maltitz but une nouvelle gorgée de porto.) Les paiements à Plumps vont cesser.

— Non.

— Où les prendrez-vous ? Dorénavant, vous aurez besoin de chaque sou. Si vous en êtes déjà à manger de la bouillie le dimanche...

— Pas un mot du gruau à la royale, vous n'y entendez rien ! Est-ce que je me mêle de parler de Dieu ? Plumps recevra son argent. Il n'y aura rien de changé.

— Et quand vous déménagerez ? Vous continuerez ?

– Il y a la poste, monsieur le pasteur. Est-ce pour ça que vous êtes venu ?

– En partie. Mais surtout pour vous dire que tout cela aurait pu être évité. Je voudrais vous aider, Leo.

– Essayez quelques psaumes et quelques hosannas, répondit Leo, amer. Peut-être le ciel enverrat-il un signe pour indiquer un poste vacant. Mieux encore, lisez le livre de Job; c'est adapté à mon cas.

– Croyez-vous ? Job, lui, ne s'en prenait qu'à Dieu. Vous en voulez au monde entier. (Maltitz regarda Leo avec gravité.) S'il vous faut un certificat de moralité, donnez mon nom.

– Votre nom ?

– Cela vous étonne ?

– Plutôt. Est-ce l'application de « Aimez vos ennemis » ?

– Vous compliquez sacrément les choses, Leo. Que puis-je faire d'autre pour vous ?

– Rien. Je suis assez grand pour nourrir ma famille. Toutefois, si : vous pouvez dire tout de suite que vous aimez le gruau à la royale. (Leo prit la bouteille de porto.) Encore une larme, monsieur le pasteur. Nous avons appris, dans les marches de Pologne, à tout partager.

L'après-midi survint un autre visiteur dans une jolie calèche conduite par un cocher : le fabricant de meubles Amandus Weissig. C'était lui que le sort avait choisi. Soucieux de l'avenir, le club des victimes de Blandine avait siégé autour d'un apéritif dominical. Weissig était l'infortuné que le hasard envoyait à Kochlowsky. Nul n'avait voulu se porter volontaire.

Amandus Weissig, dont les meubles étaient renommés par tout l'Empire, qui possédait une immense villa entourée d'un parc à l'orée de Wurzen, qui allait prendre les eaux deux fois par an – une fois à Marienbad, une fois à San Remo –, dont la femme ne se privait pas de dire que sa dot avait été la pierre angulaire du succès de la fabrique de meubles, Amandus Weissig, donc, se trouvait dans une situation tragique; la divulgation de son appartenance à la liste des amants de Blandine Rechmann menaçait de détruire son bel univers. Que Kochlowsky détînt le journal de la rousse pécheresse était pour lui une question de vie ou de mort.

Sophie jouait au jardin avec Wanda et Jacky, lorsque Leo introduisit un Weissig quelque peu asthmatique. Les deux hommes ne se serrèrent pas la main – l'intimité n'allait pas jusque-là.

Weissig considéra avec intérêt ce qui l'entourait. Comparé à sa villa gigantesque, c'était un cabanon de jardin – sa serre exotique était trois fois plus grande – et les meubles... eh bien, bourgeois bon teint, mais plutôt miteux par rapport aux siens. Kochlowsky devina les pensées de Weissig.

– Il n'y a ni tapis persans ni rideaux de brocart, dit-il, mais notre conscience est aussi propre que ce sol astiqué. Quel mauvais vent vous amène ?

– Dix mille marks, dit Weissig, d'une voix si basse qu'on eût dit qu'il craignait des espions.

Ses confrères l'avaient autorisé à aller jusqu'à vingt mille. Mais à voir les lieux... dix mille marks, c'était le pactole !

Kochlowsky lui montra la porte :

– Dehors !

– Je vous en prie, dit Weissig. Songez qu'en l'état actuel des choses, vous avez besoin de cette somme. Vous aurez tout loisir de chercher tranquillement l'emploi qui vous convient. On peut vous...

– Eh bien, oui, justement ! Dix mille marks... l'offre est dérisoire !

Amandus Weissig ne s'offusqua pas le moins du monde. Leo ne lui avait pas offert de siège; il resta donc debout, et alla refermer la porte.

– Douze mille, dit-il laconiquement.

– Que voulez-vous, au juste ? cria Leo, furieux.

200

– Vous allez bientôt quitter la ville. (Weissig se balançait d'avant en arrière sur ses bottes.) Et mettre ainsi un terme à toute relation avec Wurzen, je suppose. Quel intérêt auriez-vous à conserver certains... documents ? Nous tenons beaucoup à ce que ces papiers soient détruits. Allez, quinze mille marks !

– Je n'accepterai pas un pfennig ! déclara Leo.

Le journal secret de Blandine Rechmann... il l'avait complètement oublié. Tiens donc ! La peur du scandale couvait toujours au sein de la belle société de Wurzen !

Weissig commençait à transpirer.

– Ces documents sont pour vous désormais sans valeur.

– En effet.

– Eh bien ? Quinze mille...

Kochlowsky l'interrompit d'un large geste de la main.

– À cet égard, la naïveté de mes semblables m'étonnera toujours. Qui a, en vérité, répandu le bruit que j'étais en possession de ce journal ?

– Tout indique que vous l'avez.

– Et si je vous déclare que je ne l'ai pas ?

– Guère croyable, monsieur Kochlowsky.

– Mais c'est ainsi, monsieur Weissig.

– Non !

– Si ! Je n'ai pas la moindre idée de l'endroit où peut être ce journal. Je doute même qu'il existe.

– Mais si cela était, pourquoi Rechmann aurait-il... pourquoi aurait-il abrégé son existence ?

– Il en avait plein le dos, il n'avait plus la force de continuer à vivre parmi ses semblables. Bien sûr qu'il était cocu, la mauvaise conscience de ces messieurs du club en est la preuve. Le comité directeur est quasiment un cercle de beaux-frères. (Leo ricana.) Je ne suis pas loin d'admirer Blandine : elle avait des principes. Tous ses amis étaient discrets ! (Leo secoua la tête.) Mais je n'ai pas son journal... Je ne l'ai jamais vu... Même pour quinze mille marks, je n'ai rien à vous vendre.

— Mais... (Weissig en suffoquait)... au cours des mois passés, vous n'avez jamais opposé de démenti lorsqu'on vous en a parlé... Vous avez toujours donné l'impression que vous l'aviez... Vous... vous nous avez menés en bateau... Ce n'est pas possible !

— La peur rend aveugle. (Leo eut un rire bref.) C'était une joie pour moi de les voir tous si polis, eux qui eussent préféré me botter les fesses. Comme on est fraternel quand on se sent merdeux !

— Si vous dites vrai, monsieur Kochlowsky, vous êtes détestable. Dans quel désarroi nous avez-vous plongés...

— Qui a couché avec Blandine ? Moi ou ce club de dignes messieurs ?

— Vous aussi, vous... haleta Weissig, cramoisi sous l'effet de la colère. Tout le monde a remarqué que...

— Dehors ! dit Leo d'un ton dur. (Il se dirigea vers la porte qu'il ouvrit en grand.) Dehors tout de suite ou je vous apprendrai avec mon fouet ce que galoper veut dire.

Amandus s'exécuta et respira d'aise lorsqu'il se retrouva dehors et aperçut sa chère calèche avec son cocher.

— Un dernier conseil, monsieur Kochlowsky, dit-il, se tournant vers Leo. Quittez Wurzen aussi vite que possible. Aujourd'hui plutôt que demain. Faites-le pour votre pauvre femme. Sinon, chacune de ses apparitions en ville lui sera un tourment.

Sans prendre congé, Weissig regagna sa calèche, y monta et s'éloigna promptement. Kochlowsky le suivit des yeux, la mine sombre. Quinze mille marks... une somme ! Fallait-il que leur conscience fût noire !

Sophie revint du jardin pour préparer le dîner. Elle laissa Wanda dehors dans sa chaise, au soleil vespéral, sous la surveillance de Jacky.

– Quelqu'un est venu ?

Leo leva les yeux de son journal.

– Le fabricant de meubles Weissig.

– Que voulait-il ?

– Me vendre quelque chose. Une offre spéciale.

– Et alors ?

– Eh bien, quoi ? Je l'ai jeté dehors.

Sophie alla dans la cuisine sans poser de questions, pour ne pas terminer le dimanche par une dispute. Elle ferma la porte derrière elle, s'assit près du fourneau et croisa les mains sur ses genoux, ainsi qu'elle le faisait souvent quand elle priait en silence. Dieu, assiste-nous dans notre détresse ! Jésus, comment tout cela va-t-il finir ?... Lorsqu'elle se sentait aussi seule, ses genoux se dérobaient parfois : l'avenir lui faisait peur.

Le lundi, Kochlowsky se rendit à cheval à Wurzen faire des emplettes. On le regarda de travers, mais personne n'osa le provoquer.

À l'hôtel *Stadt Leipzig*, il but deux bières dont il critiqua le manque de fraîcheur, puis il s'arrêta pour acheter des cigares chez Felix Berntitz, lequel n'eut pas le temps de s'enfuir dans son arrière-boutique. Kochlowsky huma six boîtes, hocha la tête et déclara :

– Tous sont très bien, mon cher. Le choix est difficile. Que me conseillez-vous, en votre qualité d'expert ?

Berntitz en resta bouche bée; il ferma ensuite sa boutique et courut rejoindre ses amis.

– Kochlowsky est malade, dit-il en haletant. Il n'en a plus pour longtemps. Il a vanté mes cigares et m'a demandé mon avis. Incroyable !

Il tient à partir en beauté, pensa-t-on. Mais cela ne lui servira plus de rien. Quand il s'en ira, nous serons au bord de la route à jouer du cor de chasse : mort au cochon !

Tous partirent d'un rire bruyant, se croyant très forts.

21

Kochlowsky avait cessé de travailler depuis trois semaines quand, un jeudi, le comte Douglas lui enjoignit, par un messager, de se rendre au château. M. le baron von Finck était son hôte et désirait lui parler.

— Sois raisonnable, Leo, lui dit Sophie pour la première fois. Pense à l'enfant et à moi...

Kochlowsky retira sa chemise et alla dans la chambre.

— Donne-moi ma chemise du dimanche, trésor, celle à passepoil, et mes bottes noires en cuir de Russie, ma culotte de cheval noire et ma veste gris perle. (Il observa son torse nu dans le miroir et se massa la poitrine.) Dois-je prendre un bain ?

— Il fait chaud, et si tu arrives en sueur...

Kochlowsky se baigna donc, revêtit son meilleur habit d'équitation et, après avoir sellé Reckhardt, se mit en route pour le château d'Amalienburg.

Emil Luther — toujours lui — ouvrit la porte. Il resta impassible, comme s'il s'agissait d'un colis à réceptionner.

— On m'attend, espèce de lèche-cul, fit Leo avec délectation.

— Je sais. Monsieur va devoir prendre patience.

— Comment ?

— Ces messieurs se promènent dans le parc. Attendez. On vous fera appeler.

— Je devrais rester au soleil ?

— Je n'ai pas reçu l'ordre de vous faire entrer.

L'expression de Luther disait clairement à quel point ce petit triomphe le réjouissait.

— Très bien, bouc puant! dit Leo, la mine sombre. À votre guise!

Il sauta en selle et s'éloigna. Il contourna les écuries, passa devant la petite orangeraie et revint au château par-derrière, du côté du parc où se dressait un pavillon de style rococo, puis s'engagea au trot dans la large allée ratissée. Il aperçut de loin le comte Douglas et un autre homme, sans doute le baron von Finck, qui se promenaient, plongés, semblait-il, dans une conversation animée. Le baron, dans un costume d'été gris clair, faisait plus jeune que ses soixante ans. Ses cheveux gris, bouclés, montraient sa vanité. Il était plus grand que Douglas, mais sec et, on le voyait à sa façon de parler et de marcher, nerveux. Il s'arrêta brusquement lorsqu'il vit s'approcher un cavalier solitaire dans l'allée.

— Qui est-ce là, cher ami? demanda-t-il, ébahi.

— Kochlowsky! (Douglas riait sous cape.) Tu l'as devant toi, en chair et en os.

— Ce splendide animal est à lui?

— Du haras de Luisenhof.

— Peut-il se le permettre?

— Un Kochlowsky peut tout! Il va également te persuader que ta briqueterie est une bicoque. Le pire, c'est qu'il a le plus souvent raison. Le hic, c'est que personne n'aime à l'admettre.

— Et, à ton avis, c'est l'homme qu'il me faut?

— Si c'est une main de fer que tu cherches...

Reckhardt avait pris une allure nonchalante et se trouvait à dix mètres des deux hommes. Kochlowsky sauta de sa selle et s'approcha à pied. Reckhardt trottina derrière lui, les rênes pendantes.

— Ah, vous voilà, Kochlowsky! dit Douglas avec bonhomie. Je ne vous attendais pas si tôt.

— Je suis à vos ordres, de jour comme de nuit, monsieur le comte.

— Et c'est pourquoi vous arrivez par le parc? demanda von Finck, malicieux.

– Seulement quand il y a à la porte des laquais pleins de morgue.

– Et vous laissez votre cheval trotter derrière vous ?

– Qui est bien dressé n'a point besoin d'être tenu en laisse.

– Kochlowsky tout craché, Friedrich ! (Douglas partit d'un éclat de rire.) Ai-je exagéré ? Tu as devant toi le redoutable Kochlowsky. (Puis, se tournant vers Leo :) Le baron von Finck.

Kochlowsky s'inclina légèrement. Il ne trouvait le baron ni antipathique ni sympathique. Ses deux premières remarques le chatouillaient désagréablement.

Le regard du baron se porta sur Reckhardt. Von Finck admirait le jeu des muscles, l'élégance du squelette et la belle tête étroite. Le cheval, les naseaux posés sur l'épaule de Leo, regardait fixement le baron.

– Ce cheval m'intéresse, dit von Finck. Combien en voulez-vous ?

– Il n'est pas à vendre, monsieur le baron.

– Le triple de la somme que vous l'avez payé.

– Je ne marchande pas un ami. Reckhardt est mon ami. C'est bien le seul.

– Dans ce cas, laissez-moi au moins le monter...

– Je regrette, monsieur le baron, c'est non.

Le baron von Finck haussa les sourcils devant ce qui lui paraissait de l'impertinence.

– Serait-ce un crime de lèse-majesté que je le monte ? demanda-t-il abruptement.

– Je voudrais épargner à monsieur le baron de faire un vol plané.

– Aucun cheval, jusqu'à ce jour, ne m'a encore désarçonné. Avez-vous servi, Kochlowsky ?

– Non.

– J'étais capitaine de cavalerie chez les uhlans. Et c'est vous, qui n'avez point servi, qui me jetez à la face qu'un cheval me désarçonnerait ! (Le baron regarda le comte Douglas.) Qu'en penses-tu ?

– Tout ce que je sais, c'est que mon écuyer a vidé les étriers. Et lui aussi était capitaine de cavalerie...

– Et vous, Kochlowsky, vous restez en selle ? Je voudrais bien voir ça ! (Von Finck retira sa veste et la donna au comte. Kochlowsky lui jeta un regard teinté de désarroi.) Je vais montrer à ce canasson ce qu'est un ancien uhlan.

– Je vous aurai prévenu, monsieur le baron, balbutia Leo.

– Prévenu ? Contre un cheval ? Ridicule !

Kochlowsky recula et alla se placer près de Douglas. Il se mit à caresser sa barbe d'une main nerveuse. Les événements qui allaient suivre n'étaient pas la base idéale d'un entretien d'embauche. Le futur emploi à la briqueterie de Herzogswalde était par avance grevé à cause du baron. Oublions Herzogswalde, Leo...

Le baron von Finck était un homme d'âge plein de souplesse et de vigueur. Il sauta en selle étonnamment vite et tira sur la bride de sorte que Reckhardt ne pût lever la tête, lui montrant, par une pression des cuisses, qu'il était son maître.

L'histoire survenue au baron von Üxdorf se répéta pour le baron von Finck. Reckhardt demeura paralysé quelques instants, telle une statue ; nulle exhalaison d'haleine, nul frémissement des naseaux, nul tremblement des flancs, nul mouvement d'oreille – tout en lui semblait pétrifié. Puis, d'un coup, alors que von Finck regardait Kochlowsky l'air triomphant et le sourire épanoui, le splendide corps brun-roux se souleva, comme propulsé par un invisible ressort d'acier, les quatre jambes en l'air et se ramassant en même temps, dos arrondi. C'était parti ! Le baron traversa les airs, décrivant une large courbe. Kochlowsky agrippa sa barbe à deux mains. « Hop là ! » s'écria joyeusement le comte Douglas, puis le baron atterrit rudement dans une haie d'ifs. Kochlowsky courut aussitôt l'aider à se dépêtrer des branchages. Le cheval, redevenu paisible, soufflait par les naseaux.

— Quel démon ! haleta le baron von Finck lorsqu'il fut hors de la haie. (Il s'appuya à l'épaule de Kochlowsky et remit de l'ordre dans sa tenue.) Un vrai démon...

— Ce qui explique que nous soyons si bien assortis.

Von Finck jeta un bref coup d'œil à Kochlowsky, le lâcha et s'éloigna en boitant.

— Quand pouvez-vous commencer, Kochlowsky ?

— Quand il vous plaira, monsieur le baron.

— Le 1er novembre ?

— Tout à fait.

— Venez donc à Herzogswalde voir la fabrique.

— Volontiers.

— L'endroit vous agréera. Dresde est toute proche. On va vous trouver une maison avec une écurie. Car il va de soi que vous emmenez cette carne. Ça alors ! Jamais, jusqu'à ce jour, un cheval ne m'avait jeté à bas !

Le baron fit un signe de tête à Leo, boitilla vers le comte Douglas, lui prit le bras et se fit reconduire au château.

Kochlowsky attendit que les deux hommes eussent pris l'allée principale, monta en selle et flatta l'encolure de Reckhardt.

— Sacré chenapan !

Il retourna à l'entrée du château. Emil Luther semblait l'y avoir attendu. Le valet vint aussitôt à la porte.

— Toujours rien ! cria-t-il avec une joie maligne. Il vous faut encore attendre. Et un bout de temps... on dresse juste la table pour le déjeuner...

— Si la sottise rend joyeux, tu devrais danser la danse de Saint-Guy.

Kochlowsky se frappa le front et s'éloigna.

Luther, sans voix, le suivit des yeux. Il fait fi des ordres du comte... C'est inouï ! Dans la journée, cependant, Luther ne comprit pas pourquoi le comte ne lui donna pas l'ordre d'introduire Kochlowsky. Lorsque le valet le lui rappela, Douglas se contenta d'un hochement de tête.

Sophie courut au-devant de Kochlowsky du plus loin qu'elle l'aperçut; ses cheveux blonds dénoués flottaient autour de son visage étroit. Jacky la devançait en jappant.

— Eh bien, Leo ? cria-t-elle, le souffle court. (Elle s'immobilisa et pressa ses deux mains sur son ventre gravide.) Qu'a dit le baron ? Leo...

— Je suis engagé. (Kochlowsky descendit de cheval.) Nous partirons pour Herzogswalde fin octobre.

— O Dieu merci ! (Sophie s'appuya contre son mari, et des larmes roulèrent soudain sur son visage blême.) Je m'inquiétais tant pour l'avenir... Tout est bien, à présent. Dieu a entendu mes prières.

— Ce n'est pas encore certain. (Leo entoura Sophie de son bras, pressa sa tête contre lui et regarda Reckhardt par-dessus ses cheveux.) Je ne sais pas au juste si c'est moi ou mon cheval qu'il a engagé. Il ne m'a même pas demandé quel salaire je voulais.

Leopold Langenbach régnait de nouveau seul sur les Poteries de Lübschütz. Mais rien n'était plus comme avant... Certes, la concorde était revenue, on n'entendait plus le puissant organe de Kochlowsky, personne ne se faisait plus incendier, nul n'appelait plus le gros petit Plumps « monsieur Atchoum » et nul non plus n'allait pincer les fesses rebondies des jeunes ouvrières jacassantes. Les voituriers regrettaient Kochlowsky ainsi que les mineurs, et les grands négociants demandaient, interdits : « Où est M. Kochlowsky ? Quoi, il a démissionné ? Ce n'est pas possible ! Nous nous réjouissions tant à l'idée d'une nouvelle prise de bec ! Ses jurons étaient pour ainsi dire un article d'exportation. »

Le comte Douglas convoqua Willy Cranz. L'entretien ne servit pas à grand-chose. Cranz n'en voulait plus à Kochlowsky, il était même prêt à lui tendre la main en public en signe de réconciliation – au fond, la jalousie est pardonnable, même si elle n'est pas justifiée –, mais les bourgeois de Wurzen ne supporteraient jamais, au grand jamais, un Leo Kochlowsky parmi eux.

– Ce sont des merdeux ! dit Douglas dans le meilleur style Kochlowsky. Ce n'est pas avec des cancans que je vais exploiter mes carrières d'argile.

Un vendredi matin, un messager à cheval apporta à Kochlowsky une lettre du comte. Leo, à l'écurie, étrillait Reckhardt, il venait de mettre de la paille fraîche dans les stalles et de porter le fumier dans un tonneau.

– Tu vas avoir la réponse tout de suite, dit-il comme le messager faisait mine de repartir. Un instant.

Il alla s'asseoir sur une botte de foin, prit un gros crayon de charpentier et barra les lignes du comte d'un « Non ! ». Rien de plus. Perplexe, le messager reprit la lettre et s'éloigna au triple galop. Sophie se précipita dans l'écurie – une minute trop tard.

– C'était un messager du comte, n'est-ce pas ?

– Oui.

– Que voulait-il ?

– Il a apporté une missive du comte.

– Mon Dieu, vas-tu parler, Leo ! (Sophie se tordait les mains de nervosité.) Où est-elle ?

– Dans le monde des affaires, on appelle ça « retour à l'envoyeur ». Il l'a reprise.

– Tu... qu'as-tu fait ? (Sophie brandit ses petits poings serrés.) Qu'as-tu encore fait, Leo ? Que te voulait le comte ?

– Il m'a proposé de me rengager, au double de mon ancien salaire. Comme seul et unique directeur. Langenbach serait représentant au service clients. (Leo reprit l'étrille et la brosse.) J'ai tracé un gros « Non ! » en travers de la lettre.

— *Non*... (Sophie chercha son souffle et passa les mains dans ses cheveux.) *Non*, as-tu écrit ? Mérites-tu encore d'être sauvé ?

— J'ai ma fierté, et je ne la vends pas contre de l'argent. On m'a jeté dehors comme un lépreux... à présent, ils peuvent bien danser devant ma porte, je ne leur lancerai pas même un regard.

— Nous aurions tout pu conserver, Leo. La maison, le jardin... le foyer de Wanda ! Pourquoi ne peux-tu céder un peu... tout le monde doit le faire. Serais-tu le maître du monde ?

— Je suis Leo Kochlowsky, dit-il d'une voix forte, frappant l'une contre l'autre la brosse et l'étrille. Le jour où je ramperai devant un homme sera mon dernier. Au reste, Herzogswalde doit être un bel endroit... et la ville royale de Dresde en est toute proche.

Le 2 octobre 1890, Leo se mit en route pour Herzogswalde, afin de voir son nouveau lieu de travail. Sophie lui donna un talisman en viatique : un petit portrait de Wanda peint par Louis Landauer.

— Pense d'abord à nous, lui dit-elle en le lui remettant.

Leo, ému, embrassa sa petite femme ainsi que son enfant et se fit conduire à la gare de Wurzen.

Dans la nuit du 3 octobre, Jacky se mit soudain à aboyer et à geindre, sauta sur le lit et lécha le visage de Sophie. La jeune femme le repoussa une ou deux fois, mais observa que Jacky ne cessait d'aller à la porte, de revenir au lit, de la lécher puis de retourner à la porte. Elle se leva, jeta sa robe de chambre sur ses épaules et ouvrit la porte du jardin.

Poussant un cri, elle recula d'un bond. Des flammes illuminaient la nuit dans un craquement de charpentes. Un hennissement sonore transperça la pâle obscurité. L'air empestait la fumée.

L'écurie où était enfermé Reckhardt était en feu.

22

Bien que Kochlowsky fût parti pour Herzogswalde avec la ferme intention de ne jamais s'y sentir bien, l'endroit lui plut au premier coup d'œil. C'était une espèce de village-rue – les maisons, toutes pourvues sur l'arrière de jolis jardins, bordaient la longue rue des deux côtés et une large avenue partait du milieu du village et menait à Dresde par Grum, Kesseldorf et Gorbitz. Le paysage était vallonné, ponctué de bois et de bosquets, de champs et de ruisseaux, et le vaste domaine de la forêt de Tharandt s'étendait alentour. Kochlowsky en avait entendu parler à Pless... Tharandt, avec la station de cure de Hartha, était une région réputée pour la guérison des poitrinaires.

Kochlowsky changea à Dresde et, après de nombreux changements sur des lignes secondaires, arriva à Herzogswalde. Il se retrouva plutôt seul devant la petite gare. Quatre voyageurs étaient également descendus; on les attendait et ils s'éloignèrent en calèche. Point de cocher. À Herzogswalde, on n'était pas préparé à l'arrivée impromptue d'étrangers. Quelle idée, aussi, de débarquer à Herzogswalde sans prévenir...

Kochlowsky avisa le guichetier. Il toqua contre la vitre. L'employé, qui mangeait un casse-croûte – le prochain train n'arriverait que dans trois heures, c'était le moment de réparer ses forces –, leva brièvement les yeux, hocha la tête et continua de mastiquer. Kochlowsky grinça des dents et frappa du poing contre la vitre; elle n'allait pas tarder à voler en éclats.

L'employé soupira, posa son gros casse-croûte, but une bonne gorgée de café de sa bouteille Thermos en matière de réconfort et leva la vitre.

– Le casse-croûte est bon ? aboya Kochlowsky.

– Oui, merci. Au jambon. Des cochons de mon propre élevage. Vous êtes étranger, ici ? Je ne vous connais pas.

– Vous ne perdez rien pour attendre, dit Leo, sombrement. Il n'y a pas de diligence ?

– Nan...

– Alors, comment fait un voyageur pour se rendre, disons de Herzogswalde à Heizdorf ?

– Par la diligence.

– Je suis fou ou quoi ? Vous venez de me dire que...

– Il faut la commander.

– Et où peut-on le faire ?

– Ici.

Kochlowsky prit une longue inspiration. Ne commets pas l'erreur de Wurzen, se morigéna-t-il, histoire de se calmer. Ne crie pas, Leo ! Essaie de rester calme.

– Très bien. J'aimerais en réserver une.

– Pour aller où ?

– Chez le baron von Finck.

– Au domaine ? (L'employé soupesa Kochlowsky du regard. On envoyait chercher les hôtes du domaine. Les hommes d'affaires n'allaient pas au domaine, mais à la trésorerie ou à la briqueterie.) Vous désirez aller chez M. Hammerschlag ?

– Qui est-ce ?

– Le trésorier.

– Je veux aller chez le baron von Finck ! cria Leo.

– Vous en êtes sûr ?

Kochlowsky fit appel à toutes ses forces pour ne pas se mettre à hurler. Il empoigna la vitre sans un mot, l'abaissa d'un claquement sec et quitta la gare.

L'employé le suivit des yeux, hébété, reprit son casse-croûte et en mordit une bouchée.

– Eh bien, par exemple ! dit-il en mâchant. Que les gens sont impatients !

La chance sourit à Kochlowsky. Une carriole passait en cahotant devant la gare, emplie de bidons de lait vides qui cliquetaient. Le conducteur, un homme aux cheveux blancs, l'air fatigué, cria « Ho ! » dès que Leo lui barra le chemin.

– Êtes-vous fatigué de vivre ? cria-t-il d'une voix que l'âge rendait chevrotante.

– Vous êtes pressé ? demanda Leo, s'approchant de l'homme.

– Pour vous emmener au cimetière... non.

– Je dois aller chez le baron von Finck.

– Moi aussi.

– Quelle chance ! M'emmènerez-vous ?

– Non.

– Pourquoi ?

– Je ne vous connais point. Et si, chemin faisant, vous m'estourbissiez...

– Qu'ai-je à faire de bidons vides ?

– Mais il y a le cheval.

– Un cheval de vingt-trois ans ! Je n'ai pas un asile de vieillards.

– Vingt-deux. (L'homme sourit jusqu'aux oreilles.) Vous vous y connaissez en chevaux, hein ? Montez ! Comment vous appelez-vous ?

– Leo Kochlowsky.

– Enchanté. Moi, c'est Fritz Blohme.

Kochlowsky grimpa sur le siège près de Blohme et cala sa mallette à l'arrière entre deux bidons de lait.

– Vous travaillez encore aussi dur à votre âge ?

– J'ai soixante-cinq ans. (Blohme claqua de la langue; le cheval repartit.) Si je ne travaille pas, personne ne va me donner un morceau de pain. Ma femme est morte voilà dix ans, mon fils a été tué en France en 1870. Je suis seul. J'ai toujours travaillé. Rien ne tombe tout rôti dans le bec. Et mon cheval, lui aussi, il a faim. Alors, nous travaillons, jusqu'à ce que l'un de nous deux meure.

Kochlowsky jeta un regard sur Blohme à la dérobée : un visage buriné, ridé, des cheveux blancs clairsemés, un cou maigre, des mains et des bras osseux, un costume qui flottait sur son corps.

– Nous nous verrons sans doute souvent, Fritz. (Il tendit la main vers les rênes.) Laissez-moi conduire.

– Tu sais conduire, freluquet ?

Fritz Blohme posa les mains sur ses genoux et se laissa conduire. Il vit d'emblée que Leo était un expert. Cela le rendit loquace et il parla de sa vie durant tout le trajet. Une vie de labeur et de peines, mais il ne se plaignait pas. Il possédait une cahute de bois, un cheval et une carriole; il avait eu une bonne épouse et un brave fils – que demander de plus ? Les gens riches, richissimes même, ne pouvaient pas en emporter plus que lui dans leur tombe. Une chemise de soie, peut-être, ou une redingote, certes, et leur cercueil était en chêne, pas en sapin, mais quand le pasteur jetait de la terre sur les morts, ils étaient tous égaux. À quoi bon, alors, être amer ?

Je vais m'occuper de toi, Fritz, pensa Kochlowsky tandis qu'ils cheminaient à travers la jolie région. Si je viens habiter Herzogswalde, tu vas te remplumer et manger à ta faim...

Lorsqu'ils s'engagèrent dans l'allée qui menait au domaine, Kochlowsky s'était fait un ami à Herzogswalde. Un ami... quand en avait-il eu un ?

Deux jours plus tard, une des calèches du baron ramena un Kochlowsky satisfait à la gare. Il avait accepté le poste. Il pensait qu'il se sentirait bien ici. La maison mise à sa disposition était spacieuse, prévue pour une famille nombreuse. Elle possédait un beau jardin, une écurie et une remise pour les voitures. La forêt l'encerclait à demi. La seule chose qui ne lui plaisait pas, c'était la briqueterie. Il avait déclaré au baron :

– Votre fabrique est archivétuste en ce qui concerne le matériel. Telle quelle, elle n'est pas concurrentielle.

– Je m'en doutais. C'est pour cette raison que je vous ai engagé.

– C'est une porcherie, monsieur le baron.

– Nettoyez-la, Kochlowsky, je vous fais confiance… en dépit de tout ce que j'ai entendu dire à votre sujet. Je me réjouis de la venue de votre cheval.

– Vous ne resterez jamais en selle, monsieur le baron.

– Patience, Kochlowsky.

– Le jour où vous y parviendrez, j'emmène Reckhardt aussi sec chez l'équarrisseur.

– Pas tant de fanfaronnades, Kochlowsky ! (Le baron avait grimacé un sourire.) Je ne suis pas comme Douglas. Vous vous casserez les dents contre moi. Il faut que vous vous mettiez ça dans la tête dès le départ. Toujours d'accord pour le 1er novembre ?

– Toujours d'accord, monsieur le baron.

Dans le train qui le conduisait à Dresde, Leo considéra une nouvelle fois sa situation à Herzogswalde. À la briqueterie, il aurait les mains libres, c'était l'essentiel. Nul, hormis le baron, ne serait au-dessus de lui.

Ce en quoi Kochlowsky se trompait.

Au cours des deux jours passés au domaine, il n'avait pas rencontré le trésorier, Willibald Hammerschlag, « le coup de marteau », qui disait de lui-même :

– *Nomen est omen !* Où le marteau frappe, pas de riposte ! Le baron est votre maître, mais je suis le pouce enfoncé dans votre nuque…

Tout indiquait que la quiétude agreste de Herzogswalde appartiendrait bientôt au passé.

Le feu flamboyait contre la porte, une seconde colonne de flammes léchait l'un des murs en direction du toit. Dans sa stalle, Reckhardt poussait des hennissements désespérés; il s'élançait contre la barrière de bois, se dressait, essayant de toute sa force et de tout son poids de briser la porte de sa stalle.

Jacky courait, grondant et jappant, devant l'écurie, cent fois refoulé par les flammes et se précipitant cent fois avec bravoure, comme s'il pouvait délivrer son ami Reckhardt.

Sophie ne demeura pétrifiée qu'un instant. Elle se rua vers la pompe du jardin, où l'on gardait deux grands seaux pour arroser les fleurs et les légumes. Elle les remplit, les hala vers l'écurie et jeta l'eau sur les flammes. Il y eut un sifflement, de la vapeur... mais que pouvaient quelques misérables litres d'eau contre cet océan de flammes flamboyantes ?

À dix reprises, pleurant à la fin à gros sanglots, Sophie courut avec ses seaux de la pompe à l'écurie. Peine perdue. L'odeur âcre qui montait du bois détrempé lui coupa le souffle.

Soudain, elle sentit deux bras vigoureux l'empoigner. Elle chancela contre un arbre, étreignit le tronc, et, les yeux agrandis par l'effroi, vit un homme se précipiter dans le brasier, ouvrir la porte de l'écurie et disparaître derrière le rideau de flammes. Quelques secondes plus tard, Reckhardt faisait irruption dans le jardin. Il s'élança au galop et ne s'arrêta qu'à la porte de derrière.

L'homme resurgit du rideau de flammes; il bondit en direction des seaux et s'en renversa le contenu sur la tête. Puis il s'adossa à la pompe, essuya son visage ruisselant et s'examina. Ses vêtements en feu étaient éteints. Et hormis ses cheveux blonds roussis, il était indemne. Dans un crépitement, une partie du toit s'effondra dans l'écurie; des gerbes d'étincelles jaillirent... Reckhardt n'y eût pas survécu.

L'homme se tourna vers Sophie. Elle le reconnut. Poussant un cri, elle courut à lui et l'étreignit en sanglotant. Jacky s'approcha, jappa, et se coucha à ses pieds.

– Vous ? balbutia Sophie. Je vous remercie ! Je vous remercie ! D'où venez-vous ? Il s'en est fallu d'un cheveu...

Willy Cranz passa un bras protecteur autour de Sophie et regarda l'écurie en flammes.

– De Lübschütz. (Il eut un léger sourire.) Nous venons de fonder une association : « Les victimes de Kochlowsky ». Et, sur le chemin du retour, que vois-je ? Un incendie chez Leo Kochlowsky !

– Et vous n'avez pas pris la fuite...

– Me croyez-vous capable d'une telle vilenie ? (Il libéra Sophie de son étreinte et indiqua le cheval de la tête.) Regardons s'il est blessé. Ensuite, je l'emmènerai – j'ai tout ce qu'il faut pour les premiers soins au pavillon.

Il se dirigea vers Reckhardt, agité de tremblements. Le cheval se laissa docilement examiner et palper, la tête baissée vers le sol, et souffrit que Jacky lui léchât les naseaux.

– À première vue, il ne paraît pas blessé, dit Cranz, soulagé. Je vais quand même l'emmener. Il ne peut pas rester dehors. Et demain, au jour, je l'examinerai encore une fois à fond. (Il regarda la maison.) Votre mari n'est pas là ?

– Il est parti pour Herzogswalde. Il sera de retour après-demain.

– Son nouvel emploi ?

– Peut-être... (Sophie considéra Cranz.) Il s'est conduit de façon si honteuse envers vous, et je n'ai même pas pu vous présenter mes excuses...

– Cette histoire appartient au passé. (Cranz hocha la tête.) Je tiens seulement à mettre les choses au point : je n'aurais jamais chassé votre mari de Wurzen. Je ne l'ai pas voulu. Toutefois, s'en aller, c'est ce qu'il a de mieux à faire. (Il montra les décombres de l'écurie.) En voici la meilleure preuve. Un tel feu ne prend pas tout seul. Pas de l'extérieur.

Inutile de demander comment Leo réagit lorsqu'il se fit ramener chez lui en calèche de la gare de Wurzen. De loin, il sentit l'odeur de bois brûlé, puis il aperçut le tas de décombres carbonisés. Il poussa un rugissement de fauve blessé, sauta de la calèche et s'élança dans le jardin. Par la porte de derrière, Sophie bondit à sa suite.

– Leo ! cria-t-elle. Leo ! Tout va bien ! Reckhardt est vivant... Il ne lui est rien arrivé... Il est vivant...

Lorsqu'elle le rejoignit, il tourna vers elle un visage ruisselant de larmes.

– Sophie... balbutia-t-il, posant la tête sur son épaule étroite. Où est-il ? Comment cela a-t-il pu arriver ? Oh, Sophie...

– Je l'ignore. (Elle respira à fond.) Reckhardt est chez le garde forestier Cranz.

– Où ?

Un frisson violent parcourut le corps de Leo.

– Cranz lui a sauvé la vie. Il s'est précipité dans l'écurie à travers les flammes et il a fait sortir Reckhardt. Il a risqué sa vie pour lui.

– Il était là tout à fait par hasard... fit Leo, se maîtrisant à grand-peine.

– Oui. Il revenait de Lübschütz. Ils ont fondé une association : « Les victimes de Kochlowsky ».

– Bravo ! Et le voilà qui surgit, tel le sauveur... juste au bon moment ! Ah, ces hasards bénis...

– Il a sauvé ton cheval adoré ! cria soudain Sophie, repoussant la tête de Leo de son épaule. Si je gisais sous ces cendres, tu ne hurlerais même pas !

– Mon trésor...

Kochlowsky voulut parler ; Sophie s'était détournée et détalait vers la maison.

Qu'a-t-elle dit ? pensa-t-il. Et son cœur se serra douloureusement. « Si je gisais sous ces cendres... » Voilà donc comment elle me voit ? Voilà l'opinion qu'elle a de moi... Suis-je un tel monstre ?

Il contourna la maison et rejoignit la calèche qui attendait toujours. Le cocher n'avait pas reçu le prix de sa course. Kochlowsky prit place et le tapa dans le dos.

— Au pavillon forestier.

— Où ça ?

— La ferme ! Au pavillon forestier.

Willy Cranz faisait sa comptabilité lorsque la calèche s'arrêta et que Kochlowsky en bondit. Il referma aussitôt son registre, mit sa veste verte et se prépara au combat.

Kochlowsky toqua à la porte, entra et resta debout au milieu de la pièce.

— Merci ! dit-il sèchement.

— Je vous en prie.

— Où est-il ?

— À l'écurie. Il va bien. Il n'a pas de brûlures. Je l'ai examiné à fond.

— Je puis donc l'emmener ?

— Naturellement.

— Vous avez pénétré dans l'écurie en flammes pour aller chercher Reckhardt...

— N'en parlons plus.

— Comment l'écurie a-t-elle pu prendre feu ?

— Il y avait deux foyers : l'un à la porte, l'autre contre le mur de droite. Les seuls endroits en bois. Tout le reste est en bonnes briques de Lübschütz. On a arrosé le bois de pétrole.

— C'est un incendie volontaire ? dit Leo d'une voix rauque.

— Sans aucun doute.

— Ces fils de Satan ! Se venger sur un innocent cheval ! (Leo regarda autour de lui, aperçut une chaise et s'y assit.) Que l'homme peut se montrer terrible ! (Il tâta ses poches, n'y trouva pas ce qu'il cherchait et se tourna vers Cranz.) Auriez-vous un cigare ?

– Seulement des cigarettes.

Cranz les prit dans son secrétaire, en offrit une à Leo et alla chercher une bouteille d'excellente eau-de-vie dans le buffet. Kochlowsky acquiesça.

– En vérité, vous êtes un type sympathique, Cranz.

– Merci. (Cranz remplit deux verres à ras bord et en tendit un à Kochlowsky.) À la vôtre !

– J'étais jaloux de vous... voilà ! J'aime ma femme plus que tout au monde, même si elle en doute. Elle est jeune, elle est belle...

– Très belle.

– Très belle, en effet. Et par rapport à elle, je suis un vieil homme. Nous avons dix-huit ans de différence. À l'âge de son épanouissement, je serai un vieillard. J'ai des yeux de lynx quand des hommes jeunes lui font la cour. Cranz, j'aurais pu vous tuer l'autre jour, mais à présent, je sais que tout était faux. De ma vie, je n'oublierai que vous avez sauvé Reckhardt. (Il leva son verre.) Encore un verre, monsieur le garde !

– Allez-vous avertir la police ?

– Pour quoi faire ?

– C'était un incendie volontaire.

– Les policiers ! Que feront-ils ? Ils resteront là à contempler les décombres. Et riront sous cape d'une joie maligne. Ils dresseront un procès-verbal, point final. À défaut de traces, ce ne sont pas les mobiles qui manquent. Et les auteurs ? La moitié de Wurzen. Alors, à quoi bon la police ?

– Quand partez-vous ?

– Fin octobre. Je prends mes fonctions le 1er novembre à Herzogswalde. (Leo se leva.) Comment vous remercier ?

– En sautant sur Reckhardt et en allant retrouver votre femme. Et en emportant la certitude que je ne nourris aucune rancœur contre

vous. (Cranz hésita un instant puis ajouta :) Et
en me disant ce que vous n'avez peut-être jamais
dit : « Je me suis trompé... »

Kochlowsky hésita, regarda Cranz d'un air
pensif et posa les deux mains sur sa barbe.

– Au nom de Reckhardt... bon, je me suis
trompé ! (Ses yeux noirs étincelaient de nouveau.)
Satisfait, monsieur Cranz ? Kochlowsky a fait
amende honorable !

– Non. (Cranz secoua la tête.) Vous n'avez fait
que sauter par-dessus votre ombre... Mais cela
restera tout à fait entre nous ?

23

On avait emballé les meubles, réservé un compartiment de chemin de fer, loué un grand box
pour Reckhardt dans un fourgon spécial et engagé
un garçon d'écurie chargé de prendre soin du
cheval jusqu'à Herzogswalde. Sophie nettoyait la
maison de fond en comble avec l'aide de Berta
Plumps, qui ne cessait de se lamenter sur le départ
des Kochlowsky.

Leo se rendit une dernière fois à la briqueterie,
choisissant un jour où Langenbach était parti
visiter des clients.

Il déambula à pas lents dans les bâtiments et fit ses
adieux à tous. Il donna une poignée de main à
chacun – quel directeur l'aurait fait ? – et laissa ainsi
un bon souvenir à Lübschütz. « À bien y réfléchir, il
n'était pas si mauvais homme, disait-on maintenant.
Qui sait qui va le remplacer ? Avec lui, on savait à
quoi s'en tenir, il suffisait de le regarder; alors, on
évitait de croiser son chemin ou l'on osait formuler
sa requête. Même s'il nous flanquait hors de son
bureau, il examinait plaintes et souhaits s'ils étaient
fondés. C'était un bon chef... »

Les larmes vinrent aux yeux de Plumps lorsque Leo serra la main du chef comptable.

– Vous allez me manquer, Atchoum. Je ne retrouverai nulle part un morveux comme vous.

– Et moi, personne d'aussi cynique que vous, répondit Plumps, souriant entre ses larmes. Dieu vous bénisse... et tous mes vœux pour votre nouvelle place.

– Si vous voulez vous en aller, Plumps... je viendrai vous chercher.

– M'en aller de Wurzen ? Avec dix enfants ?

– Vous y avez pris votre plaisir ! Je tenais à vous le dire. Je peux toujours employer un comptable compétent.

– Merci infiniment, monsieur Kochlowsky. (Plumps déglutit à grand-peine.) J'en prends bonne note.

L'après-midi du jour des adieux, Leo rendit une dernière visite au château d'Amalienburg. Emil Luther le considéra tel un gros insecte répugnant.

– M. le comte vous attend, annonça-t-il avec arrogance.

– D'où sait-il que je suis là ?

– Il vous aura vu remonter l'allée.

– Mon Dieu, quel Allemand est-ce là ! (Leo prit l'air dégoûté.) Larbin, ferme-la, sinon il t'en cuira.

Blêmissant de rage, les maxillaires serrés, Luther ouvrit le vantail, et introduisit Leo. Je devrais lui botter les fesses, pensa-t-il, tandis qu'il suivait Kochlowsky. Mais les désirs les plus simples sont souvent les plus irréalisables.

Comme à l'accoutumée, le comte Douglas reçut Leo dans sa bibliothèque. Il avait disposé sur son bureau une bouteille de cognac français et deux verres pansus, déjà à demi pleins.

– Avez-vous pris votre décision, Kochlowsky ? demanda le comte sans préambule.

– Oui, monsieur le comte.

— Bravo ! Trinquons ! (Douglas leva son verre, Leo prit l'autre, un peu perplexe, le leva pour trinquer et avala une gorgée.) Quel salaire avez-vous demandé ?

— Le baron von Finck a augmenté de vingt pour cent mon salaire actuel.

— Von Finck ! (Douglas fit un geste de refus.) Un ladre ! Combien voulez-vous de moi ?

— De vous, monsieur le comte ? Pas un sou.

— Comment ça, pas un sou ? (Douglas le fixa, interdit.) Ne nous comprenons-nous pas, Kochlowsky ?

— Il semble que non.

— Vous êtes venu accepter mon offre d'être l'unique directeur de la briqueterie, n'est-ce pas ?

— Je suis venu prendre congé de vous, monsieur le comte.

— Vous ne parlez pas sérieusement ?

— Et j'aimerais vous remercier pour tout... pour toutes vos bontés, votre indulgence, votre confiance...

— Vous voulez vraiment me quitter, Kochlowsky ?

— M. le comte m'a lui-même mis à la porte.

— Mon Dieu, l'erreur n'est-elle pas humaine ? Oublions ça !

— Mes meubles sont emballés, le compartiment de chemin de fer réservé, le contrat signé à Herzogswalde...

— J'envoie une dépêche sur-le-champ au baron von Finck pour l'annuler.

— C'est vous-même qui m'avez adressé à lui.

— Plus un mot ! Qui, sinon, va diriger la briqueterie ?

— Mais vous avez un remplaçant, monsieur le comte.

— Je n'ai rien ! J'ai toujours compté sur le fait que la tête obtuse que vous êtes viendrait me voir pour qu'on en discute.

— Je ne peux plus rester à Wurzen. (Leo secoua

la tête.) On m'a tiré dessus, pour commencer, puis on a mis le feu à mon écurie. La prochaine fois, on s'en prendra à ma femme ou à mon enfant. Alors ? Mon foyer n'est plus ici.

— Il en ira de même à Herzogswalde.

— Non. Là-bas, je repartirai de zéro, je deviendrai un autre homme.

— Un Kochlowsky, devenir un autre homme ! L'Elbe changerait plus facilement son cours ! (Le comte but son verre d'un trait.) Vous commettez une bêtise irréparable, Kochlowsky. Vous n'intéressez pas von Finck. Il traîne sa briqueterie vétuste parce qu'elle fait partie de son héritage. Ce qui le titille, c'est votre cheval. Il a accepté le défi. Von Finck est un passionné de chevaux. Dès le moment où il restera sur la selle de Reckhardt, vous aurez perdu. Alors, vous pourrez plier bagage...

Leo haussa les épaules.

— Si tel est le cas, dit-il avec un pauvre sourire, j'ai une place à vie chez le baron. Il ne parviendra jamais à monter Reckhardt. Jamais ! C'est l'esprit tout à fait tranquille que je pars pour Herzogswalde.

Leo demeura une heure avec le comte. Les deux hommes vidèrent la moitié de la bouteille de cognac et se séparèrent comme de vieux amis.

— Bonne chance, Kochlowsky, dit Douglas, qui le raccompagna à la porte. Tirez les leçons du passé. Vous avez dû fuir Pless à cause des femmes, Wurzen à cause de vos manières grossières. Qu'en sera-t-il à Herzogswalde ?

— On ne m'en fera partir que les pieds devant, monsieur le comte. Pas avant !

— Que Dieu vous entende ! À quand la naissance de votre deuxième enfant ?

— Février, monsieur le comte.

— Saluez votre petite femme pour moi. Elle a une bravoure extraordinaire. C'est elle, et non vous, qui porte la croix la plus lourde, vous le savez ?

– Beaucoup de choses vont changer, monsieur le comte. (Leo claqua une nouvelle fois les talons, fit une révérence et s'éloigna. Dans le hall, il tomba sur le maître de cérémonie et Emil Luther.) La seule chose qui va me manquer, leur dit-il, ce sont vos figures. Votre vue m'a toujours aidé à aller à la selle. Dommage, il va me falloir prendre des sels d'Ems, dorénavant...

Il quitta le château d'Amalienburg avec le sentiment d'avoir réussi sa sortie.

Le lendemain, Wurzen eut une image inédite de Kochlowsky.

Leo chevaucha de par la ville, à très petite allure, s'arrêtant dans les boutiques où le couple avait l'habitude de faire ses achats, prenant congé des commerçants, y compris, bien sûr, le marchand de cigares Felix Berntitz et l'épicier Martin Lobsam. Il but une fois encore deux bières à l'hôtel *Stadt Leipzig,* y mangea une côtelette – il prétendit, pour changer, qu'il fallait la donner au cordonnier, c'était une semelle inusable –, puis se rendit à la gare avec ses éternels fiacres en attente, conduits par les mêmes cochers, ceux qu'il avait insultés le jour de son arrivée à Wurzen.

– Approchez, dit-il, détachant un sac de toile de la selle de Reckhardt. (Il l'ouvrit et en sortit quatre bouteilles de kummel.) Je me suis montré injuste envers vous, autrefois. À présent, buvez à ma santé !

– Mais, monsieur Kochlowsky, cela fait bientôt deux ans. (Le cocher qui avait entendu Kochlowsky traiter son cheval de haridelle pressa la bouteille contre sa poitrine.) C'est oublié depuis belle lurette...

– L'homme n'oublie que les bonnes choses. Éliminez votre irritation contre moi en buvant un coup. Nous serons enfin quittes.

Sans attendre de réponse, Leo remonta sur son cheval et s'éloigna au trot.

Une nouvelle fois, il alla se promener dans les champs et les bois, qui jetaient tout leur éclat automnal, le cœur lourd de devoir tout quitter. Il avait été très dur de partir de Pless; il y laissait la moitié de sa vie; il avait prévu de consacrer le reste de son existence à sa Sophie, son trésor. Et qu'était-il advenu de ses projets? Une ville entière le chassait de son sein.

Il fit faire halte à Reckhardt, contempla le paysage et dit à haute voix :

– Sois honnête ! Tu es un vrai salaud, Leo !

Le déménagement à Herzogswalde ne fut pas aussi facile que prévu. Étonnant ?

Le fourgon avec les meubles se trouvait quelque part, sans doute à la gare marchande de Dresde. En revanche, Reckhardt arriva ponctuellement avec son palefrenier. On le fit descendre et Leo le conduisit à l'écurie de la grande maison nouvelle.

L'écurie était le seul endroit habitable. Les pièces de l'habitation, elles, qu'une bonne était venue récurer à fond, béaient, glaciales. Les rideaux, faits par une couturière locale, bouffèrent quand on aéra. Par chance, le mois d'octobre était doux.

Les Kochlowsky allèrent loger dans l'unique auberge du village. Leo y fut reçu comme un grand seigneur – on ne le connaissait pas encore –, car tout le monde savait qu'il était le nouveau directeur de la briqueterie. Lorsqu'il déclara : « Le prix de la chambre, vous le demanderez à la compagnie des chemins de fer », on crut à une boutade.

Le chef de gare de Herzogswalde, complètement innocent dans l'affaire, ne tarda pas à apprendre ce que signifiait laisser un Leo Kochlowsky attendre ses meubles.

Leo décida de dormir dans l'écurie, pour ne pas laisser son cheval seul la nuit. Jacky, bien sûr, l'y suivit. Son amitié pour Reckhardt était scellée à vie.

Le deuxième soir – pendant ce temps, on cherchait le fourgon à meubles, qui avait bien été attaché à Leipzig, mais apparemment pas au bon train –, le baron von Finck parut à l'écurie.

– C'est inouï ! s'écria-t-il, observant Reckhardt en train de mâcher. Je viens seulement d'apprendre l'incident. Pourquoi ne venez-vous pas chez moi, Kochlowsky ? Je mettrai une stalle à la disposition de votre cheval et vous logerez au château avec votre famille. Louer une chambre au *Schwanen* ! Rien que ça ! Et coucher dans la paille, à même le sol ! Qui sait quand arriveront vos meubles ? Suivez-moi au domaine.

– Nous sommes très bien ici, monsieur le baron. (Leo flatta la croupe de Reckhardt.) Au reste, c'est la compagnie des chemins de fer qui paiera l'hôtel.

– Croyez-vous ?

– Je m'en charge.

– Une administration, Kochlowsky ?

– En tant que citoyen libre, j'ai droit à la justice. Une administration est au service de l'État et du citoyen. Qui la paie, pour finir ?

– Ah ! (Von Finck considéra Leo.) Seriez-vous socialiste ?

– Je suis un adversaire de tout arbitraire de l'État.

– Bon ! (Von Finck se dirigea vers la porte, sortit de sa poche une pipe recourbée déjà bourrée. Leo lui donna du feu avec un allume-pipe qu'il embrasa à la lampe à pétrole.) Je connais bien ce genre de discours. Cette sale engeance de fanatiques subversifs ! Nous avons vécu ça en 1848. Kochlowsky, plus un mot sur ce sujet... sinon, ça ne marchera pas entre nous.

Pétrifié, Leo suivit le baron des yeux, tandis qu'il sautait en selle et s'éloignait.

Le vent qui lui souffla au visage n'avait plus la même qualité qu'auparavant.

24

Il fallut attendre encore une semaine avant que le fourgon de meubles ne pénètre enfin sur la voie de garage de la petite gare de Herzogswalde. Le chef de gare envoya un messager à Kochlowsky, qui arriva aussitôt. Leo examina le fourgon; les plombs n'étaient pas descellés, les portes n'avaient pas été ouvertes. On pouvait supposer que rien n'avait été volé.

— Une erreur pure et simple, expliqua le chef de gare, qui n'y était vraiment pour rien. Le fourgon a été dirigé sur Eberswalde.

— Naturellement ! gronda Leo, mauvais. Avec tous ces illettrés qu'on emploie dans les chemins de fer...

— Mais cela peut arriver ! protesta l'homme, piqué. Et le ciel ne va pas pour autant nous tomber sur la tête.

— Un instant ! C'est la compagnie qui va payer la semaine d'hôtel.

— Non !

— Tiens donc ! Eh bien, vous allez voir comme votre ciel par ailleurs si solide va se mettre à vaciller ! (Leo signa les bordereaux de transport, commanda un charretier pour emporter les meubles et se rendit à l'auberge.) Le fourgon est arrivé, mon trésor, dit-il à Sophie. Nous emménagerons demain. Nous commencerons à vivre normalement après-demain. Je prends mes fonctions à huit heures à la briqueterie.

— Avec trois jours de retard, Leo. On sera le 3 novembre.

– Et après ? Tant que je devrai coucher dans la paille avec mon cheval, je me considérerai comme un bohémien et non comme un chef d'entreprise. Le baron n'a qu'à s'en prendre aux chemins de fer.

Le lendemain, on aménagea la maison. Deux jeunes filles et deux menuisiers de la briqueterie apportèrent leur concours.

Le 3 novembre au matin, le nouveau directeur franchit le seuil de la briqueterie. Tout le monde l'attendait avec la plus vive curiosité et l'examinait d'un œil critique. La rumeur, toujours elle, avait filtré que tout, ou presque, allait changer. Moderniser, on appelait ça ! Cela voulait-il dire plus ou moins de travail ? Et les nouvelles machines ? Moins d'ouvriers et plus de chômage ? Les machines allaient-elles remplacer les hommes ? Le progrès allait-il jeter des familles entières dans la misère ? Qui seraient les premiers touchés ?

Kochlowsky était déjà attendu dans le spacieux bureau de la direction. Un homme massif, assis au bureau, se leva lentement lorsque Leo entra et claqua la porte derrière lui. Le regard de Leo s'assombrit aussitôt. Personne n'avait le droit de s'asseoir à sa place, même si la chaise en bois était vacante.

– Vous voilà ! fit l'homme carré d'épaules. Avec trois jours de retard...

Leo eût-il été reçu par ces mots : « Bonjour, espèce de mufle », la formule, certes, eût manqué de courtoisie, mais il eût rétorqué par une aimable grossièreté. Mais qu'un inconnu, un subalterne, assis sans en avoir le droit à son bureau, lui reprochât son manque de ponctualité le frappa en plein cœur.

– Ce ne sont pas vos oignons ! répliqua-t-il du tac au tac.

– Permettez-moi d'en douter ! aboya en retour le colosse.

– Au vrai, que faites-vous derrière mon bureau ? Fichez le camp.

– Est-ce un sanctuaire ?

– Quand j'y serai assis, c'en sera un. Qui êtes-vous ?

– Willibald Hammerschlag. Vous ne manquez pas de présomption...

– Hammerschlag ? (Leo s'avança.) Le trésorier ?

– En effet.

– Dans ce cas, vous faites erreur. Occupez-vous de compter des moutons...

– Je dois aussi m'occuper des ours mal léchés.

– Ah oui, c'est vous qui les faites danser.

– Monsieur Kochlowsky !

– Monsieur Hammerschlag !

Les deux hommes se faisaient face, séparés par le bureau, les yeux étincelants.

– En ma qualité de trésorier, je suis également chargé de vous payer.

– On ne me paie pas, je perçois un salaire.

– C'est la même chose.

– Dans votre cerveau atrophié de comptable, peut-être ! On paie un sac de sel, quand on l'achète, mais pas un homme. On a bien tort de penser que tout le monde maîtrise la langue allemande.

– On ne peut plus juste... surtout quand on vient de Pologne...

Il n'y avait pas pire insulte pour Leo. Un instant, il fixa, l'air hébété, Hammerschlag, fit brusquement demi-tour et se rua sur la porte. Il l'ouvrit d'une violente poussée et se retourna. Hammerschlag, toujours aussi massif, était derrière le bureau.

– Dehors ! siffla Leo.

– Vous êtes complètement fou !

– Quand je vais revenir à ma place, vous verrez comment un Polonais peut vous faire faire un vol plané.

– Pour ça, il vous faudra plus qu'une grande gueule.

Hammerschlag fit le tour du bureau. Il avait une démarche aussi pesante que sa silhouette. Un ours, les bras ballants, les jambes, tels des fûts, se soulevant à peine du sol. Le cou inexistant, la grosse tête ronde posée sur les épaules carrées, il donnait l'impression d'être inébranlable.

Tout à coup, Leo porta la main à sa jambe droite, arracha de sa botte sa cravache et la fit siffler dans les airs. Hammerschlag ne bougea pas d'un pouce.

– Vous n'oseriez pas, dit-il d'une voix rauque.

– Qui m'en empêcherait ?

– Vous avez emménagé hier. Ne renvoyez pas le fourgon... vous en aurez besoin sous peu. Vous n'allez pas faire de vieux os ici.

– Ce n'est pas vous qui en décidez, monsieur Hämmerlein.

Hammerschlag prit une profonde inspiration. L'altération de son nom était son point sensible. Il avait congédié un jardinier séance tenante parce que l'homme l'avait appelé Hammerschlacht, faute d'avoir bien compris son nom. Mais personne encore n'avait eu l'audace de l'appeler Hämmerlein – « agnelet ». C'était intolérable !

– Vous êtes un imbécile, jeta-t-il avec un rien de commisération. Sur le domaine, dont fait partie la briqueterie, ce n'est pas le baron l'homme le plus important. J'ai mon mot à dire. Directeur, le titre sonne bien, mais vous n'êtes en réalité qu'un humble tâcheron. Vous voulez tout transformer, ici, *moderniser* ? Et qui vous en donnera les moyens financiers ? Moi, pas le baron. Il lui manque la vue d'ensemble. Il chasse, il monte à cheval, il sillonne le pays, et tant qu'il pourra financer la fabrique – tant que *je* pourrai la financer –, il sera ravi. (Hammerschlag passa devant Leo et s'immobilisa sur le seuil.) Si vous avez ne serait-ce qu'une lucur d'intelligence, remballez vos affaires et quittez Herzogswalde au plus vite. Moi présent, vous vous heurterez à un mur en ciment. Et votre caractère entêté ne le supportera pas.

– C'est ce qu'on verra. (Leo considéra Hammerschlag avec un sourire en coin.) Personne encore n'a chassé Leo Kochlowsky de la pointe de ses bottes.

– En effet, il a pris la fuite... de Pless... de Wurzen... et plus vite encore de Herzogswalde.

Hammerschlag s'éloigna avec un rire tonitruant.

Leo inspira à fond, alla à son bureau, prit la chaise de bois et la lança par la fenêtre. Hammerschlag, qui se dirigeait vers son attelage, se retourna, comme si une grenade avait explosé derrière lui.

– De quoi ? gronda-t-il.

– Je ne m'assoirai pas sur une chaise où vous avez collé vos fesses. Je crains la contagion.

Grinçant des dents, Hammerschlag poursuivit son chemin.

La scène fit le tour de la briqueterie à la vitesse du vent : Kochlowsky avait tenu tête à Hammerschlag ! Jusqu'à présent, il était bien le seul.

Cela rendit immédiatement Kochlowsky populaire parmi le personnel. Quel qu'il pût être – et en dépit de tout ce qu'on avait pu entendre dire de lui –, il était contre Hammerschlag, cet homme antipathique, et on devait le soutenir à fond.

Kochlowsky s'en aperçut lorsqu'il convoqua les employés de la comptabilité, du service des ventes et les artisans, afin de leur expliquer les futurs changements.

Ils firent tous une profonde révérence, le visage illuminé d'espoir, et acceptèrent sans broncher le préambule de Kochlowsky :

– Cette fabrique est une porcherie... Nous allons en faire une entreprise modèle, même si ce faisant la couenne vous en fume...

Deux mois, c'est long quand on doit se battre

tous les jours. Sophie ne savait rien de ce qui se passait – Plumps n'était plus là pour lui rapporter les dernières nouvelles de la briqueterie. Willibald Hammerschlag ne s'était pas encore montré chez les Kochlowsky, sachant pertinemment qu'il serait jeté dehors aussi sec. Par ailleurs, il se moquait complètement de la femme et de l'enfant de Kochlowsky – ce n'étaient que les appendices d'un adversaire qu'il fallait anéantir.

Il apparut que le baron von Finck se souciait peu de son entreprise et que Hammerschlag était le seul dont la parole avait force de loi. On ne pouvait passer au-dessus de lui, tout atterrissait sur son bureau.

Y compris, bien sûr, le nouveau siège de Kochlowsky. Dans la marge du « bon de réclamation », Hammerschlag écrivit : « Il y en avait un. Je n'ai pas connaissance d'une usure normale. Refusé. »

Le refus de Hammerschlag ne fit ni chaud ni froid à Leo. Il se fit construire un large tabouret en brique par les ouvriers, le recouvrit d'une peau de veau, apporta un coussin de chez lui et trôna dès lors sur un siège en brique solide et inamovible. Lorsque Hammerschlag voulut riposter en lui faisant payer les briques, il essuya une nouvelle défaite : c'étaient des briquaillons.

La réponse ne se fit pas attendre longtemps : Hammerschlag acheta un siège neuf chez l'unique fabricant de meubles de Herzogswalde et fit adresser la facture à Kochlowsky. Facture et siège furent renvoyés sur-le-champ au fabricant avec la remarque : « Je n'ai rien commandé. »

Hammerschlag, dans une note à Leo, écrivit : « Je vous interdis de vous comporter d'une façon qui puisse porter préjudice à l'entreprise... » La note lui fut retournée avec, en marge, l'annotation suivante : « Vous ne pouvez rien m'interdire, pas même de vous considérer comme un crétin. »

Hammerschlag jubila. Il prit rendez-vous chez

un avocat, certain qu'il pouvait désormais porter plainte contre Kochlowsky. Mais, là encore, il se trompait. L'avocat lui expliqua que chacun était libre de penser de quiconque ce qu'il voulait, tant que son opinion n'était pas portée à la connaissance du public. Si Kochlowsky s'était exprimé en présence d'un tiers, c'eût été différent, mais là, il n'y avait pas mèche! Hammerschlag, s'il douta de la pertinence du renseignement, ne s'engagea pas cependant dans une affaire aussi incertaine.

Plus le combat entre Hammerschlag et Kochlowsky se durcissait, plus on aimait Sophie, à Herzogswalde. Les commerçants la livraient à domicile, et comme elle en était à son septième mois de grossesse, ce qui, chez une personne si menue, était fort visible, la sage-femme s'occupait d'elle et lui prodiguait de bons conseils. Le médecin lui-même, un brave médecin de campagne, qui visitait à cheval ses patients éparpillés, sa sacoche attachée à sa selle, et ce par tous les temps, ne cacha pas sa joie à l'idée qu'il y eût enfin quelqu'un capable de mettre au pas l'antipathique trésorier.

Le baron von Finck ignorait tout de ces querelles. Il venait voir Sophie deux fois par semaine, non pour bavarder mais pour admirer Reckhardt von Luisenhof. À présent, l'hiver était venu et Leo se rendait à la briqueterie dans une calèche fermée. Un cocher venait le chercher le matin et le ramenait le soir et se tenait toute la journée à ses ordres.

Le splendide hongre regardait le baron avec des yeux mauvais. Quand von Finck lui versait de sa main de l'avoine dans sa mangeoire ou emplissait d'eau son auge, il devait se méfier pour ne pas être piétiné ou mordu par Reckhardt.

– C'est une bête diabolique, confia-t-il à Sophie, mais il n'est pas de cheval qu'on ne puisse monter. Votre mari le monte bien, lui. J'y arriverai, moi aussi.

Il essaya à deux reprises, chaque fois un dimanche, en présence de Leo. Son plaisir fut de courte durée. Il ne resta que trois minutes en selle.

La deuxième fois, le baron accepta ensuite de boire un vin chaud. Il parla de l'époque où il était dans la cavalerie.

– Qu'avez-vous contre Hammerschlag, Kochlowsky ? demanda-t-il incidemment.

– Moi ? Rien, monsieur le baron. C'est un homme taciturne.

– Un trésorier hors pair.

– Sans doute...

– Vous devriez être amis.

– Cela ne dépend pas de moi.

Kochlowsky s'étonnait de l'ignorance du baron et le prenait presque en pitié. Si Hammerschlag le voulait, il pouvait tromper von Finck sur des sommes colossales sans que ce dernier remarquât quoi que ce fût. Au demeurant, peut-être Hammerschlag ne s'en privait-il pas et flairait-il en Leo une menace. Était-ce là le motif de sa haine ?

Un dimanche après-midi, le pasteur de Herzogswalde vint rendre visite aux Kochlowsky. Il donna des cubes de bois à Wanda, un livre de psaumes à Sophie et le bulletin paroissial à Leo. On attendait sa visite depuis longtemps, et Leo pensa que l'homme allait lui demander une obole.

– Bénir de la dextre et encaisser de la main gauche, c'est le *b a ba* de leur métier ! grogna-t-il lorsque Sophie lui apprit que le pasteur viendrait l'après-midi. Une contribution pour rénover l'église ! Est-ce que je fais la quête, moi, pour refaire mes planchers ?

Le pasteur de Herzogswalde était l'opposé de Maltitz. C'était un vieil homme paisible, pas belliqueux pour un sou, tel qu'on représente Dieu le Père dans les imageries naïves, ses cheveux blancs comme neige et une longue barbe blanche. Et son débit de voix aussi était lent, posé, toujours à la limite du prêche. En face de lui, on avait l'impression d'être plus proche du ciel.

Kochlowsky ne savait sur quel pied danser. Avec Maltitz, l'affrontement était possible; avec ce pasteur-là, c'était tout bonnement impossible. Le moindre accès de colère s'étouffait dans l'œuf. Lorsque Leo dit : « Votre sacristie a-t-elle besoin d'être repeinte ? » l'homme aux cheveux de neige répondit : « La sacristie, non, mais la descente de croix, oui. » Le moyen, pour Leo, de parler de la rénovation de ses planchers ? Il ne pouvait lutter contre une descente de croix...

— Que pensez-vous de Willibald Hammerschlag ? demanda le pasteur après avoir englouti trois parts de gâteau et quatre tasses de thé.

Leo était sur ses gardes. Il éluda la question :

— Que peut-on en penser ?

— Il refuse de fournir cette année le bois de chauffage à l'église. Vous n'êtes pas au courant ?

— Du bois de chauffage ? fit Leo, irrité.

— Chaque année, l'église reçoit, ainsi que le presbytère, plusieurs stères de bois du domaine pour chauffer la maison de Dieu. (Le vieux pasteur poussa un soupir à fendre l'âme et croisa les mains sur son ventre.) Chaque hiver, les charretiers du baron viennent livrer les bûches. Cette année, la livraison n'a pas eu lieu. Hammerschlag a déclaré qu'il n'avait rien à donner et que ceux qui auraient froid à l'église n'avaient qu'à se vêtir plus chaudement. Et qu'on pouvait se réchauffer en chantant... (Le pasteur chercha son souffle.) Avez-vous déjà entendu une chose pareille ?

La remarque pourrait tout à fait être de moi, songea Leo, mais il secoua la tête devant le pauvre pasteur. Hammerschlag n'est pas si mauvais bougre, il cherche juste à être l'homme le plus détestable à la ronde. Je marche sur ses brisées et il défend son territoire tel un cerf.

— Et la décision ne relève que du seul Hammerschlag ?

– Ursprung, le garde forestier, est l'employé de l'administration, mais le trésorier, c'est Hammerschlag.

– En d'autres termes, tout, dans le domaine de von Finck, passe par Hammerschlag ?

– En effet.

Ainsi en était-il pour moi à Pless, songea douloureusement Leo. Là-bas, on ne faisait rien dont Kochlowsky n'eût pas connaissance. Et gare à qui n'avait pas eu son autorisation !

– En avez-vous parlé à Hammerschlag, monsieur le pasteur ?

– Quatre fois. Quelle humiliation ! J'étais là comme un mendiant. Et je ne quémande que pour mes ouailles, encore !

Leo hocha de nouveau la tête.

– Mais pourquoi vous adresser à moi ?

– Vous avez la réputation d'être un roc. Et on sait aussi à Herzogswalde que vous avez infligé plusieurs défaites à Hammerschlag. Cela vous vaut beaucoup d'amis. Je pensais juste que...

– ... que je devais vous aider ? l'interrompit Leo sans détour.

– Oui.

– Et comment ?

– En parlant à Hammerschlag.

– Au sujet de votre bois ?

– Oui.

– Il va me rire au nez.

– Alors, défoncez-lui le crâne !

– Et c'est un pasteur qui dit ça ?

– De façon purement symbolique, s'entend. Je me suis dit que quand deux hommes tels que vous et Hammerschlag... c'est ainsi, dans la nature, lorsque deux fronts d'orage s'affrontent : les éclairs fusent, le tonnerre éclate et l'air redevient pur. (Le pasteur tourna ses pouces l'un autour de l'autre, désemparé.) Voulez-vous m'aider ?

– Comment le pourrais-je ?

– C'est déjà ça que vous ne refusiez pas d'emblée. (Le pasteur se mit debout et leva la main.) Le Seigneur vous assiste et vous bénisse, mon fils ! La démarche sera difficile. Mais pensez à Luther devant la Diète de Worms.

– Ce sera mon unique pensée, monsieur le pasteur, railla Leo. Seulement, Luther fut ensuite mis au ban de l'Empire. Enfin, peu m'importe !

Sophie raccompagna le pasteur à sa voiture et se dépêcha de rentrer.

– Vas-tu l'aider, Leo ?

– Je ne sais pas encore. (Kochlowsky alluma son cigare dominical.) Je dois d'abord assimiler le fait qu'on demande mon aide avant de décider qui, de moi ou de Hammerschlag, est le pire démon.

– Es-tu un démon, Leo ?

– Oublie cette stupidité. En tout cas, je m'en porte bien mieux que si je devais être un ange.

Dans la vie, les détours valent parfois mieux que la ligne droite. Louvoyer est souvent un meilleur moyen de survie que l'attaque directe. Leo se rendit donc d'abord chez le garde forestier Ursprung.

Tous les gardes forestiers se ressemblent : ils irradient la majesté paisible de la nature. Qu'importe que l'homme soit grand ou petit, on perçoit chez lui une sérénité certaine envers le monde. Avec Ursprung, c'était différent; à son intimité avec la nature s'ajoutait une pauvreté évidente. La maison et les bâtiments avaient plus que besoin d'un coup de peinture, les outils étaient vétustes, les charrettes en piteux état. Seuls les chevaux étaient bien soignés, ce qui radoucit Kochlowsky.

Ursprung, la cinquantaine et le cheveu gris, parut à la porte dans une grosse veste en loden, une longue pipe entre les dents, lorsque Leo pénétra à cheval dans la cour. Les deux hommes ne se connaissaient pas encore, ce qui n'empêcha pas Ursprung d'accueillir Leo comme un vieil ami.

— Bienvenue chez moi, monsieur Kochlowsky ! s'écria-t-il. Vous êtes bien Kochlowsky, n'est-ce pas ? Il n'y a que vous pour monter un tel cheval ! Je suis heureux de faire votre connaissance.

Après une poignée de main, Leo entra dans le pavillon, et considéra Ursprung avec étonnement. Il comprit soudain pourquoi le garde gardait son loden.

— Mais vous n'êtes pas chauffé ! Le poêle est cassé ?

— Non. C'est Hammerschlag ! (Le garde eut un sourire en coin.) Il surgit sans crier gare, brandissant un thermomètre, et quand il fait plus de dix-huit degrés, quel ramdam !

— Ce n'est pas vrai !

— Pourquoi mentirais-je ? Vous ne connaissez de Hammerschlag que la partie visible de l'iceberg. Vous aurez encore bien des sujets d'étonnement.

— Ou lui. (Leo examina les lieux, la mine sombre. Tout était misérable, dans cette maison. Il n'y avait que le strict nécessaire. Le plus miteux pavillon forestier que Leo eût jamais vu.) En vérité, je suis venu vous parler du bois de l'église... mais d'après ce que je vois ici...

— Le bois de l'église ? J'ai tellement honte, mais ça n'avance personne... Hammerschlag a ordonné... Basta ! Il veut laisser le pasteur se transformer en bloc de glace parce que celui-ci a tonné en chaire contre les unions illégitimes.

— Et en quoi cela concerne-t-il Hammerschlag ?

— Mais c'est un secret de polichinelle ! Il vit avec la première dame de la baronne von Finck, la baronne de Staltenhalten. En secret, évidemment... mais tout le monde est au courant. Et parce que le pasteur a regardé Hammerschlag pendant son prêche contre l'union libre, il doit à présent se geler. Voilà le fond de l'affaire.

— Nous livrerons mercredi le bois à l'église, dit

240

Leo d'une voix forte. Ursprung, combien vous faut-il de temps pour charger ?

– Une demi-journée avec trois hommes.

– Bon, je viendrai vous aider.

– Vous plaisantez, monsieur Kochlowsky ?

– Si vous me connaissiez mieux, vous sauriez que mes plaisanteries ont une autre allure.

– Hammerschlag va avoir une attaque...

– J'aimerais voir ça.

– Cela va me coûter ma place.

– Moi ici, vous ne perdrez rien, Ursprung ! Je vous en fais la promesse, et je la tiendrai.

– Même contre Hammerschlag ?

– Surtout contre Hammerschlag !

– Ce sera un duel entre deux géants, dit Ursprung, le souffle coupé. Ne sous-estimez pas Hammerschlag.

– Sa plus grossière erreur est de *me* sous-estimer. Et vous êtes une bûche, Ursprung ! Vous rampez comme un chien battu.

– Je n'aimerais pas crever de faim au bord des routes. (Le garde s'assit près du poêle qui chauffait à peine.) J'ai cinquante ans passés... qui voudra m'embaucher si je suis fichu à la porte ? (Il adressa un regard implorant à Leo.) Vous y tenez vraiment ?

– Je ne reviens jamais sur ce que j'ai dit, prenez-en bonne note ! Je serai là mercredi matin à sept heures. Pourrons-nous livrer le bois vers midi ?

– Je crois que ça ira. (Ursprung toussota.) Et si Hammerschlag venait à passer par là ?

– Inutile de prévoir un pantalon de rechange. Il me trouvera.

– Mais n'oubliez pas que Hammerschlag a la loi pour lui.

– Nous discuterons de la loi, Hammerschlag et moi, répondit Leo d'une voix sourde.

Le mercredi matin arriva. Leo, emmitouflé dans sa pelisse, se rendit dans l'aube glaciale chez

Ursprung. Le garde l'attendait. Trois ouvriers frigorifiés fixèrent Kochlowsky avec appréhension. S'opposer à Hammerschlag ! Sapristi !

Nul ne vint les déranger lors du chargement des deux charrettes. Vers midi, les véhicules roulaient en direction de l'église. Le pasteur, les larmes aux yeux, priait et jouait de l'orgue tandis que l'on déchargeait le bois.

Mais à Herzogswalde, comme partout, il y avait des gens pour qui la délation sournoise apparaissait comme le meilleur moyen de réussir dans la vie. Le bavard demeura anonyme. Une heure plus tard, Hammerschlag apprenait que l'église se faisait livrer du bois, et du domaine, qui plus est. Il poussa un grondement étouffé.

Vers deux heures, il se rendit à l'église en calèche, s'arrêta un instant puis repartit. Ursprung se précipita dans l'église, pâle comme un mort. Leo, près de l'orgue, écoutait le brillant jeu du pasteur.

— Il est là ! haleta le garde.

— Qui ça ?

— Hammerschlag !

— Qu'il entre, dit Leo, ravi, tapant ses poings l'un contre l'autre. Monsieur le pasteur, quand il apparaîtra, jouez le beau « Jésus, marche ». Il en aura besoin !

— Il est déjà reparti ! (Ursprung s'effondra sur un banc et essuya son visage en sueur.) Il s'est arrêté une seconde, le temps de tout regarder, puis il est reparti.

— Cela ne lui ressemble pas... (Le pasteur cessa de jouer.) Il mijote quelque diablerie. Attendons-nous au pire !

— Demain, j'ai mon congé, gémit le garde. Alors, que pouvez-vous faire pour moi, monsieur Kochlowsky ? Je suis anéanti.

— Demain est un autre jour, Ursprung. (Leo lui tapa sur l'épaule.) Le monde change, même à Herzogswalde. Attendons.

Leo attendit que le bois fût déchargé et que les charretiers eussent repris le chemin de la forêt pour aller au domaine. Il attacha Reckhardt devant la trésorerie et entra dans le bâtiment. Sans prendre la peine de frapper, il ouvrit la porte du bureau de Hammerschlag. Une veine ! Hammerschlag était là.

– Dehors, et frappez ! rugit aussitôt Hammerschlag. (Leo n'eût pas réagi autrement et son ton eût été identique. Il se sentait en pays de connaissance. Il donna un coup de pied dans la porte. Hammerschlag bondit de sa chaise.) Vous, naturellement ! cria-t-il, le visage cramoisi. Un homme élevé au schnaps de pomme de terre polonais...

– Ça vaut mieux que d'avoir une cervelle de pois chiche ! (Leo redressa le menton, sa barbe noire se hérissa, signe qui eût dû inciter Hammerschlag à la prudence s'il avait mieux connu Leo.) Vous devriez consulter, Hammerschlag !

– Pourquoi ? demanda le colosse, désarçonné.

– Vous n'avez pas d'intestins. Chez vous, la merde est dans la tête.

Le « duel entre les géants » avait commencé.

Dans un premier temps, la fureur priva Hammerschlag de l'usage de la parole. Il regarda sans un mot Leo quitter sa veste, sortir un thermomètre de sa poche, le tenir en l'air, secouer la tête puis aller fermer les boutons du poêle de faïence.

– Vingt-trois degrés ! Mais c'est jeter l'argent par la cheminée ! Dix-huit degrés, pas plus ! Vous avez au reste une veste chaude...

– Espèce de malade ! dit Hammerschlag d'une voix que la colère rendait rauque. Je sais à qui m'adresser pour payer le bois...

– Il y a des lèche-cul partout ! Mais encore ?

– Vous êtes bien venu payer le bois, n'est-ce pas ?

– Nous y revoilà ! Vous avez la cervelle pleine de purin...

– Le prix du bois sera retiré de votre salaire. Vous n'avez rien à faire ici. Dehors !

– Comment peut-on être aussi stupide ? Dois-je vous faire un dessin pour vous dire que vous ne pouvez pas me chercher chicane comme aux autres ? Vous payez mon salaire en votre qualité de comptable subalterne, et c'est tout ! Et maintenant, gare, espèce de morveux : à l'avenir, le bois sera un don en nature du baron à l'église.

– Qui en décide ? rugit Hammerschlag. Occupez-vous de votre briqueterie poussive…

– Je vous réserve une autre surprise… (Leo se lança sans filet pour tâter le terrain.) Savez-vous qu'une filière neuve coûte presque aussi cher que le collier que porte la farouche Irmingard ?

Le visage devenu de bois, Hammerschlag redressa le menton à son tour. On eût dit un taureau sur le point de charger.

– C'est de la baronne de Staltenhalten que vous parlez ? demanda-t-il d'une voix sans timbre.

– Vous ne savez même pas prononcer le nom correctement ! Ne s'appelle-t-elle pas Stangenhalter ?[1]

– Sale porc !

Hammerschlag saisit à tâtons le premier objet qui lui tombait sous la main. Un cendrier de terre, qui alla se fracasser contre le mur.

– Quel dommage ! (Leo s'empara d'une chaise et la brisa sur le sol.) Nous voilà à égalité. Dans un quart d'heure, la pièce sera un champ de ruines.

– Je vais vous faire jeter dehors.

– C'est bien ce que je pensais. (Leo hocha la tête, avisa une pendule et la projeta contre le mur, où elle s'écrasa comme une tomate.) Appelez de l'aide ! Vous êtes trop lâche pour régler vos problèmes tout seul…

– Je ne veux pas me salir les mains.

– Sur ce point, nous différons. Je sais mater

---

1. Jeu de mots sur *Stangen* (verges) et *halten* (tenir) (*N.d.É.*).

les taureaux sauvages. Willibald Hammerschlag...

— Pas un geste ! (Hammerschlag se pencha très vite, ramassa un pied de la chaise brisée et le brandit, menaçant.) Je vais cogner...

— Mieux vaudrait nous faire à l'idée qu'il y a place pour vous et moi dans le monde ! dit Leo de sa voix profonde. (Il se dirigea vers la fenêtre, ramassant au passage le dossier de la malheureuse chaise, et en frappa la vitre. Aussitôt, la bise glaciale s'engouffra dans la pièce.) C'était surchauffé, chez vous, Hammerschlag ! Dix-huit degrés... à vous de donner l'exemple ! Sapristi, n'approchez pas ! Je connais une foule de trucs pour dompter les bœufs dans votre genre. Parfaitement ! Je les ai appris en Pologne. Et j'en suis fier ! Aimeriez-vous être traité comme un animal ? Cela me répugnerait. Nous nous ressemblons tant, j'en souffrirais jusqu'au tréfonds de mon âme ! Si nous nous entendions, nul ne pourrait rien contre nous. Ne le comprenez-vous pas, cerveau obtus ! En combat solitaire contre moi, vous vous briserez les reins... Mes nerfs sont mieux trempés que les vôtres. (Leo leva de nouveau le thermomètre et hocha la tête.) Bientôt dix-huit... À la bonne heure !

— Que voulez-vous, au juste, Kochlowsky ?

— Je n'ai rien contre une maîtresse, quand bien même elle a nom Stangenhalter... (Hammerschlag se mit à trembler de rage, mais il ne bougea pas, soupesant le pied de chaise dans sa main.) Mais je m'oppose à ce qu'un garde forestier se gèle les fesses dans une maison qui se délabre un peu plus chaque jour, je m'oppose aux guerres privées...

— Et c'est vous qui dites ça ?

— ... et à ce qu'on raconte à un baron dans l'ignorance et qui ne s'en soucie guère que tout va pour le mieux. On n'a jamais eu à me reprocher pareil mensonge. J'ai toujours accompli mon devoir, et pour ce faire, j'ai dû me battre sur tous les fronts...

– Je suis ému aux larmes !

– Vous feriez mieux de faire fonctionner votre cervelle.

Leo quitta la fenêtre, jeta le dossier dans la pièce et considéra les lieux. Une vieille armoire rustique en bois peint, portant la date de 1712, se dressait contre un mur. Une pièce de musée. Hammerschlag, qui avait suivi le regard de Leo, se ramassa sur lui-même, prêt à bondir.

– N'y touchez pas ! dit-il d'une voix tremblante. Je vous jure bien que si vous l'effleurez même du bout des doigts, je vous tue ! Tôt ou tard. C'est un héritage du côté de ma mère... Cette armoire m'est sacrée...

– Y enfermez-vous vos livres de comptes falsifiés ?

– Je... je l'ai héritée de ma mère...

– Mon Dieu, mais voilà que vous avez un cœur, Hammerschlag ! (Leo détourna son regard de la jolie armoire pour le porter sur Hammerschlag.) Moi aussi, j'ai eu une mère que j'aimais par-dessus tout. Elle est morte beaucoup trop tôt, hélas ! Depuis lors, je démolis le crâne de quiconque insulte une mère. Je ne toucherai pas à votre armoire, Hammerschlag.

– Merci. (Hammerschlag laissa tomber le pied de chaise et jeta un bref coup d'œil sur Leo avant de détourner le regard.) Si vous saviez combien j'étais attaché à ma mère...

– En ce domaine, nous pourrions être frères.

– Je vous écoute. (Hammerschlag retourna derrière son bureau et s'appuya contre le mur. Il ferma les yeux.) On peut tout de même discuter avec moi, que diable...

– Le bois pour l'église est un don en nature du domaine du baron.

– D'accord.

– Le pavillon forestier sera remis en l'état.

– Je vais faire estimer les travaux.

– Calculez large, comme pour les bijoux d'Irmingard Stangenhalter.

Hammerschlag tressaillit mais garda les paupières closes.

— Ensuite ?

— Nous parlerons plus tard de la modernisation de la briqueterie. Je vous soumettrai des plans précis.

Leo serra les épaules. Il faisait froid dans la pièce. Hammerschlag était gelé, lui aussi.

— Quel était le prénom de votre mère ?

Hammerschlag ouvrit les yeux sur un regard légèrement voilé.

— Emma. Et la vôtre ?

— Emma.

— Mon Dieu ! Avez-vous un portrait d'elle ?

— Un daguerréotype presque effacé.

— Je possède un dessin à la craie de la mienne. (Hammerschlag se détacha du mur.) Viendrez-vous me rendre visite, Kochlowsky ? Avec sa photographie. Je vous montrerai le portrait. Les deux mères prénommées Emma... C'est complet !

— Quand ?

— Samedi. Avec votre femme, d'accord ?

— Entendu. Pour le dîner ?

— J'en serai heureux.

Leo opina et quitta la trésorerie sans ajouter un mot.

Le soir, il dit à Sophie :

— C'est la guerre, et non une simple bataille, que j'ai remportée aujourd'hui...

Et comme il ne s'expliquait pas davantage, Sophie ne lui posa pas plus de questions. Elle finirait bien par apprendre en ville le fin mot de l'histoire.

25

De fait, le dîner chez Willibald Hammerschlag faisait jaser dans les chaumières. Tout se sait dans une si petite ville. Qu'un couple comme les Kochlowsky fût reçu par le redouté Hammerschlag, voilà un événement dont la portée dépassait de simples agapes.

Leo prépara la soirée avec soin. Laissant Sophie se faire laver et boucler les cheveux par une coiffeuse du village qu'avait conduite le vieux Fritz Blohme – de jolies boucles délicates qui retombaient sur ses épaules et lui donnaient l'allure d'un ange de Botticelli –, Leo chercha la photographie de sa mère et, après avoir émis force jurons retentissants à propos du désordre de la maison, finit par la dénicher au grenier dans une caisse de déménagement où l'on conservait des babioles.

– Ma mère, une babiole ? rugit-il par toute la maison, effrayant à ce point la coiffeuse qu'elle en laissa choir son fer à friser, qui fit un trou dans le tapis.

Leo lui cria qu'elle était une souillon, ce qui la fit pleurer. Sophie tenta en vint de la réconforter.

– Votre mari me fait peur, bégaya la coiffeuse, qui se ratatinait à chaque apparition de Leo. Et sa voix… de quoi avoir une crise cardiaque !

Leo surgit dans la chambre au moment où elle reposait son fer. Il était vêtu de son meilleur costume, une redingote due au talent de Moshe Abramski. La femme le fixa, les yeux écarquillés.

Leo s'assit et posa une serviette sur ses épaules.

– Rafraîchis-moi la nuque, souillon !

La coiffeuse s'appuya au mur. Ses jambes se

dérobaient et son cœur, en effet, avait cessé de battre.

— Je... je ne puis... balbutia-t-elle.

— Une coiffeuse ? Et qui ne sait pas couper les cheveux ? gronda Leo.

— Les cheveux des dames...

— Un cheveu est un cheveu, de la même façon que de la merde est de la merde quand on marche dedans ! Compris ?

— Non...

— Égaliser, rien de plus ! Tant de stupidité... c'est inimaginable !

Leo eut les cheveux égaux dans sa nuque, une barbe — sa fierté — rafraîchie. Pas un poil ne dépassait. Lorsqu'il se regarda dans le miroir, il émit un grognement de satisfaction et donna un mark à la coiffeuse, puis se fit brosser sa redingote.

Willibald Hammerschlag adopta une tenue plus rustique. Il reçut les Kochlowsky en veste d'intérieur en tricot, en pantalon brun et pantoufles de cuir.

— Avez-vous des projets pour la fin de la soirée ? demanda-t-il lorsqu'il vit Leo descendre de voiture.

Sophie, dans son tailleur bordé de fourrure, était d'une beauté à couper le souffle. Le vêtement lui allait encore et dissimulait sa grossesse.

— Comment ça ? rétorqua Leo.

— Vous êtes d'un tel chic...

— Je voulais rendre à votre mère l'honneur qui lui est dû.

Hammerschlag se sentit tout ensemble ému et confus. Il conduisit Sophie dans la maison, se demandant s'il devait se changer en vitesse. Il décida de rester tel qu'il était. Kochlowsky, dans sa redingote, depuis sa raie impeccable jusqu'à ses bottines vernies, avait l'allure d'un homme du monde, mais Hammerschlag, lui aussi, tenait une surprise en réserve qui rétablirait l'équilibre.

L'appartement, spacieux, était aménagé avec goût; les poêles de faïence, ornés de leurs superbes carreaux peints, dispensaient une chaleur bienfaisante. Une jeune servante fit une profonde révérence, prit le chapeau et la canne à pommeau d'argent de Leo, suspendit sa pelisse au portemanteau et disparut dans la cuisine. Un beau brin de fille – Leo avait l'œil ! Il adressa un clin d'œil à Hammerschlag; quand on emploie une telle fille dans son ménage, ce n'est pas uniquement pour frotter ses parquets. À Pless..

– Bienvenue dans ma demeure ! dit Hammerschlag, qui baisa la main à Sophie, en cavalier accompli. N'oubliez pas que je suis célibataire et qu'aux yeux d'une femme il y aurait peut-être des tas de choses à changer. Mais je jugerais honteux de me marier – je me connais ! Je m'étonne d'autant plus, jolie madame, que vous supportiez de demeurer avec cette tête de granit...

– Si la conversation doit se poursuivre sur ce ton, je crache par terre et je m'en vais ! gronda Leo.

– Enfin, Leo...

Sophie regarda Leo avec des yeux étincelants.

– Laissez-le. (Hammerschlag balaya Leo du geste.) Je me suis laissé bluffer un instant par sa redingote et ses bottines vernies, mais le voilà qui parle de cracher par terre ! Eh bien, je suis rassuré. Je me disais, plein d'effroi, qu'il avait changé de caractère en même temps que de vêtements. Un porto ?

– Il fait un froid de canard. (Leo se frotta les mains.) Je préférerais un vin chaud. Mais vous n'en avez pas, je gage.

– Détrompez-vous. (Hammerschlag sourit jusqu'aux oreilles.) J'ai de tout. Vous voulez avoir un grog, un punch, un cognac... Et si vous êtes gelé, vous pouvez aller vous coucher avec Mathilde. C'cst le nom de la petite...

– Malotru ! dit Leo d'une voix forte. En présence de ma femme, je m'interdis semblables obscénités. Mon trésor, partons... ça sent la porcherie, ici.

Hammerschlag éclata de rire, ouvrit la porte du salon et fit une petite courbette.

– Entrez, je vous prie. « Mon trésor », le terme est pertinent. Vous êtes une femme inestimable, madame Kochlowsky.

Dans la grande pièce, un laquais se tenait en faction. Il avait passé une sorte de livrée et on voyait à quel point il s'y sentait mal à l'aise. C'était la première surprise de Hammerschlag.

Le laquais malgré lui semblait avoir épié la conversation; sur un plateau d'argent, il avait disposé trois verres – un de porto, un de cognac et un d'un vin chaud et odorant.

Leo se servit sans souffler mot. Ainsi, c'était vrai, ce qu'on disait à Herzogswalde : sans Hammerschlag, il ne s'y passerait rien. Tout, aussi loin que portait le regard, appartenait certes au baron von Finck, mais le véritable maître était Hammerschlag. Nul ne le contredisait, sa parole seule comptait.

Comme nous nous ressemblons ! songea Leo. Et il se sentit submergé par l'envie.

Après l'apéritif, qui les avait réchauffés, Hammerschlag fit visiter sa maison à ses hôtes. Il s'arrêta soudain devant la porte de sa chambre et regarda Leo, la mine solennelle.

– Où est votre mère ? demanda-t-il avec difficulté.

– Ici.

Leo fouilla dans sa poche de poitrine et en tira un vieux daguerréotype fané. Il le mit sous les yeux de Hammerschlag. Celui-ci se pencha et examina la photographie avec la plus grande attention.

– Voilà donc Emma, dit-il. La ressemblance entre vous est à s'y méprendre. (Hammerschlag ouvrit la porte de sa chambre. En face de son lit, était suspendu dans un cadre le portrait à la craie de sa mère. De son lit, Hammerschlag l'avait toujours sous les yeux.) Voici mon Emma...

Leo se raidit, pénétra dans la chambre et s'avança jusque sous le portrait. Il trouva que cette Emma-là ne ressemblait pas du tout à la sienne, mais il réprima la remarque par politesse. Il claqua les talons et fit une petite révérence.

L'émotion s'empara de Hammerschlag. Il eut l'impression d'avoir les yeux mouillés. Il toussota, refoula son émotion et dit d'une voix cassante mais frêle :

— Nos mères... si elles pouvaient nous voir, à présent !

— La vôtre vous donnerait quelques gifles tous les jours.

— Et il y a belle lurette que la vôtre vous aurait empoisonné. (Hammerschlag fourra ses mains dans ses poches.) Passons à table. Le dîner nous attend.

Leo se détourna du portrait de l'Emma de Hammerschlag. Que cette femme pût avoir une quelconque ressemblance avec sa mère était presque vexant. Emma Kochlowsky était une femme svelte et élancée, le cheveu et la prunelle noir de jais; Leo en avait hérité. Et là, sur ce dessin à la craie, une femme plantureuse le regardait, un sourire niais aux lèvres, ainsi que le qualifia Leo dans son for intérieur. Ces deux femmes n'avaient qu'un point commun : elles avaient l'une et l'autre enfanté des rustres.

— Le dîner ! Que voilà un excellent mot ! dit Leo. Hammerschlag, vous vous aventurez là sur de la glace peu solide. Savez-vous que ma femme était cuisinière du prince de Pless ? Ses plats sont des œuvres d'art. Elle a appris le métier chez la princesse von Schaumburg-Lippe.

— Je l'ai entendu dire.

— Bismarck, un jour, s'est écrié : « C'était le meilleur potage aux pois de ma vie ! »

— Aux lentilles, le corrigea Sophie avec un sourire.

— Vous m'entendez ? Un potage aux lentilles ! Des milliers de femmes font du potage aux lentilles, mais une seule sait le faire au point que Bismarck s'écrie...

— « Ah, si j'avais mangé chez Hammerschlag ! »

— Cuistre ! Qu'est-ce qui mijote, dans vos casseroles ?

— Laissez-moi vous en réserver la surprise. Les yeux vont vous en sortir de la tête et vos papilles frémir de contentement.

Le laquais en livrée et la servante Mathilde firent le service. Un potage, pour commencer, dont Leo huma le fumet avant de jeter un coup d'œil étonné à Hammerschlag.

— Mais c'est une soupe au vin ! Aux aromates et à la crème aigre...

— À la polonaise, parfaitement, opina Hammerschlag. Bon appétit !

La soupe était un délice, mais Leo s'efforça de trouver matière à critique.

— Elle manque un peu de citron, dit-il. Et de cannelle. Sinon, elle est mangeable.

— Je suis rassuré !

Hammerschlag offrit du vin blanc. Allait-on manger du poisson ? Empli d'une joie anticipée, Leo se carra contre le dossier de sa chaise. Avec un poisson, on pouvait toujours râler. Est-il cuit au four ? On le trouve trop pâle... ou trop foncé. Au court-bouillon ? Trop sec... ou en bouillie... ou pas assez cuit... Quand on veut, un poisson n'est jamais bien accommodé.

Mais on ne servit pas de poisson. Ce que Mathilde apporta sur son plateau avait, dès la porte, si appétissant fumet que Leo en tressaillit.

— Qu'est-ce que c'est ? s'étonna-t-il lorsqu'il eut le plateau sous le nez. Non, ce n'est pas possible.

— Mais si, étonnez-vous ! En votre honneur, un authentique zwazig zarschwinga...

– Zrazy zawijane… vous n'êtes même pas fichu de le prononcer correctement !

Le zrazy zawijane est une roulade de bœuf polonaise tout à fait particulière. Dans chaque famille, la recette s'en transmet de génération en génération. Et, fût-ce pour tout l'or du monde, aucune cuisinière digne de ce nom ne livrerait son secret, notamment pour la préparation de la farce. La roulade de Hammerschlag était en outre enveloppée de tranches de lard et garnie de céleri coupé en lanières.

– Aux champignons, annonça fièrement l'amphitryon. Telle qu'on la mange à Pless.

– Vous me faites honte ! (Leo coupa sa roulade, en prit une bouchée et jeta un regard de côté à sa femme.) Remarquable ! Qu'en dis-tu, Sophie ?

– M. Hammerschlag a parfaitement réussi sa surprise… (Sophie prit une pleine fourchette qu'elle laissa fondre en bouche.) Comme chez nous… Je ne pourrais faire mieux, Leo.

– Pas trop de politesses, mon trésor ! Tes roulades sont autrement meilleures ! Plus relevées, plus juteuses… (Leo regarda Hammerschlag qui affichait un sourire impertinent.) Qui vous a confectionné ce dîner ?

– Une cuisinière émérite. Herzogswalde n'est pas un trou perdu.

– Quoi qu'il en soit, ça se laisse manger. (Leo dévora trois roulades, but une bouteille de vin et resta sans voix devant le baba au safran qu'on servit en dessert. Il n'y avait vraiment rien à redire, mais le cigare offert en même temps lui permit de déclarer :) Vous devriez botter les fesses de votre marchand de tabac, Hammerschlag. C'est du foin roulé. De quoi attraper une maladie pulmonaire !

Ce qui ne l'empêcha pas d'en fumer deux et de boire un cognac. Après quoi il fut d'humeur loquace et évoqua Pless, donnant de plus en plus

fréquemment du « mon cher ami » à Hammerschlag.

Il était fort tard lorsque Hammerschlag fit reconduire les Kochlowsky chez eux dans une voiture
de la trésorerie chauffée par des briques brûlantes.
Tandis que Leo appuyait sa tête lourde au dossier,
Hammerschlag embrassa une fois encore Sophie
sur le pas de la porte.

— Il ne s'est rendu compte de rien, dit-elle
gaiement.

— Et je vous en vouerai une reconnaissance
éternelle. (Hammerschlag lui baisa la main.) Mais
j'ai tremblé à l'idée que ma cuisinière puisse gâter
en les réchauffant les mets que vous m'aviez
envoyés. Ç'a été un succès, non ? Mon Dieu, il
a dû se donner un mal de chien pour trouver
quelque chose à critiquer !

— Il ne devra jamais l'apprendre, monsieur
Hammerschlag.

— Parole d'honneur ! C'est un secret entre vous
et moi. Sophie, je vous admire. Que j'envie Leo
d'avoir une femme comme vous...

Sur le chemin cahoteux du retour, par les chemins verglacés, Leo demanda, assez las :

— Que penses-tu de Hammerschlag, mon trésor ?

— C'est un homme intelligent, Leo. Vous
devriez devenir amis.

— Jamais ! Il prétend que sa mère ressemble à
la mienne. Quelle insolence ! Ma mère était unique.

Il posa la tête sur l'épaule de Sophie et s'endor-
mit. Il alla ensuite se coucher dans un demi-som-
meil.

Le deuxième enfant vint au monde — encore
une fille. Sophie voulut qu'on la prénommât
Jenny.

— C'est le nom de l'héroïne d'un roman de ton

frère, dit-elle pour défendre son choix. Tu ne l'as pas lu ?

— Je ne lis jamais les inepties que pond Eugen. Ce ne sont pourtant pas les noms qui manquent, sacrebleu !

— Dans le roman, Jenny était une si jolie jeune fille... Et elle devait faire face à tant de coups du sort... Notre enfant se prénommera Jenny.

Et on en resta là.

De même que pour le baptême de Wanda, un cortège d'amis vint du lointain Pless. Wanda Lubkenski, épouse Reichert, avait encore engraissé. Son mari, Jakob, avait une jambe plus courte que l'autre à la suite d'une ruade reçue d'un cheval et ne se déplaçait plus qu'avec une canne. Ewald Wuttke souffrait de varices. Louis Landauer ne vint pas; il exposait ses tableaux à Berlin. Eugen arriva, véritable Zeus olympien, gras et vaniteux, gâté par le succès et exploité par une maîtresse – ce qu'il ne remarquait pas. Il avait les moyens de s'habiller à la dernière mode anglaise et apportait ses deux derniers romans.

— Vous avez appelé votre deuxième fille Jenny ! s'exclama-t-il, débordant d'enthousiasme. (Il pressa Sophie contre son énorme ventre.) D'après le nom de mon héroïne ! Il va sans dire que je serai aussi son parrain. Honneur oblige !

En regard du baptême bruyant de Wurzen, ce fut un baptême très tranquille.

— Le moindre pet, avait menacé Leo, et je ne vous connais plus. Je me sens très bien ici et j'entends y demeurer.

L'émoi, le sensationnel ne furent dus qu'à un fait incompréhensible : Willibald Hammerschlag était parrain, lui aussi. La grande guerre désirée avortait; par contre, les habitants de Herzogswalde commençaient à se rendre compte que leur existence était désormais régie par deux brutes.

La maison des Kochlowsky était assez spacieuse

pour accueillir tous les visiteurs. Il y eut des retrouvailles bruyantes entre Jacky et César. Le doberman était devenu aussi obèse et paresseux que son maître Eugen et, chose rare chez un chien, rotait à la fin de ses repas. La première fois qu'il l'entendit, Leo sursauta sur sa chaise et jeta un regard mauvais à son frère. Eugen se contenta de désigner le chien de sa cuiller et dit : « Brave César ! Il apprécie. »

Le lendemain du baptême, Eugen mit à profit l'occasion de se retrouver seul avec Leo à l'écurie pour lui parler entre quatre yeux. Il s'assit sur un tabouret avec force gémissements et regarda Leo emplir la mangeoire d'avoine et de mélasse.

— Remue tes grosses fesses ! dit Leo. Prends la fourche et aide-moi à sortir le fumier.

— Je suis un poète, rétorqua Eugen, très digne. Je ne sors pas le fumier, mais je puis écrire là-dessus des milliers de pages. Toi non. À chacun son métier.

— Alors, fiche-moi le camp ! Je ne supporte pas qu'on me regarde quand je travaille.

Eugen ne bougea pas et souffla bruyamment par le nez.

— Tu t'es lié avec ce Hammerschlag ?

Leo se tourna vers lui, irrité.

— Qu'est-ce que ça veut dire, lié avec lui ?

— Un parrain est une personne proche de la famille. Et d'après toi, Hammerschlag est un ami ?

— Oui.

— Eh bien, tu te trompes, pour une fois, mon cher frère. Peut-être ne suis-je à tes yeux qu'un crétin de poète, mais mon métier fait que j'observe la psychologie de mes semblables. Hammerschlag est un vaurien.

— Là-dessus, nous sommes d'accord, mon frère.

— C'est un pauvre type.

— Explique-moi ça.

— Qui a le plus à gagner, dans cette *amitié* ? Toi ou Hammerschlag ?

– Je ne comprends pas ta question.

– Il se sert de toi, Leo. Tu as une grande gueule, ça oui, mais tout le monde sait que tu as un cœur de midinette. Et le fait n'a pas échappé à Hammerschlag. Je me demande seulement comment.

– À cause d'Emma.

Leo sortit de la stalle et s'appuya à la mangeoire.

– Qui est Emma ?

– Notre mère, crétin !

– Qu'a Hammerschlag à voir avec notre mère ?

– Sa mère aussi s'appelle Emma.

– Et vous avez pleuré de conserve ! Une chance que Hammerschlag boive comme un trou à l'occasion. Sous l'effet de l'ivresse, il a dit à l'auberge : « Ce Kochlowsky me mange à présent dans la main. » Sont-ce là les paroles d'un ami ?

– D'où le tiens-tu ? (Leo redressa le menton, sa barbe s'ébouriffa. Prudence !) Où as-tu entendu dire ça, pisseur d'encre ?

– Au village. Partout.

– Me dis-tu la vérité ?

– Je veux bien perdre sur-le-champ quarante livres de graisse si je mens !

– Eugen ! (Leo respira à pleins poumons.) Tu mesures la portée de tes paroles, j'espère ?

– Je suis ton frère, Leo, je ne désire que ton bien. Hammerschlag t'a trompé avec un grand art. Je doute même que sa mère s'appelle Emma…

– Il a prononcé le nom avant de savoir que notre mère, elle aussi…

– Rien n'interdit de prendre des renseignements avant.

– Auprès de qui, sapristi ? (Leo fixa Eugen et chercha à reprendre souffle.) Sophie… murmura-t-il.

– Par exemple.

– Si tel est le cas, Eugen…

Leo posa ses mains sur sa barbe. Il le faisait toujours dans les grands moments, comme pour puiser des forces dans ce geste.

– Questionne-la. À son insu, elle peut avoir bavardé et mentionné le nom d'Emma. En rapport avec Wanda, sans doute. Et Hammerschlag, faisant feu de tout bois, a débaptisé sa mère à la hâte. Il a deviné ton point faible. La plupart des hommes fondent comme de la cire quand on leur parle de leur mère. Et ainsi, telle la feuille de tilleul sur l'épaule de Siegfried...

– Ta gueule ! cria soudain Leo. Je vais montrer à Hammerschlag qui mange dans la main de qui...

Le soir au lit, Leo feuilletait l'un des derniers livres d'Eugen à la lumière d'une lampe à gaz. L'air de rien, il demanda à Sophie :

– As-tu souvent reçu la visite de Hammerschlag ?

– Non, il est venu trois fois. Il m'a saluée en passant.

– Vous avez parlé de Pless ?

– Oui.

– Et de ma mère ?

– Oui. Il voulait savoir d'où venaient les prénoms Wanda Eugenie Emma. À sa dernière visite, il a apporté une tablette de chocolat à Wanda. Est-ce grave ? (Sophie se redressa et regarda Leo.) Serais-tu encore jaloux, Leo ? Et de Hammerschlag, qui plus est ?

– Mais non, mon trésor. (Leo lui caressa les épaules. Sa fragilité le frappait, tout à coup. Même le deuxième enfant n'avait pu entamer son aspect virginal.) Pas de problèmes. Pourquoi devrait-on cacher l'origine des prénoms de notre enfant ?

Il fallut une bonne semaine à Leo pour régler l'« affaire Emma ». Il attendit le départ de ses invités de Pless, conduisit le lendemain Eugen à la gare – il allait à Dresde – et ne répondit mot lorsque son frère lui dit :

– Promets-moi, Leo, de ne pas lui fracasser le crâne. Pense à Sophie, à Wanda et à Jenny. Tu peux passer tes vieux jours à Herzogswalde. Tu sais à présent quel scélérat est Hammerschlag. Tiens-le-toi pour dit, mais ne lui fracasse pas le crâne. Je te fais confiance... tu sauras lui mener la vie dure.

— Pou adipeux ! fit Leo, méprisant. Garde mon adresse sur toi pour que je sois prévenu quand tu éclateras. Comment ton cœur peut-il supporter tant de graisse ?

— Parce que c'est un cœur Kochlowsky, il lui en faut plus que ça ! Mon petit frère, laisse tomber avec Hammerschlag. Cela vaudrait mieux.

Désormais, tous les visiteurs étaient partis. Le train-train reprit. La nouvelle bonne, recommandée par Hammerschlag, prit son service. Leo l'eût renvoyée sur-le-champ si elle n'avait pas été si jolie avec ses yeux noisette, si gaie avec ses vingt printemps...

Au jour qu'il s'était fixé, Leo alla acheter une grosse tablette de chocolat chez l'épicier de Herzogswalde. Le double de la tablette que Hammerschlag avait offerte à Wanda. Il se rendit ensuite à la trésorerie.

Hammerschlag était absent. Mathilde lui apprit que M. le trésorier rentrerait dans une heure. Leo enjoignit à la servante de disparaître et sortit le chocolat de son emballage. Il cassa la plaque en carrés, la reconstitua, puis il alla prendre une bouteille d'eau-de-vie dans le buffet et en but une gorgée. Il entama son guet avec la patience d'un chasseur.

Hammerschlag rentra, de fort belle humeur. Lors de son inspection de l'élevage des bovins, il avait constaté la disparition de deux peaux de veau. Chacun niait les avoir volées. Belle occasion pour Hammerschlag de démontrer une nouvelle fois sa toute-puissance. Il avait supprimé à tous la fourniture gratuite de lait et le droit de baratter une fois par mois.

— Ah, vous êtes passé me rendre visite ! s'exclama Hammerschlag à la vue de Leo assis au salon. Et vous ne m'avez pas attendu pour boire un coup, à ce que je vois. Vous avez bien fait, Leo. Faites comme chez vous.

– Aimez-vous le chocolat, Willibald ?

– De temps en temps, quand l'envie m'en prend. Mais pour l'heure, j'ai plutôt envie d'un bon schnaps.

– Vous allez manger du chocolat...

– Pas maintenant.

– Dans quelques instants...

– Qu'est-ce qui vous prend, Leo ? (Hammerschlag s'avança et aperçut sur la table la grande plaque de chocolat.) Vous m'en avez apporté ? Dans ce cas, je ne voudrais pas gâcher votre plaisir.

– Vous en avez apporté une tablette à Wanda.

– Oui. C'est une mignonne petite. Très éveillée pour son âge.

– Il est vrai, également, que vous avez appris tous ses prénoms de baptême : Wanda Eugenie Emma.

– Que signifie, Leo ?

Hammerschlag, perplexe, leva ses épaules massives.

– Je vous rapporte le chocolat, le double, à cause des intérêts. Je ne veux pas de votre chocolat.

– Mais que racontez-vous là, Leo ?

– Comment s'appelle votre mère, en réalité ?

Hammerschlag se rendit compte d'un coup qu'il se trouvait en mauvaise posture. Il se carra fermement, jambes écartées, image de la force et de la solidité.

– Emma, dit-il d'une voix forte.

– Vous mentez !

Leo se leva de son siège. Hammerschlag rentra encore la tête dans ses larges épaules. Ses pupilles s'étrécirent.

– Leo, ne faites pas de bêtises. Et ravalez vos paroles...

– Certes non ! Vous mentez. (La voix de Leo s'enfla de volume jusqu'à interdire toute riposte.) Comment s'appelle votre mère ?

– *Emma,* triple buse ! rugit Hammerschlag en réponse.

Tout, alors, se précipita, prenant Hammerschlag de court. D'une prise à la nuque, Leo força son adversaire à s'agenouiller. Hammerschlag, à bout de souffle, bouche grande ouverte, s'agenouilla près de la table. Il voulut lever un bras; Leo accentua sa pression mortelle.

– C'est ainsi, dit Leo d'une voix rauque, qu'on se défend chez nous contre les loups quand on n'a rien d'autre sous la main. J'ai ouï-dire à Herzogswalde que j'étais capable de vous manger dans la main. Je n'ai encore jamais essayé, mais j'aimerais voir si c'est possible. (Il attrapa une poignée de carrés de chocolat et les plaça devant la bouche de Hammerschlag.) Bouffe...

Les yeux de Hammerschlag s'exorbitèrent. Il essaya de se libérer de la terrible étreinte mais les doigts de Leo étaient semblables à des crampons d'acier.

– Bouffe ! Aujourd'hui, c'est *mon* jour de chocolat. (Leo appliqua sa main contre la bouche de Hammerschlag; celui-ci, pour ne pas s'étouffer, ouvrit la bouche et avala les carrés amollis, puis les recracha.) Ce n'est pas grave, dit Leo d'une voix calme.

De sa main poisseuse de chocolat, il frotta le visage de Hammerschlag, le barbouillant de taches marron et collantes. Il relâcha son étreinte et recula.

Poussant des gémissements, Hammerschlag demeura à genoux, la respiration sifflante.

Leo s'essuya les mains avec un coin de la nappe.

– Nous sommes seuls, Hammerschlag, sans témoins. Je puis tout nier. Mais retenez bien ceci : on ne trompe pas un Leo Kochlowsky. Comment s'appelait votre mère ?

— Emma... râla Hammerschlag. Allez dans ma chambre... vous y trouverez son acte de mariage sur l'autre mur.

Leo, perplexe, fixa un Hammerschlag agenouillé et maculé de chocolat, puis courut dans la chambre. Il aperçut l'acte de mariage encadré et y lut que l'honorable Emma Schulthe avait épousé le commerçant Franz Hammerschlag.

À pas lents, il revint au salon. Hammerschlag, assis sur une chaise, les yeux vitreux, tremblait de tous ses membres.

Leo s'immobilisa devant lui, claqua les talons et s'inclina légèrement.

— Je vous demande pardon, dit-il d'une voix rauque. Je me tiens à votre disposition pour réparer...

— Fichez le camp ! rugit Hammerschlag, détournant la tête. Allez-vous-en. Je ne veux plus jamais vous voir...

Et, de fait, les deux hommes ne se revirent pas de cinq ans.

26

Au cours des cinq années qui suivirent, le monde se transforma.

Dans le même temps, Leo fit de la briqueterie une fabrique ultramoderne et doubla le chiffre d'affaires.

Durant ces cinq ans, en revanche, le baron von Finck ne parvint pas à rester plus de trois minutes dix-neuf secondes sur le dos de Reckhardt – Leo, à chaque fois, le vérifia, montre en main.

— Pourquoi ne m'aime-t-il pas ? demanda un jour le baron. Ce n'est pas là comportement d'un cheval normal. Au bout de cinq ans !

— C'est une bête intelligente, monsieur le baron.

– Comment dois-je l'entendre ?

– Je lui ai dit qu'il irait chez l'équarrisseur et servirait à fabriquer du savon s'il se laissait monter par vous. Il en a pris bonne note.

– C'est inouï ! Depuis des années, vous sabotez un de mes plus grands souhaits.

– Reckhardt est, après ma femme et mes enfants, le seul être qui ne me trahira jamais. Il fait partie de mon petit univers personnel. S'il obéissait à un autre, un fragment de cet univers se briserait. Comprenez-vous, monsieur le baron ?

– Non. Un cheval est un animal. C'est de l'anthropomorphisme.

– Un animal est mille fois plus honnête, plus fidèle qu'un homme. Quand je vois comment la plupart des gens traitent leur chien... Ils lui jettent la nourriture et lui flanquent des coups de pied... J'aimerais leur rendre la pareille !

– Vous n'en êtes pas loin, rétorqua sèchement le baron. Comment cela se passe-t-il, avec Hammerschlag ?

– Nous correspondons par messager, et il ne vient à la briqueterie que lorsque je n'y suis pas. Tout marche à merveille, c'est l'essentiel. Votre briqueterie compte désormais parmi les entreprises les plus modernes de Saxe.

– C'est une réussite, en effet, mais au fond, elle m'indiffère.

– Je sais. Parce que vous êtes riche.

Leo saisit Reckhardt par le mors et lui embrassa les naseaux. Le baron contempla la scène, la mine renfrognée.

– Je me demande, fit-il, sarcastique, comment, avec un tel amour pour cet animal, vous avez réussi à engendrer quatre enfants. Considéreriez-vous votre femme comme une jument ?

Leo lâcha Reckhardt et pivota avec lenteur vers le baron.

– Tout baron que vous soyez, ainsi que mon employeur, répondit-il d'une voix dont la douceur était menace, rien ne m'empêchera de vous mettre mon poing dans la figure.

– C'est assez pour vous donner votre congé.

– J'en prends note.

Leo quitta le baron et mena Reckhardt à l'écurie. L'altercation n'avait rien de nouveau, elle s'était si souvent répétée au cours des années écoulées que Kochlowsky ne comptait plus le nombre de fois où il avait été congédié. En général, un messager du baron apparaissait le soir, porteur d'un billet gribouillé : « Restez, tête de mule ! » Leo faisait une boule du billet déchiré et la lançait à Jacky pour qu'il jouât avec.

Cette fois, c'était différent. Après avoir respiré à fond, le baron cria :

– Restez, ours mal léché ! Dimanche prochain le comte Douglas vient nous rendre visite.

Leo s'immobilisa à l'entrée de l'écurie ct regarda le baron par-dessus son épaule.

– M. le comte ? Dommage, j'aurais aimé le saluer.

– Vous le saluerez, justement ! Et vous lui montrerez notre nouvelle briqueterie. Douglas est dans le pétrin avec ses Poteries de Lübschütz. Depuis un an... Il commence à se rendre compte qu'on construit de plus en plus en béton. Et nous, pourquoi n'avons-nous pas ce problème ?

– Parce que vous ne vous préoccupez de rien, monsieur le baron.

– Encore une insolence !

– Lcs briques ne représentent plus que la moitié de notre production. L'essentiel de notre chiffre d'affaires vient des dalles vernissées et des porcelaines décoratives. Nous ne faisons pas de béton, mais nous habillons les murs en béton. Vous n'avez bien sûr rien remarqué de cette restructuration... mais vous connaissez tous les cerfs de .vos forêts.

– Vous êtes vraiment un génie, Kochlowsky. (L'irritation du baron tomba.) Quelle partie de mon revenu dépend de la briqueterie ?

– Plus de soixante pour cent, je pense. Si vous voulez le savoir avec précision, demandez à Hammerschlag.

– Et qu'en dit Hammerschlag ?

– À moi rien. Mais depuis trois ans, il tâche de remplacer l'agriculture par l'arboriculture. Il prévoit même une distillerie d'alcool de fruits...

– L'idée me paraît bonne.

– Il se fourre le doigt dans l'œil, oui ! Nous sommes trop dépendants des conditions climatiques. Moi, je ferais autrement.

– Évidemment ! Un Kochlowsky ne fait jamais comme tout le monde. Sauf aux chiottes.

Leo libéra Reckhardt et lui donna une petite tape sur la croupe. Le cheval regagna tout seul sa stalle. Leo fit quelques pas en direction du baron.

– Eh bien, je vois que nous sommes au diapason pour entamer une discussion !

– Après cinq années passées avec vous, je me suis adapté à votre style. Que feriez-vous à la place de Hammerschlag ?

– De l'élevage. Demain, les gens consommeront plus de viande et de produits laitiers. Le prix des peaux et du cuir va monter, lui aussi. La consommation augmente avec le développement de l'industrie autour des villes. Nos habitudes de vie se modifient. Ce n'est plus le paysan qui joue un rôle de premier plan, mais l'ouvrier. Toutefois, pour que l'ouvrier ait la force d'accomplir son rude labeur, il faut que le paysan y pourvoie. Monsieur le baron, à votre place, je reconvertirais en élevage. Un bœuf rapporte plus qu'une charrette de blé.

– Je vais en toucher deux mots à Hammerschlag. Parfaitement !

– Il va vous faire grise mine, monsieur le baron. (Leo eut un rire sombre.) Et ne dites surtout pas que l'idée vient de moi. Hammerschlag ensemen-

266

cerait les champs de pierres plutôt que d'accepter un conseil de moi.

Ainsi allaient les choses à Herzogswalde en cette année 1896. Wanda avait sept ans et fréquentait l'école. C'était une enfant menue, qui avait hérité du corps délicat de sa mère et des cheveux ainsi que des yeux noirs de son père. Elle avait beaucoup du caractère paternel. Elle était capable de pleurer de colère ou de traiter ses amies de nigaudes. Elle préférait jouer avec les garçons, grimpait aux arbres avec eux, débuchait les lièvres, se baignait dans les étangs et attrapait les truites à la main dans les ruisseaux.

Leo était fier de sa fille. En dépit des protestations de Sophie, il l'appelait « mon garçon » et, après la naissance de Jenny, cette tendance se renforça. Il emmenait la fillette à des apéritifs matinaux à Herzogswalde, où elle s'asseyait sur un banc de bois près de l'instituteur, du pasteur, du forgeron, de l'apothicaire et du peintre, buvait une bière au malt et écoutait son père émettre des opinions qui différaient toujours de celles de la tablée. Et son père avait toujours raison – l'idée était bien ancrée dans son petit crâne. En général, Jacky était de la partie. Et quand, par un beau dimanche ensoleillé, ils rentraient chez eux, à travers le splendide paysage, le chien en tête, Wanda au milieu, toujours en mouvement, et Leo fermant la marche, c'était là l'image de la bourgeoisie satisfaite.

Wanda était aussi la seule personne à pouvoir rester en selle sur Reckhardt. La première fois – elle avait cinq ans, à l'époque –, le cheval l'avait flairée et, après que Leo l'eut juchée sur la selle, était resté de pierre, agitant juste les oreilles. Puis, tenu en bride par son maître, il avait fait quelques tours devant l'écurie, piaffant quand Wanda criait de joie.

Pourtant, les choses changèrent du jour au lendemain lorsque, en 1894, un garçon vint au monde.

La naissance avait été difficile, Sophie était restée plus de cinq heures dans les douleurs. Le vieux médecin de Herzogswalde ne cessait de répéter :

– Je n'y comprends rien ! De telles difficultés au troisième enfant ! Que faire ?

– Pas dans votre culotte ! avait rugi Leo. Mon vétérinaire de Pless était un as comparé à vous. Qu'avez-vous étudié, au juste ? Mettre les suppositoires dans les fesses, est-ce là tout ce que vous savez faire ?

À Herzogswalde, pareilles sorties n'agaçaient plus personne. On connaissait désormais Kochlowsky depuis plusieurs années et nul n'oubliait qu'il avait amené Hammerschlag à un semblant de raison. À l'inverse des habitants de Wurzen, la population de Herzogswalde avait eu tôt fait de s'apercevoir que Leo hurlait d'abord, mais que, dix minutes plus tard, on pouvait lui dire qu'on avait une grand-mère à l'agonie. Le lendemain, il rendait visite à l'aïeule, qui vivait un ultime moment d'honneur.

Lorsque le bébé naquit enfin – il s'appelait Leo, le choix du prénom n'avait pas donné lieu à discussion –, on crut Sophie mourante. Blanche comme un linge, exsangue, elle demeura immobile et le souffle faible plusieurs heures après l'accouchement. Leo, assis sur le bord du lit, lui tenait la main et versait des larmes silencieuses.

– Inutile de tempêter, avait dit le médecin lorsque Leo avait chassé la sage-femme de la chambre. Inscrivez plutôt dans votre tête en lettres de feu : *C'est le dernier enfant*. Trois enfants, c'est bien assez pour une femme fragile comme la vôtre. Vous m'entendez, Kochlowsky ? Terminé ! À la prochaine grossesse, je vous accuse de meurtre. À présent, vous l'avez, votre fils !

– Sophie... Sophie va-t-elle survivre ?

– Je l'ignore.

– Suis-je bête ! Pourquoi vous poser la question ? Vous ne savez rien.

— *Si* elle en réchappe, allez donc à la clinique de Dresde.

— Pour quoi faire ?

— Pour vous faire châtrer.

Kochlowsky avait soupiré, avalé une gorgée de bière et continué de fixer le vide.

— Je suis trop las pour vous mettre mon pied aux fesses. Profitez-en, docteur. Cela ne se reproduira pas de sitôt.

— Aurez-vous assez de force de caractère pour ne plus approcher votre femme ?

— Ce ne sont pas vos affaires, espèce de dégoûtant voyeur !

— S'il vous faut à tout prix une femme, allez de temps à autre à Dresde. Ce ne sont pas les maisons closes qui manquent, là-bas, pour satisfaire vos appétits.

— Espèce de porc ! avait grondé Leo d'une voix sans timbre. Un vieux pisseur, me conseiller d'aller voir des prostituées ! Bon Dieu ! Qu'est-ce qui me retient de vous lancer mon verre à la tête ?

— Parce que j'ai raison. Parce que vous savez très bien que vous cédez à vos impulsions plus souvent qu'à votre tour... dans votre commerce avec les hommes, au lit aussi, je suppose. Restez assis, Kochlowsky ! Vous appelez ça de la tendresse, mais c'est une tendresse meurtrière. Regardez votre femme... Et puis, vous avez enfin un fils. Si vous étiez un homme, vous iriez dans votre bûcher vous couper ce que je pense...

— Vous en seriez ravi, docteur ! Que faites-vous encore chez moi ? Votre présence est inutile. Je ne ferai plus jamais appel à vous, enfileur de suppositoires !

— Combien d'enfants illégitimes avez-vous laissés à Pless ?

— Aucun, à ma connaissance.

— Quel tour de magie avez-vous utilisé ?

— L'art d'aimer. (Leo s'était redressé.) Si vous

ne disparaissez pas à l'instant, docteur, je vous garantis que vous allez le regretter.

Ainsi était né Leo. Wanda, en sa qualité d'aînée, avait été chargée de s'occuper du nourrisson, de le promener dans le jardin, de jouer avec lui et de surveiller Jenny qui, du haut de ses trois ans, mettait un point d'honneur à échapper à sa sœur. Elle allait s'asseoir dans un coin du jardin et jouait avec ses poupées, les habillant, les déshabillant, les réunissant comme à l'école pour leur tenir des leçons de morale.

Wanda, qui avait rarement joué à la poupée, disait ensuite à sa mère :

– Cette dinde est encore en train de baigner ses poupées.

– Ne parle pas ainsi de ta sœur !

Sophie lançait un regard réprobateur à son aînée. Elle est le portrait craché de son père, pensait-elle. Les mêmes yeux, le même regard, les mêmes lèvres pincées, jusqu'à son port de tête, cette nuque raidie, droite... C'est une vraie Kochlowsky. Elle n'a rien de la famille Rinne de Bückeburg. Jenny, en revanche, est une fillette rêveuse, calme et patiente, mais rancunière. Et Leo, comment sera-t-il ? C'est un Rinne – visage arrondi, cheveux blonds, facile, dormant toute sa nuit... Cependant, la fois où Wanda lui a craché au visage parce qu'il trépignait dans son berceau, il a hurlé à pleins poumons une heure durant...

Ç'avait été aussi la première fois, dans ses sept années d'existence, que Leo avait placé Wanda en travers de ses genoux et que les coups avaient plu sur ses fesses nues. Il me bat, avait-elle pensé, il ne m'aime plus. Je ne suis plus « son garçon », il en a un vrai, à présent. Je ne suis plus qu'une fille. Et elle s'était prise de haine pour son petit frère Leo.

Peu avant Noël, Leo alla chercher son oie chez Ursprung. Au pavillon forestier, beaucoup de choses aussi avaient changé. Le misérable pavillon était devenu une entreprise modèle et Ursprung n'y comprenait plus rien. À chaque visite de Leo, il hochait la tête et l'emmenait voir les nouvelles acquisitions.

— C'est incroyable ! confia-t-il ce jour-là à son visiteur. Hammerschlag accepte tout. À peine ai-je formulé un souhait que m'arrive l'autorisation de le concrétiser. Il doit être gravement malade. On ne change pas ainsi... L'année prochaine, je vais avoir une scie à vapeur. Ma proposition d'utiliser le terrain pour y installer une scierie vient d'être agréée. Je vais avoir des percherons belges, ainsi qu'une forge et une sellerie. J'ai l'impression de vivre un rêve. Et ce, depuis votre arrivée parmi nous, Leo.

— Je n'y suis pour rien, Ludwig.

— Lorsque vous êtes arrivé, voilà six ans, l'endroit avait tout du désert. Nous étions des singes, Hammerschlag brandissait son fouet et nous faisait danser. Il s'en est passé, des choses, depuis lors !

À cet instant, on frappa un coup bref à la porte, le battant vola contre le mur et Hammerschlag entra. Pour la première fois depuis cinq ans, Kochlowsky et lui se retrouvaient face à face. Surpris, les deux hommes se figèrent, ne sachant quelle conduite adopter. Ursprung se dirigea vers la fenêtre et se mit à contempler la cour.

Leo rompit le silence.

— Bravo, Hammerschlag ! Vous avez appris à frapper avant d'entrer, à ce que je vois.

— Je ne savais pas que vous étiez là, gronda Hammerschlag en réponse.

— Je viens chercher mon oie de Noël.

— Chez Ursprung ?

— Les vôtres sont phtisiques.

— Monsieur Je-sais-tout ! Monsieur Je-sais-mieux-que-tout-le-monde ! (Hammerschlag respira à fond, cherchant de l'air. Il avait à peine changé, hormis ses cheveux devenus gris acier.

Mais cela lui seyait.) Alors... qu'en est-il de l'élevage ?

— Les arbres fruitiers nécessitent des soins intensifs et sont soumis aux aléas climatiques. Les vaches, elles, s'élèvent toutes seules, ou presque. Choisissez des bêtes polonaises, qui résistent bien aux intempéries.

— Plutôt crever !

— Libre à vous. N'empêche, je ferai le sacrifice de vingt marks pour vous offrir une belle couronne.

— Vous croyez-vous sorti de la cuisse de Jupiter ? Cela fait près de quarante ans que je suis dans l'agriculture...

— Et vous avez dormi les six ou sept dernières années. Le monde change, des prodiges dont on osait à peine rêver jadis deviennent des réalités de tous les jours... Mais chez le baron von Finck, on cultive encore des pommes de terre comme au temps de Frédéric le Grand ! Enfin, cela vous regarde ! Ludwig, allons choisir une oie.

Sans plus prêter attention à Hammerschlag, Leo passa devant lui et sortit. Ursprung le suivit, murmurant, légèrement embarrassé :

— Je vous demande juste un instant, monsieur Hammerschlag.

Sur le trajet du retour, dans un tournant du chemin forestier enneigé, Leo dut arrêter sa voiture. Une luge attelée d'un cheval lui barrait le passage. Emmitouflé dans une épaisse pelisse, Hammerschlag attendait Kochlowsky.

Leo s'approcha, le fouet à la main.

— Nous voilà seuls, dit Hammerschlag.

— Que préférez-vous ? Les poings ou le fouet ? Je n'ai pas de pistolet.

— Tu n'es qu'un âne, Leo ! Où puis-je trouver des vaches polonaises ?

Leo s'avança, ôta la toque de fourrure de la tête de Hammerschlag et lui en frappa par deux fois le visage. Les deux hommes, soudain, éclatèrent de rire.

– Comment allons-nous annoncer la nouvelle ? demanda Hammerschlag en remettant sa toque. Les gens vont en perdre la foi.

– Nous irons boire en frères à la taverne, dimanche prochain. Foin des questions.

Ainsi fut-il fait. Herzogswalde, un instant, y perdit son latin. Sophie elle-même fut plongée dans la perplexité.

Elle tenait le repas au chaud quand, à trois heures, elle aperçut une calèche qu'elle ne connaissait pas. Wanda et Jacky se ruèrent dans le jardin.

– Maman ! Maman ! cria aussitôt Wanda. Papa est fin soûl !

À grand-peine, Hammerschlag traîna un Leo titubant dans le salon et le laissa lourdement tomber sur le sofa. Sophie, décontenancée, regardait fixement les deux hommes.

– Vous... dit-elle, tendue. Que s'est-il passé ?

– Mais rien ! Juste une petite beuverie dominicale. Pardon, belle dame. Les hommes en ont parfois besoin.

– Avez-vous vu l'heure ?

– Non. Pourquoi ?

– Il est trois heures. Et Leo qui est ivre mort ! Mon beau déjeuner...

– Qu'aviez-vous préparé, charmante dame ?

– Du cochon de lait cuit dans la bière... et...

– Accepté ! Fantastique ! Apportez tout, je mangerai la part de Leo...

Le monde pouvait bien avoir changé – pour Sophie, il restait le même.

26

L'année suivante, le vieux médecin de Herzogswalde rendit visite à Leo Kochlowsky, accompagné d'un jeune homme bien bâti et plein d'allant.

Durant l'année écoulée, chacun avait senti les effets de l'amitié renouvelée entre Hammerschlag et Kochlowsky. La scierie d'Ursprung avait été construite, la briqueterie avait commencé la production de tuiles vernissées. On édifiait des étables sur le domaine du baron, on labourait les champs qu'on ensemençait d'herbe, on délimitait de vastes espaces par des clôtures. Un taureau et vingt vaches étaient arrivés par le train de Pologne. Le taureau s'était échappé et avait descendu la grand-rue en mugissant. Il s'était arrêté devant la quincaillerie, où il avait mangé un chapeau de paille. C'était Leo qui l'avait reconduit à la gare par son anneau et avait prêté main-forte à Hammerschlag pour le déchargement du bétail.

Cette année-là, le vieux médecin s'était courbé en deux, perclus de rhumatismes.

Il descendit à grand-peine de sa calèche et, s'appuyant contre son jeune compagnon, pénétra dans le bureau de Leo.

– Eh bien ? dit Leo, avançant une chaise. Quelqu'un serait-il malade ? Je ne suis pas au courant. C'est grave ?

– Oui. (Le vieux médecin s'assit en soupirant et désigna son compagnon.) Voici le Dr Kreutzer, qui va reprendre ma clientèle à partir du mois prochain. Je cesse mon activité.

– Soyez le bienvenu, docteur. (Leo et Kreutzer se serrèrent la main.) On peut enfin espérer ne plus être soigné comme au temps de Paracelse à Herzogswalde.

– Paracelse restera toujours un modèle. (Le Dr Kreutzer sourit. Les avertissements de son vieux confrère étaient justifiés. Il fallait prendre Kochlowsky tel qu'il était, sans se vexer.) On ne parle plus assez de lui, de nos jours.

– La présentation de mon jeune confrère n'est qu'un prétexte – ce qui explique pourquoi je suis venu vous voir à la briqueterie. (Le vieux médecin jeta un regard mauvais à Leo.) Est-ce vrai ce que l'on raconte ? Votre femme serait de nouveau enceinte ?

— Questionnez vos informateurs, docteur, répondit Leo d'un ton froid.

— Je pose la question à celui qui est le responsable, nom d'un chien ! Attend-elle oui ou non encore un enfant ?

— Oui.

— Que vous ai-je dit ?

— Un tas de choses. De la castration jusqu'au bordel, et j'en passe ! (Leo croisa les mains sous sa barbe.) Eh bien, que désirez-vous, messieurs ?

— J'aimerais que mon jeune confrère vous éclaire sur les risques de cette nouvelle naissance. Moi, vous ne me croyez pas, mais le Dr Kreutzer, lui, arrive ici au fait des connaissances médicales les plus récentes. Il a exercé à la clinique de Dresde et de Leipzig. S'il vient parmi nous, c'est uniquement parce qu'il a fait la connaissance à Dresde d'une jeune fille de Herzogswalde. (Le vieux médecin prit une longue inspiration.) Cette nouvelle grossesse est criminelle, voilà !

— Mieux vaudrait que vous quittiez mon bureau au plus vite, dit Leo d'une voix basse.

— En tant que médecin, je n'ai pas seulement le devoir de guérir les malades, mais également celui d'éviter des catastrophes médicalement prévisibles. La vie de votre femme est en danger, si l'enfant vient à terme.

— *Si ?* Mais encore ?

Le Dr Kreutzer toussota avant de dire, à contrecœur :

— Dans les cas de force majeure, lorsqu'il y va de la vie de la future mère, le médecin est fondé à pratiquer un avortement.

— Dehors ! s'écria Leo d'une voix sourde. Tout de suite !

— Votre femme ne survivra pas à la naissance.

— Sa vie est dans la main de Dieu, pas dans la vôtre.

– Ha ! Écoutez-le parler soudain de Dieu ! (Le vieux médecin se mit à trépigner.) Vous me décevez, Kochlowsky. Vous rejetez tout à coup la responsabilité sur quelqu'un qui n'y peut mais. Avez-vous changé à ce point ?

– À quoi bon vous dire que j'ai reçu un coup mortel quand Sophie m'a annoncé sa grossesse ? J'ai eu honte de moi... mais cela n'efface pas ce qui est fait. À présent, nous devons vivre avec.

– Pas vous. Votre femme. Vous allez encore traîner dans les jambes de tout le monde et vous lamenter. Et quand il n'y aura plus rien à faire, je parie que vous vous mettrez à prier... Le pauvre homme ! Il est brisé... Veuf avec quatre enfants... Bon Dieu, on devrait vous mettre au pilori et vous cracher au visage !

– En avez-vous terminé ? s'enquit Leo, l'œil menaçant.

Le Dr Kreutzer toussota de nouveau. La colère avait fait perdre le souffle à son vieux confrère.

– En l'occurrence, nous devrions vraiment aborder la question d'un avortement provoqué.

– Croyez-vous une minute que Sophie l'accepterait ?

– S'il y va de sa vie...

– C'est une héroïne ! Oui, une héroïne, bien plus grande que toutes celles des livres d'histoire. Cela fait huit ans qu'elle supporte de vivre à mes côtés.

– De l'héroïsme pur, en effet, l'interrompit le vieux médecin.

– Pourquoi les enfants et les vieillards ne savent-ils pas tenir leur langue ? (Leo lança au Dr Kreutzer un regard de défi.) Avez-vous l'intention, docteur, de dire à ma femme qu'elle doit renoncer à avoir son enfant ? Voulez-vous que je vous donne sa réponse ?

– Me permettez-vous d'examiner votre femme ?

– Et si je refuse ?

– Nous poserons la question à Mme Kochlowsky elle-même.

– Je vais vous surprendre – je ne refuse pas que vous l'examiniez... Vous entendrez ainsi de sa bouche son avis sur un avortement. Je lui tairai votre visite.

– Et si elle accepte l'avortement ?

– Alors, je m'inclinerai. Bonjour, messieurs.

Pendant quatre jours, Leo attendit que Sophie abordât le sujet. Le cinquième, alors qu'il s'asseyait à la table du dîner, Wanda à sa droite – la fillette avait aidé à apporter les plats, avait pelé les pommes de terre et épluché les légumes –, Leo Junior à sa gauche et, en face de lui, près de sa mère, grave et tranquille comme à son habitude, Jenny, Sophie dit, après la courte prière que récitait Wanda depuis quatre ans :

– J'ai reçu ce matin la visite des deux médecins. C'est un homme très gentil, ce Dr Kreutzer. Tu le connais ?

– Non.

– Ils m'ont examinée...

– C'est inouï ! Ils débarquent sans crier gare pour examiner les gens !

– Notre vieux médecin a peur.

– C'est la fin de tout ! Le vieux barbon va partout se plaignant de n'avoir plus que quelques gouttes...

– Leo, les enfants !

– Ils ne comprennent pas.

– Oh, mais si ! (Wanda se redressa avec fierté.) L'oncle docteur n'arrive plus à faire pipi !

– Au temps pour toi, Leo !

– Pourquoi ça ? Réjouissons-nous plutôt d'avoir une enfant aussi intelligente.

– Le vieux barbon a encore dit : « Chère madame, je n'en dors plus. » Puis on m'a renvoyée et ils ont fermé la porte de la chambre, s'écria Wanda, pleine de zèle.

– Qui ça ?

– Le vieux barbon...

Wanda reçut une gifle de force moyenne, ce

qui était une erreur, car en fin de compte elle était une vraie Kochlowsky. Elle ne hurla pas. Elle ravala sa colère, les lèvres serrées. Jenny, qui souriait, eut droit à un regard enflammé.

– Et ensuite ? demanda Leo, qui se mit à couper sa roulade au chou.

– Le Dr Kreutzer m'a auscultée à fond et m'a redonné courage.

– Que dis-tu ?

Leo en laissa tomber son couteau sur le bord de l'assiette.

– Il m'a dit : « Réjouissez-vous de la venue de cet enfant. Tout va bien. Et vous pouvez me joindre à tout moment du jour et de la nuit. » J'ai donc repris courage.

– Mon Dieu ! Avais-tu peur, mon trésor ?

Sophie opina et murmura :

– Une peur atroce... Je l'ai eue pour chacun des enfants. Une peur mortelle...

– Et... et tu ne m'en as jamais parlé ?

– À quoi bon, Leo ? Tu m'aurais répondu que des millions de femmes ont des enfants, que je ne suis pas la seule. Cela m'aurait-il consolée ?

– La cigogne va encore venir chez nous ! s'écria Jenny, qui battit des mains.

– Est-elle niaise, papa ! fit Wanda avec la sagesse de l'âge. On voit pourtant bien que le bon Dieu fait pousser la graine dans le ventre de maman.

Leo, troublé, avait l'appétit coupé. Elle a toujours eu peur... une peur mortelle... à chaque enfant... Et je ne l'ai jamais remarqué. Ils ont raison : je suis un monstre. Je n'ai pas mérité cet ange. Et je l'ai arrachée à son cocon, je l'ai entraînée dans l'inconnu, je l'ai forcée à enfanter quatre fois et elle n'a jamais dit un mot... par amour pour moi. Je ne la mérite pas ! Si les enfants n'étaient pas là, je tomberais à ses pieds. Je me dégoûte...

– Et maintenant... tu n'as plus peur ? demanda-t-il d'une voix sans timbre.

– Si... j'ai peur jusqu'à la fin. Une peur idiote. Mais je ne suis pas la seule... des millions de femmes, de par le monde...

Leo repoussa sa chaise et quitta la salle à manger. Il alla s'asseoir dans son fauteuil à oreilles du salon et posa le journal sur son visage. Et là, à l'abri du journal, des larmes silencieuses roulèrent sur ses joues.

Ce fut encore une fille, Sophie, ainsi baptisée à cause de la peur qui avait entouré sa naissance. Ce fut aussi l'accouchement le plus facile des quatre. Le Dr Kreutzer injecta à Sophie un nouveau produit qu'on avait testé à Leipzig et qui la rendit somnolente; ses muscles se décontractèrent, les contractions cessèrent de la terroriser et l'enfant naquit au bout de deux heures. Leo n'eut pas à faire acte de contrition.

Willibald Hammerschlag, qui était venu assister son ami Leo, déboucha une bouteille de cognac. Et tandis que la sage-femme s'occupait de la mère et de l'enfant, et que Sophie, épuisée mais au comble de la félicité, reposait dans ses oreillers, prêtant l'oreille aux doux vagissements du petit être nu, retentirent au salon les bredouillements d'une chanson entonnée par quatre hommes soulagés. Le vieux médecin, en effet, était venu, poussé par l'inquiétude, et il dit en portant le premier toast :

– Buvons à cette force mystérieuse qui anime l'homme quand il aime. Quant à vous, Kochlowsky, j'aimerais vous jeter mon verre au visage.

– Allez-y ! s'écria Leo en présentant sa tête. Aujourd'hui, je suis prêt à laper le cognac par terre... Ô ciel, quelle femme j'ai là !

– C'est ce qu'il dit toujours après. (Le vieux médecin fit un geste de dénégation.) Oubliez mes paroles, mes amis. Portons un toast à la mère et à l'enfant !

28

À l'automne 1896 – un mercredi, pour être précis – Leo, qui se rendait au pavillon du garde, fit un détour par chez lui pour boire une bière.

Il arriva par l'arrière de la maison et laissa son dog-cart à la porte du jardin. À peine avait-il fait cinq pas qu'il se figea, la bouche ouverte sur un cri.

Le cri s'étrangla dans sa gorge.

Sur la prairie devant l'écurie, Reckhardt trottait en décrivant un cercle... et sur son dos, montant à cru, se tenait Wanda, Leo criant de joie assis devant elle. Reckhardt, conscient de sa responsabilité, allait avec prudence. Soudain, il eut un mouvement de surprise, huma le vent et s'immobilisa.

– Continue ! cria Wanda d'une voix claire. Recki, au trot !

– Ho ! rugit Leo, marchant à larges foulées. Ne bouge pas, Wanda ! Es-tu devenue folle ?

Reckhardt se remit lentement en mouvement et alla s'arrêter près d'un banc. Wanda descendit de son dos et tira son frère près d'elle. Apparemment, ce n'était pas la première fois qu'elle le faisait.

Leo les rejoignit, hors d'haleine, et pressa contre lui Leo qui s'était mis à pleurer. Il regarda tour à tour sa fille et son merveilleux cheval. Reckhardt agitait les oreilles, les naseaux dressés.

– Depuis quand fais-tu ça ? demanda Leo d'une voix caverneuse. (Son épouvante se transformait en amertume.) Depuis quand ?

– Depuis longtemps, papa.

– Avec Leo ?

– Toute seule, au début.

– Tu es montée comme ça, sans selle ?

– Je suis allée voir Reckhardt à l'écurie et je lui ai dit : « Recki, viens avec moi au jardin. Et prends garde. Papa a dit que seul un Kochlowsky pouvait te monter. Je suis Wanda Kochlowsky, je peux donc te monter aussi... »

– Et ensuite ? demanda Leo, qui regarda Reckhardt.

– Je l'ai mené près du banc et j'ai grimpé sur son dos.

– Et alors ?

– Nous avons marché en cercle, papa.

– Et Leo ?

– Je l'ai emmené plus tard. J'ai dit à Recki : « C'est Leo Kochlowsky, lui aussi a le droit de te monter. » Et Recki a henni comme pour dire oui.

Wanda se pencha et flatta la croupe de Reckhardt. Elle reçut une claque sur la main. Effrayée, interdite, Wanda regarda son père. Au lieu de la féliciter, il la battait... Elle qui était si fière de monter Recki...

– Où est ta mère ? s'enquit Leo d'un ton dur.

– Elle est partie faire des courses à Herzogswalde.

– Elle n'était jamais à la maison quand tu montais Reckhardt ?

– Jamais.

– Elle ne sait rien ?

– Rien de rien, papa.

– Et toi, petit démon, tu as mis l'occasion à profit pour... pour...

Il chercha son souffle, submergé par la fureur. Il posa Leo sur le banc et, traînant Wanda sur la prairie, se mit à la frapper. La fillette se laissa tomber à terre et, la tête cachée dans ses bras, se roula en boule comme un hérisson.

– Lève-toi ! gronda Leo.

Comme elle ne bougeait pas, il se pencha pour la relever. À cet instant, il sentit une présence dans son dos. Vif comme l'éclair, il se retourna et se retrouva face à Reckhardt. Une lueur meurtrière dansait dans les yeux bruns du cheval.

– Charogne ! grinça Leo. Traître ! Tu n'es qu'un minable canasson, une crotte ! Fous le camp, salaud !

Il enfonça son poing entre les yeux de Reckhardt. Le cheval releva la tête et frappa de plein fouet Leo au menton. Kochlowsky chancela en arrière, saisi, et ouvrit la bouche pour abreuver le hongre d'injures. Mais Reckhardt le frappa encore de la tête et le traîna contre la porte de l'écurie. Une fois, deux fois, trois fois, il cogna son front contre le front de l'homme pétrifié. Ce ne fut que lorsque Leo s'écroula, la bouche et le nez en sang, que le cheval poussa un bref hennissement et rentra dans sa stalle.

Une heure plus tard, Sophie était de retour.

Dans le jardin, au pied du mur de l'écurie, Leo gisait sur le dos, le visage ensanglanté. Wanda, assise près de lui, un mouchoir sanglant à la main, semblait paralysée. Non loin, le petit Leo jouait dans le sable. Le spectacle était navrant.

– Papa respire encore, annonça tranquillement Wanda. Je crois, maman, qu'il avait l'intention de me tuer.

L'hôpital le plus proche était celui de Tharandt.

Le Dr Kreutzer avait examiné et lavé Kochlowsky, lui avait bandé la tête et fait quelques piqûres. Leo, toujours dans le coma, respirait avec difficulté.

– Cela ne me plaît pas du tout, dit le médecin, circonspect, à Sophie qui tenait la main de Leo. Il a une commotion cérébrale. Mais je redoute aussi une fracture... Le cheval a dû le frapper avec une force inouïe. J'emmène votre mari à l'hôpital.

– Va-t-il s'en tirer, docteur ? demanda Sophie d'une petite voix d'enfant. Soyez franc...

– La respiration n'est pas mauvaise...

– Mais la fracture du crâne...

– Nous ne pouvons qu'attendre.

– Je vous accompagne. Je veux être avec lui.

– Mais vos enfants ?

– Trois voisines se relaieront pour s'occuper d'eux.

– Et le bébé ?

– J'emmène Sophie. (Elle se pencha sur Leo et lui baisa le front.) Je ne le laisserai pas seul.

– Comment cela a-t-il pu arriver ? Reckhardt, son cheval bien-aimé...

– Je l'ignore.

Sophie repensa aux paroles de Wanda : « Papa n'était plus papa. Il avait l'air d'un spectre. » Si ce que racontait Wanda était vrai, un Kochlowsky allait mourir à cause d'un Kochlowsky. Incompréhensible destin !

– Que va-t-on faire du cheval ?

– Il ira dans l'écurie du baron.

L'ambulance était un véhicule très bien suspendu, attelé d'un cheval vigoureux et pourvu d'un épais matelas ainsi que d'un banc. On porta Leo avec précaution sur le matelas et on l'enveloppa d'une couverture.

La voiture allait lentement pour éviter les cahots. Le trajet était très long. Leo gémit à deux ou trois reprises, remua, mais ne reprit pas connaissance.

Le Dr Kreutzer ne cessait de lui prendre le pouls, d'écouter son cœur et d'observer sa respiration. Sophie, assise sur le banc, les mains jointes, pria pendant presque tout le voyage. De temps en temps, elle se penchait sur Leo, caressait sa tête bandée et mouillait de salive le bout de ses doigts pour lui humidifier les lèvres.

Hammerschlag les suivait dans sa voiture, Sophie emmaillotée dans une corbeille près de lui. On ignorait encore que Reckhardt s'était échappé lorsqu'on avait voulu l'emmener chez le baron et qu'il s'était enfui au galop en direction de la forêt après avoir piétiné deux valets.

– À quoi pensez-vous, docteur ? demanda soudain Sophie.

– À ce qu'il sera s'il s'en tire.

– Mon mari ne sera jamais plus comme avant ?

– Il faut s'attendre à des séquelles et à des troubles persistants. (Le Dr Kreutzer posa la main sur le bras de Sophie.) Le cerveau et le cœur sont encore des choses sacrées en médecine. Mais tout cela ne va pas tarder à changer. Voilà deux ans, un certain Röntgen a découvert de mystérieux rayons grâce auxquels on peut regarder dans le corps.

– C'est une fable, docteur !

– Mais non. On peut voir, sur une espèce d'image en verre dépoli, tous les os, toutes les parties solides du corps, les poumons, le cœur. Je ne puis vous l'expliquer, je n'ai fait que lire des articles sur le sujet, mais, dans quelques années, le corps humain sera aussi transparent que du verre pour les médecins. Nous assisterons à une explosion de la science médicale, à une révolution de la thérapie et du diagnostic. Imaginez-vous : nous pourrions exposer votre mari à ces rayons X, ainsi qu'on les appelle, et voir si la boîte crânienne est fracturée, s'il y a un hématome, si des éclats ont pénétré dans le cerveau... et nous pourrions alors intervenir en toute connaissance de cause.

– Ce sera un monde nouveau, murmura Sophie, qui se pencha sur Leo. Mais il viendra trop tard pour mon mari...

À l'hôpital, il n'y avait aucun lit de libre. On finit par trouver une place dans une buanderie, une pièce sans fenêtres qui sentait le moisi, où l'on poussa un lit.

– Aucune importance, dit le médecin-chef, avec le cynisme des cliniciens. Avec sa blessure à la tête, il doit rester dans la pénombre... On peut laisser la porte entrouverte.

Durant quatre jours, Leo fut entre la vie et la mort. On lui fit des compresses froides, des piqûres pour soutenir le cœur ainsi qu'une saignée, afin de faire baisser la pression artérielle. On guetta l'apparition de la fièvre – si elle survenait, on pourrait s'en remettre à Dieu.

Mais Leo n'eut pas de fièvre. Le cinquième jour, il ouvrit les yeux, ne discerna qu'une pâle obscurité alentour et, surgi de la pénombre, telle la tête d'un ange, un petit visage blême qui se penchait sur lui, encadré de longues boucles dorées.

– Que... que se passe-t-il ? fit-il avec difficulté, d'une voix à peine audible. Je suis si fatigué... Mon trésor... me suis-je encore enivré avec Hammerschlag ?

– Non, Leo. (Sophie posa ses mains fraîches sur ses joues et sourit.) Reste tranquille, ne t'agite pas...

– Pourquoi fait-il si sombre ?

– Il le faut. Ta tête...

– Suis-je tombé ? J'étais ivre à ce point ? Mon Dieu, Hammerschlag a une de ces descentes !

Son visage se tordit en une manière de sourire, et il retomba dans un profond sommeil.

– Je crois que le voilà tiré d'affaire, dit ensuite le médecin-chef lorsqu'il contrôla les réflexes de Leo et eut terminé tous ses autres examens. Sa vigoureuse constitution va l'aider à se remettre sur pied. À nous d'être patients.

Le dixième jour, Leo fut autorisé à se lever et à faire quelques pas. Il s'assit ensuite, épuisé et couvert de sueur, sur le bord de son lit, sa main étreignant celle de Sophie.

– Et Reckhardt ? demanda-t-il pour la première fois.

Sophie, sans répondre, tapota les oreillers. Leo, troublé, considéra son dos étroit.

– On l'a emmené chez le baron ?

– Non, Leo.

– Dieu merci ! Il va bien ?

– Oui...

– Qui s'occupe de lui ? Hammerschlag ?

– Non... le bon Dieu.

– Quoi ?

– Recouche-toi, Leo. Tu ne dois pas t'agiter. (Elle l'obligea à s'étendre avec une douce fermeté, rabattit le drap sur lui et lui prit les mains. Elles tremblaient légèrement. Le tremblement était constant et le médecin pensait qu'il persisterait à vie.) Je vais te raconter... Reckhardt s'est suicidé...

29

Un événement incroyable pour qui ne l'avait vu de ses yeux était survenu dans le bois de Herzogswalde.

Après que Reckhardt se fut enfui, une colonne de vingt hommes partit à sa recherche sous la conduite d'Ursprung.

– Surtout, ne le blessez pas, avait insisté le baron. C'est un démon, certes, mais justement... Encerclez-le, tendez des filets et attrapez-le. Chacun de vous recevra dix marks d'or.

Il fallut deux jours à la troupe pour découvrir Reckhardt. Le cheval se trouvait dans une région de collines et son instinct semblait le pousser droit vers la forêt de Tharandt. Il y serait en sécurité, d'autant qu'il y existait assez de coins impraticables pour qu'on ne pût l'y retrouver. Il pourrait y mener une existence libre et sauvage jusqu'à la fin de ses jours.

Mais on le repéra alors qu'il courait sur le chemin de la liberté. Reckhardt sentit le danger, leva la tête et considéra les cavaliers qui avaient surgi entre deux collines.

– Le voilà ! s'exclama Ursprung. Nous devons l'encercler comme un chevreuil ou une truie sauvage. Six hommes vont se déployer en cercle et lui couper la retraite. Trois hommes le prendront par les flancs. Les autres resteront avec moi et attendront qu'il s'approche. Il n'a pas d'autre issue.

– Il va tenter une percée, dit le premier écuyer du baron, un ancien maréchal des logis de cavalerie. Tel que je connais cette rosse, il va foncer droit sur tout ce qui se mettra en travers de sa route.

– Nous avons des filets et des cordes.

– Il va tout ficher en l'air.

– Dois-je l'attirer avec des morceaux de sucre, peut-être ? cria Ursprung, furieux. Qui a une autre proposition ?

– Pourchassons-le jusqu'à ce qu'il tombe d'épuisement.

– Eh bien, nous pourrons attendre longtemps ! Nos chevaux auront crevé avant. (Ursprung secoua la tête.) Non, il faut l'attraper à la façon des cow-boys.

– Si on y arrive, je t'offre un tonneau de bière ! (Le premier écuyer tapa contre le pommeau de sa selle.) Mais trêve de bavardages ! Ah ! Il nous a vus. Le voilà qui détale. En avant ! Le coin n'est pas suffisamment dégagé... il faut le pousser en terrain plat.

Reckhardt avait pris le trot, tête dressée, une image de beauté puissante, en direction de la forêt qui se dressait devant lui tel un mur vert. Il avait toujours le bridon que lui avait passé Wanda et avait encore le goût du sang de son maître qui lui avait barbouillé les naseaux.

Les deux jours précédents, il avait trotté à travers la région, triste et la tête basse, sans manger, reniflant l'herbe çà et là. Il sentait de plus en plus fortement qu'il ne reverrait jamais son maître et qu'il lui fallait désormais trouver un endroit où passer seul le reste de ses jours.

Aussi avait-il poursuivi sa route, guidé par un mystérieux instinct qui lui parlait de grands espaces et de forêt, de sécurité et de nourriture, mais surtout de liberté, de solitude, d'une existence paisible.

Mais voilà que les hommes qu'il détestait voulaient l'attraper, l'enfermer dans une écurie, le soumettre.

Il se retourna encore, remarqua que la colonne se remettait en route et se déployait en éventail. Il piaffa de rage, banda ses muscles superbes et partit au galop en direction du mur de verdure, à l'horizon.

– Il détale ! cria Ursprung, éperonnant son cheval. Je vous le dis, c'est un cheval remarquablement intelligent. Il sait ce qui l'attend ! Il ne doit pas s'échapper dans la forêt de Tharandt... Là-bas, nos filets ne serviraient plus à rien... En avant !

À larges foulées, le cheval approchait de la forêt salvatrice, la queue à l'horizontale, tête et cou projetés en avant, tous ses muscles en action – une vision de toute beauté ! Ses sabots résonnaient à travers le paysage vallonné et les bouquets d'arbres épars, la forêt se rapprochait. Dans un hennissement de triomphe, le cheval continuait sa course vers la liberté.

Derrière lui, la cavalcade avait serré les rangs. Des coups de feu tirés en l'air retentirent. Le cheval dressa les oreilles, gonfla les naseaux et se prépara à franchir tout obstacle qui se dresserait devant lui.

Reckhardt atteignit l'orée de la forêt et se trouva confronté au premier obstacle. Effrayée par les coups de feu, une calèche s'était arrêtée sur le chemin forestier.

Un curiste de la ville voisine de Hartha avait loué le véhicule avec son cocher sous le prétexte de faire une excursion dans la forêt de Tharandt. En réalité, il se rendait à Hernndorf, où était sise l'auberge *Adler,* un restaurant renommé pour l'excellence de sa cuisine et une carte des vins qui faisait rêver. Les curistes de Hartha et de Tharandt, soumis à un régime strict, se faisaient occasionnellement conduire en secret à Hernndorf pour s'y livrer à une orgie gastronomique. Ils y rencontraient une foule de connaissances de leur propre établissement de cure ou d'ailleurs. Mais le secret de ces fugues coupables était bien gardé.

Le conseiller de commerce Wilhelmsen appartenait à cette conjuration de pécheurs. Alors qu'il se délectait déjà du bon vin qu'il allait boire, il sursauta soudain au bruit de la fusillade proche. Le cocher arrêta aussitôt la calèche et leva le nez, tel un chevreuil qui prend le vent.

– On chasse, à cette époque ? demanda Wilhelmsen, irrité. Et cela se rapproche. C'est inouï !

– On dirait une chasse à courre...

– Avec des fusils ? (Wilhelmsen rentra la tête dans les épaules.) Filons, cocher ! Faites demi-tour.

Il n'en était plus temps. Un grand cheval de toute beauté surgit devant eux hors des buissons, soufflant, en sueur. L'animal avança sa tête et, ne pouvant reculer, s'enleva du sol d'un bond puissant.

– À plat ventre ! hurla le cocher, qui voulut descendre de son siège.

Trop tard. Deux sabots accrochèrent ses épaules et le firent tournoyer dans les airs. L'homme, dans un cri strident, les bras en croix, retomba sur Wilhelmsen avec un bruit sec.

L'effleurement fut fatal à Reckhardt; son saut au-dessus de la calèche fut plus court qu'il ne l'avait prévu. Le cheval, incertain, retomba sur le sol derrière la calèche, se fracturant la jambe antérieure gauche dans un horrible craquement. La douleur irradia à travers tout son corps jusqu'à son cerveau.

Poussant un hennissement proche du cri, Reckhardt tenta de poursuivre sa course. La douleur le cloua sur place, tremblant de tous ses membres et la jambe pendante. Les cris et les coups de feu de ses poursuivants ne cessaient de se rapprocher.

Tandis que le cocher, inconscient, gisait sur Wilhelmsen qui appelait à l'aide, Reckhardt boitilla en direction de la forêt avec l'énergie du désespoir, certain de sa défaite.

Une crevasse pas très large, creusée par un ruisseau au fil des siècles, lui barrait la route. Tout autour, des pins se dressaient, si proches les uns des autres qu'aucune voiture ne pouvait s'y frayer un chemin. La pente de la crevasse était assez abrupte, recouverte de racines, et on ne pouvait la franchir qu'avec des jambes solides.

Reckhardt tourna sa belle tête et écouta. Ses flancs couverts de sueur tremblaient, la salive lui sortait en filaments épais de la bouche. Les hommes qui le traquaient étaient tout proches. Il les entendit parler au passager de la calèche puis les vit s'avancer prudemment, dix cavaliers en ligne, armés de filets et de cordes. Le halètement de leurs chevaux couvrait tout autre bruit, y compris son hennissement contenu et plein de douleur.

– Le voilà ! cria Ursprung d'une voix rauque. Mon Dieu, quel gaillard ! Pourquoi ne fuit-il pas ? Que mijote-t-il ? Prudence, messieurs. Regardez ses yeux ! Il nous prépare quelque tour à sa façon...

Le beau cheval baissa la tête, considéra les profondeurs de l'abîme et pensa une dernière fois à son maître, le seul homme qu'il avait aimé jusqu'à la naissance de Wanda puis du petit Leo. Enfin, il leva la tête et respira à fond.

– Déployez les filets ! cria le premier écuyer du baron. Il ne peut aller plus loin. C'est une crevasse ! Nous le tenons ! Nous le tenons !

À cet instant, Reckhardt bondit dans les airs. Bouche bée, les doigts crispés dans la crinière de son cheval, Ursprung vit le superbe hongre se retourner au-dessus de l'abîme, tomber dos le premier dans les profondeurs et s'écraser en contrebas dans un craquement sourd. Le cheval roula sur le flanc et demeura immobile, la tête formant un angle inhabituel.

– Que signifie ? bégaya le premier écuyer, fixant l'abîme. Ce n'est pas possible.

– Il s'est brisé le cou. Il s'est suicidé ! (Ursprung essuya son visage trempé de sueur.) Personne ne voudra nous croire ! Mon Dieu, quel cheval ! On devrait graver son nom dans la pierre...

Il joignit les mains, mais ne pria pas – ce n'était qu'un cheval, en somme. Mais il était content que les choses se fussent passées ainsi.

30

Leo Kochlowsky pleura toute la journée. Il n'y avait pas moyen de le calmer et Sophie, de guerre lasse, finit par y renoncer.

Dans la soirée, Leo, apathique au fond de son lit, regardait fixement le plafond, les mains tremblant plus fort que jamais.

Ce soir-là, Willibald Hammerschlag lui rendit visite. Il revenait de Dresde, porteur d'une bonne nouvelle.

Le médecin-chef de l'hôpital de Tharandt avait affirmé que Leo se remettrait, mais n'avait osé se prononcer sur d'éventuels dommages causés au cerveau. Le tremblement permanent dans les mains et le tressaillement des paupières ne présageaient rien de bon.

– Quel âge a votre mari ? avait-il demandé à Sophie. Quarante-trois ans ? C'est un peu jeune pour se retirer de la vie active. Ici, nous ne pouvons assurer que des soins courants. Il faudrait l'envoyer dans une clinique spécialisée.

– Où vous voudrez, pourvu qu'il recouvre la santé. Il lui faut les meilleurs spécialistes, avait déclaré Sophie en joignant les mains.

– Naturellement. (Le médecin avait regardé par-delà les cheveux blonds défaits et déglutí à plusieurs reprises. Une femme-enfant, avait-il pensé, fragile comme de la porcelaine... Et elle a quatre petits... quatre enfants et un mari qui ne mènera peut-être jamais plus une vie normale.) Mais cela va vous coûter les yeux de la tête, madame Kochlowsky. Et on ne peut prévoir la durée du traitement.

– Je travaillerai dans la clinique où on placera Leo. Aux cuisines. Je suis cuisinière. Je rembourserai ainsi le traitement.

– Je doute que cela suffise. Les spécialistes sont chers, et les maisons spécialisées tout autant.

– Le baron von Finck nous aidera. J'écrirai au prince de Pless, à la princesse de Schaumburg-Lippe, au comte Douglas... Je mendierai à toutes les portes pour Leo. Tous nous apporteront leur aide.

– Vous connaissez tous ces grands seigneurs ? s'étonna le médecin.

– Oui. La princesse de Schaumburg-Lippe m'appelle sa petite nièce.

– Ah ! Y a-t-il un lien de parenté entre vous ?

– Je ne vois pas comment. J'étais demoiselle de cuisine chez la princesse. (Sophie jeta un regard implorant au médecin.) Trouvez à Leo le meilleur spécialiste qui soit. Nous paierons ce qu'il faudra.

Une discussion analogue se déroula entre Hammerschlag et le médecin. Toutefois, ce dernier fut plus explicite.

– Eh bien, dit-il gravement, le problème financier semble réglé pour l'instant... mais ensuite ? On ne peut prévoir la durée du traitement, monsieur Hammerschlag. Ces grands seigneurs seront-ils disposés à payer pendant des mois, des années peut-être ?

– Je ne puis parler au nom de Pless et de Schaumburg-Lippe, déclara Hammerschlag d'un ton ferme. Mais je sais que le baron von Finck le fera... et moi de même.

– Vous ?

– Je gagne bien ma vie, je suis célibataire et n'ai nulle intention de me lancer dans une périlleuse aventure conjugale. Je n'ai pas d'héritiers, je ne puis manger plus de deux côtelettes par repas et je suis ivre après deux bouteilles de vin. Alors, à quoi me servirait l'argent que je gagne ? Je ne suis pas stupide au point de le dépenser pour des femmes. Leo peut compter sur moi.

– C'est une belle amitié, remarqua le médecin, ému.

– Non. (Hammerschlag secoua la tête.) Nous aimerions bien nous défoncer le crâne.

– Alors, pourquoi faites-vous cela pour M. Kochlowsky ?

– Sa mère s'appelait Emma... mais c'est une longue histoire, docteur. Indiquez-moi quelques grands spécialistes qui pourraient soigner Leo.

Et c'est ainsi que Hammerschlag était revenu de Dresde porteur d'une bonne nouvelle : Leo pourrait y être transféré dès que les médecins de Tharandt le jugeraient en état de supporter le voyage.

– Un endroit chic, confia Hammerschlag à Sophie. (Il avala une rasade de genièvre à même sa flasque de poche.) Et aussi cher que chic. Une grande villa avec des annexes, un vaste parc tout autour, des sœurs en robe bleu ciel et bonnet de dentelle, des chambres qui ressemblent à des salons, un spectacle chaque semaine – concerts, quartettes, orchestres de chambre, jusqu'à des chanteurs célèbres de l'Opéra de Dresde, conférences, soirées de déclamation... Et les médecins eux-mêmes semblent tout droit sortis d'un livre d'images. Le médecin-chef est un drôle de personnage. J'arrive dans son bureau, il se lève, vient à ma rencontre et me dit : « Bienvenue, baron Lebkowitz ! » Je lui réponds : « Vous faites erreur, docteur, je m'appelle Willibald Hammerschlag. » Il m'adresse un regard radieux et déclare : « Je sais, votre incognito... mais nous sommes entre nous, baron. » Il m'a fallu dix bonnes minutes pour le convaincre que je m'appelais vraiment Hammerschlag, de Herzogswalde. Mais ensuite, nous nous sommes entendus à merveille. En vérité, Sophie, Leo sera entre les meilleures mains. *Le Cerf blanc* est une clinique connue dans le monde entier. Seul le nom du médecin-chef me déplaît.

– Pourquoi ça ?

Sophie leva sur Hammerschlag des yeux emplis de crainte.

– C'est la clinique privée du Dr Kirchhoff... Les deux *f* ne changent rien à l'affaire... Kirchhof[1] reste Kirchhof... Leo va hurler.

– Leo ne hurlera plus jamais, dit doucement Sophie. Ô mon Dieu, s'il pouvait hurler comme avant ! Mais il reste assis, à fixer le vide, sans prononcer un mot. Il n'insulte même pas les sœurs. (Sophie lança un regard interrogateur à Hammerschlag.) Combien cela coûte-t-il ?

– C'est secondaire, éluda Hammerschlag.

– Pas pour moi. Puis-je travailler aux cuisines ?

– Travailler ? (Hammerschlag frappa ses genoux de son poing.) Vous n'y songez pas ? Vous êtes la femme de Leo. Son séjour sera payé ponctuellement. Qu'il s'appelle Leo Kochlowsky ou baron Lebkowitz. Travailler aux cuisines ! Quelle ineptie ! D'où vient l'argent ne regarde personne. On paie et basta !

– Mais les enfants et moi devons bien vivre...

– Dieu du ciel, quelle idée ! Laissez-nous nous en occuper.

---

1. *Kirchhof* : cimetière (*N.d.É.*).

– Non, je refuse qu'on me fasse des cadeaux. Je ne veux pas vivre de la charité. Je peux travailler. (Les yeux de Sophie étincelèrent de fureur.) C'est moi et personne d'autre qui nourrirai mes enfants !

– Calmez-vous... (Hammerschlag entoura de son bras les frêles épaules de Sophie.) Toutes ces questions se régleront. L'essentiel, c'est que nous ayons un spécialiste mondialement réputé pour Leo.

Huit jours plus tard, on transporta Leo à Dresde, à la clinique du *Cerf blanc*. Sophie était restée à Herzogswalde la semaine précédente. Elle avait placé ses trois aînés chez des voisins, parlé au baron von Finck – qui lui avait accordé son entier soutien – et se disposait à accompagner Leo à Dresde avec la petite Sophie. Jacky serait confié à Hammerschlag, à portée de vue de Wanda, qui habiterait chez les Bleicher, les parents d'une amie de sa classe. Mais Wanda voulait venir à Dresde.

– Je peux aller à l'école à Dresde ! cria-t-elle, lorsque Sophie aborda le problème de sa scolarité.

– Et où dormiras-tu ?

– Sur un divan, près de papa. Ils peuvent bien mettre un divan dans la chambre, non ? S'ils sont aussi chic que tu le dis, ils ont bien un divan...

– Une vraie Kochlowsky ! grommela Hammerschlag. (Il attira Wanda contre lui.) Je ne me fais pas de souci pour la perpétuation de l'esprit Kochlowsky...

On finit par dissuader Wanda de venir.

– Je ne serai absente qu'une semaine, ma chérie, dit Sophie pour l'apaiser. Juste le temps de voir comment ton père s'habitue. Tu sais comment il est...

Mais Leo Kochlowsky n'était plus le même homme. S'il dit à Sophie, à son retour à Tharandt : « Erna, la sœur avec un grain de beauté sur la joue, eh bien, c'est une truie », il ne le dit pas à l'intéressée, comme il l'eût fait autrefois. Il se laissait faire avec patience, supportant sans broncher les auscultations, les piqûres, les électrochocs, les séances de rééducation, mais le soir, il s'asseyait sur son lit et fixait ses mains tremblantes.

Je ne pourrai plus jamais tenir un porte-plume, conduire un cheval, pensait-il. Je ne suis plus bon à rien avec des mains comme ça... je serais même incapable de caresser une femme. J'ai quatre enfants, je dois les nourrir. Que puis-je faire sans mes mains ?

Le médecin-chef donnait à Leo des réponses vagues. « Patience », « Ça va revenir », « A trop attendre un miracle, on l'empêche d'avoir lieu », des phrases stupides auxquelles Leo répondait par un « Crétin ! » bien senti... mais quand le médecin-chef avait tourné les talons.

Pour transporter Leo à Dresde, on hésita entre une ambulance ou le train. Finalement, on opta pour le train, qui était plus rapide. De la gare de Dresde, on louerait une voiture pour se rendre au *Cerf blanc,* sis à l'extérieur de la ville.

Hammerschlag, bien sûr, accompagna les Kochlowsky. On avait réservé un compartiment et tiré les rideaux devant les portières. Le contrôleur salua Leo avec respect – un homme qui louait un compartiment n'était pas n'importe qui – et ne les dérangea plus. La petite Sophie dormait dans un couffin que portait Hammerschlag, comme si c'était lui le père.

Lorsque le train eut dépassé Freital, Leo dit soudain :

– Vous me transportez comme un animal dangereux destiné à aller dans un zoo...

– Nous pouvons te ramener à Herzogswalde et te laisser dans un coin jusqu'à ce que tu te ratatines, répliqua Hammerschlag sans y mettre de forme. Que préfères-tu ?

– Peut-on encore quelque chose pour moi ?

– Si ce n'était le cas, nous ne dépenserions pas une fortune.

– Le baron... toi...

– Moi ? Rien. Ton salaire continue à t'être versé. En outre, tu es assuré. Le baron a fait assurer tous ses employés.

– Je l'ignorais.

– Eh bien, tu le sais, à présent ! Nul besoin non plus de le claironner partout. (Hammerschlag mentait avec un art consommé.) Dors un peu, Leo...

Leo opina, chercha en tâtonnant la main de Sophie, l'étreignit de ses doigts tremblants. Il appuya sa tête au dossier et ferma les yeux.

– Que c'est bon de t'avoir près de moi ! J'ai de nouveau parlé au médecin, mon trésor. Tout rentrera dans l'ordre d'ici à quelques semaines. Encore plus vite si tu es près de moi et si cet abominable Hammerschlag disparaît de ma vue.

– Il va vraiment mieux. (Hammerschlag se frotta les mains.) Quand il jettera le médecin-chef hors de sa chambre, nous pourrons le ramener à la maison.

Le soir, ils arrivèrent au *Cerf blanc*. Une jeune et jolie religieuse, l'air d'une poupée avec son bonnet de dentelle, les accueillit. Peu après, un infirmier les conduisit à la chambre 14, une pièce claire pourvue d'une grande fenêtre donnant sur le parc. Son aménagement, en effet, était celui d'un salon. Seul le lit détonnait. Et Hammerschlag remarqua sans le dire que ni la porte ni la fenêtre n'avaient de poignée. Une cage dorée...

– Eh bien, dit Leo en s'asseyant dans un des profonds fauteuils, je n'ai jamais encore habité un endroit aussi luxueux. Il faut devenir infirme pour être gâté ainsi.

Sophie se retint à grand-peine pour ne pas éclater en sanglots. Elle s'occupa de défaire les bagages et fut reconnaissante à Hammerschlag de faire la conversation à Leo.

– Conduis-toi bien, lui recommandait-il. Si le médecin-chef vient… il est petit et gros, mais ce n'est pas une raison pour le traiter avec mépris.

– Crétin !

– S'il y a quelqu'un qui peut te guérir, c'est lui.

– Même le tremblement de mes mains ? murmura Leo.

– Même ça. Mais ne sois pas impatient. Il faut du temps. Et du temps, tu en as.

– Qui va me succéder à la briqueterie ?

– Jusqu'à ton retour, le chef comptable Kieselbach.

– Ce nigaud ? Ô Dieu ! Envoie-moi chaque semaine un rapport détaillé, tu m'entends ? Un rapport honnête… sinon, tu pourras déménager à mon retour.

– Je t'écrirai tout par le menu, Leo.

La petite Sophie se mit à pleurer dans son couffin. Leo alla la prendre et la promena dans la chambre, la pressant contre lui et lui parlant tout bas.

C'est ainsi que le vit le Dr Kirchhoff lorsqu'il vint saluer son nouveau patient. Il était effectivement petit et rond comme une bille.

– Kirchhoff, se présenta-t-il. (Il fit une petite révérence, baisa la main de Sophie, fit un signe de tête à l'adresse de Hammerschlag et reporta son regard sur Leo.) La chambre a-t-elle l'agrément de M. le conseiller de commerce ?

– M. le conseiller de commerce est très satisfait, intervint promptement Hammerschlag. Une belle chambre.

– Mais enfin ! (Leo remit Sophie dans son couffin et prit une longue inspiration.) Aurais-je atterri à la Société théâtrale ?

Le Dr Kirchhoff eut un sourire suave et adressa un clin d'œil à Hammerschlag. Il avait dans son établissement des malades dont l'état était plus critique.

– Quel journal M. le conseiller de commerce

veut-il lire ? On le lui apportera tous les matins.

– Je ne suis pas conseiller de commerce !

– Bien sûr que non. Quel journal ?

– *La Gazette des éleveurs porcins de Haute-Silésie.*

C'était la première fois depuis plus de trois semaines que Leo criait. Sophie en joignit les mains de joie et le visage de Hammerschlag se mit à luire comme après deux bouteilles de vin. L'éclat parut naturel au Dr Kirchhoff; il l'ignora avec gentillesse.

– Très bien ! *La Gazette de Dresde*, donc, répliqua-t-il aimablement. Nous nous reverrons pour la consultation dans une demi-heure. Mes hommages, madame la conseillère de commerce.

Il refit sa petite révérence pleine d'allant et quitta la chambre après avoir ouvert la porte sans poignée avec une clé spéciale. Leo fulminait.

– C'est un fou ! dit-il.

– C'est le chef de la clinique, Leo...

À présent, Hammerschlag avait fort envie d'un schnaps. Sa flasque, hélas, était vide depuis belle lurette.

– Et c'est là qu'on va me guérir ? Sophie, refais ma valise ! Nous retournons à Herzogswalde. Dépêchez-vous, je vous prie, madame la conseillère de commerce...

– Leo... (Sophie leva les mains, mais Leo secoua farouchement la tête.) Ici, tu es le conseiller de commerce Kochlowsky.

– Qui ça ?

– Crois-tu qu'ils auraient donné une chambre au directeur de la briqueterie Kochlowsky ? Ils ont une longue liste d'attente. Ce n'est que parce que le baron a téléphoné en personne – oui, la clinique est équipée de ce nouvel appareil téléphonique – et t'a présenté comme son ami le conseiller de commerce Kochlowsky qu'ils t'ont trouvé une chambre.

– Ah, c'est ainsi...

– Oui.

– Dans ce cas, ils peuvent tous aller se faire foutre ! S'il faut déjà être conseiller de commerce pour avoir de l'importance à leurs yeux... Je vais lui faire voir, moi, à cette petite boule !

Leo dévida tout un chapelet de menaces jusqu'à ce qu'une des jolies religieuses vînt le chercher pour la consultation.

– Leo, le pressa Sophie, les larmes aux yeux. Leo, pense à nous, à ta famille. Ne va pas tout gâcher...

Leo opina, jeta un coup d'œil sur la poitrine de la sœur qu'il suivit sans un mot.

La porte refermée sur lui, Hammerschlag respira à fond.

– Ne vous inquiétez pas, dit-il à Sophie qui allait et venait nerveusement dans la chambre. Et quand bien même il se montrerait grossier, ici on lui pardonnera tout.

– Je me demande si c'est la clinique qu'il faut à Leo. (Sophie alla à la fenêtre et regarda le parc qu'assombrissait la nuit.) Il n'est pas fou !

– Mais c'est aussi une clinique spécialisée en neurologie. On y pratique des opérations du cerveau. Attendons le diagnostic du Dr Kirchhoff. Nous pouvons ramener Leo à n'importe quel moment chez vous.

Sophie acquiesça et vint s'asseoir près de la petite Sophie.

Lorsqu'on ramena Leo, elle bondit sur ses pieds et Hammerschlag se hâta vers son ami.

– Comment ça s'est passé, Leo ? s'écria Sophie. (Si elle avait regardé la sœur, elle aurait eu la réponse. Hammerschlag, qui le fit, déglutit nerveusement.) Mon chéri, qu'a dit le médecin-chef ?

– Pas grand-chose. (Leo se laissa tomber dans un fauteuil.) Lorsqu'il m'a demandé si Bismarck était un homme d'État ou un hareng, j'ai jeté sa lampe contre le mur. Dès lors, ses questions se sont faites un peu moins stupides. Et quand je lui ai déclaré que tu avais confectionné pour Bismarck le plus succulent potage aux lentilles qui soit au château de Pless, il m'a félicité et dit textuellement : « Vous avez vraiment la meilleure femme du monde ! » Cela m'a radouci. Tu es la meilleure femme du monde.

Lorsque Sophie et Hammerschlag quittèrent la clinique – Hammerschlag avait réservé deux chambres dans un petit hôtel –, ils revirent le Dr Kirchhoff.

– Je suis navrée que mon mari ait cassé votre lampe, dit Sophie, honteuse. Il va de soi que nous la remplacerons.

– Bah, quelle importance, chère madame ! (Le Dr Kirchhoff souriait suavement. De tels incidents apparaissaient discrètement sur la note sous la rubrique « Prestations spéciales ».) C'est notre pain quotidien. Autant que je puisse en juger pour l'instant, vous êtes fondée à espérer retrouver votre mari guéri. Mes hommages, madame la conseillère de commerce.

– Quand allons-nous le lui dire ? demanda Sophie dans le fiacre qui les emmenait vers l'hôtel.

– Dire quoi à qui ?

– Au médecin-chef... que je ne suis pas conseillère de commerce...

– Jamais.

– Mais c'est très mal !

– Ce petit mensonge va énormément aider Leo. Et quand le comte de Hardenfeld lui rendra visite...

– Qui ça ?

– Peter Helms, l'écuyer du baron. Croyez-moi, il fait plus comte qu'un vrai...

– Willibald, vous êtes un homme impossible !

– En effet. Et le comte de Hemmingen rendra lui aussi visite à Leo.

– Votre comptable, hein ?

– Non. Le deuxième écuyer du baron. Le Dr Kirchhoff fera tout son possible pour renvoyer dans ses foyers l'influent conseiller de commerce Kochlowsky guéri.

– Croyez-vous en sa guérison ?

– Si nous n'y croyions pas, Sophie, nous ramènerions Leo sur-le-champ à Herzogswalde. Il faut être patients.

Sophie acquiesça et posa sa tête lasse sur l'épaule de son compagnon. Elle ne tarda pas à s'endormir.

Hammerschlag, assis très raide sur la banquette, entre les deux Sophie endormies, se sentit indiciblement heureux.

Leo Kochlowsky demeura trois mois à la clinique du *Cerf blanc.*

À Herzogswalde, la vie suivait son cours. Sophie avait retrouvé ses enfants, le comptable Kieselbach dirigeait la briqueterie, Hammerschlag envoyait un rapport hebdomadaire à Leo qui répondait par retour du courrier pour donner ses instructions. Wanda et Jenny eurent la permission de rendre deux fois visite à leur père.

Leo semblait en pleine forme, la barbe méticuleusement taillée, les cheveux noirs bien ordonnés et séparés par une raie au cordeau. Il portait ses costumes en tissu anglais, ses bottines vernies – un vrai conseiller de commerce. Au bout d'une semaine, il avait renoncé à convaincre le Dr Kirchhoff et l'ensemble du personnel qu'il n'était pas conseiller de commerce – on se contentait de sourire et on continuait de l'appeler ainsi. Il avait un excellent contact avec les jolies religieuses, au point que deux d'entre elles demandèrent à ne plus s'occuper de lui.

– M. le conseiller de commerce essaie toujours de nous pincer n'importe où, expliquèrent-elles, honteuses.

Le Dr Kirchhoff leur fit promettre de tenir leur langue et attribua à Kochlowsky une sœur âgée et bougonne. Elle ne tarda pas à venir le voir, mortifiée, pour se plaindre que M. le conseiller de commerce l'appelait « vieille chouette » et pis encore.

Au bout d'un mois, Leo s'en fut à Berlin en compagnie d'un jeune médecin. Le célèbre hôpital de la Charité venait d'être doté d'un des nouveaux appareils radiographiques. On s'aperçut qu'un épanchement sanguin avait durci et formé un kyste de la grosseur d'une noisette.

Le Dr Kirchhoff tint conseil avec ses assistants. La Faculté conclut qu'une opération n'était pas nécessaire. Les risques induits étaient plus grands que l'hématome.

Leo n'avait aucun contact avec les autres patients. Il allait se promener seul dans le parc et évitait les autres malades depuis qu'une dame distinguée s'était plantée devant lui et lui avait demandé, après l'avoir examiné de la tête aux pieds :

— N'êtes-vous pas Charlemagne ?

— Non, avait-il rétorqué. Je suis Pépin le Bref.

— Espèce de cochon ! s'était écriée la dame.

Et de tomber dans les plates-bandes privée de ses sens.

Depuis lors, Leo fréquentait les coins isolés du parc. C'est là qu'il alla se promener avec Wanda et Jenny lorsqu'elles vinrent le voir, tandis que Sophie s'entretenait avec la mère supérieure.

— Il n'y a que des fous, ici ? interrogea Wanda.

Assis sur un banc peint en blanc près d'une haie d'ifs, ils avaient vue sur la grande allée du parc. Jenny ne disait mot.

— Presque. Qui te l'a dit ?

— Oncle Willibald.

— Il doit le savoir.

— Et pourquoi dois-tu rester ici ? Es-tu fou, toi aussi, papa ?

— On ne le sait jamais soi-même. Tout le monde a un grain.

— Moi aussi, papa ?

– C'est sûr.

– Et maman ?

– Aussi... sinon, elle ne m'aurait pas épousé.

– Qui est le plus fou, papa ?

– Le médecin-chef. Mais ne le répète à personne.

Cependant, au moment du départ, Wanda dit au Dr Kirchhoff :

– Vous avez un drôle de gros grain !

Comment une enfant si petite pouvait-elle proférer pareille remarque ? Kirchhoff réfléchit longuement au problème. Même l'éducation des enfants du conseiller de commerce ne semblait pas parfaite.

À la fin de la troisième semaine, Eugen débarqua au *Cerf blanc* à l'improviste.

– Mon petit frère ! s'écria-t-il. Eh bien, on en raconte de belles, sur ton compte.

– Ma sœur ! (Leo courut à la porte.) Sortez-moi cet homme ! À moins qu'il ne fasse partie du traitement de choc ?

Eugen s'assit en gémissant et enfonça sa canne dans le ventre de son frère.

– On n'en a rien su à Pless. Rien de rien. Il a fallu que je vienne frapper à ta porte pour que Sophie me mette au courant. J'ai effectué une rotation sur mon axe et me suis dépêché de venir. Puis-je t'aider ?

– Oui, en disparaissant immédiatement. (Leo scruta son frère.) Es-tu conseiller de commerce, toi aussi ?

– Non, directeur dramatique du théâtre de Breslau. Spécialiste en littérature. Hammerschlag et moi nous sommes mis d'accord. Leo, si tu as des problèmes... financiers, je gagne très bien ma vie, à présent, mes livres se vendent comme des petits pains, j'ai réussi...

– Mes économies suffisent pour le moment. Encore quelques semaines, au plus, et je reprends le travail. Regarde mes mains... elles tremblent à peine. (Il tendit les bras; le tremblement n'était guère plus qu'un frémissement. Eugen opina bravement.) Qu'est-ce qui t'a jeté hors de Pless ?

– Je vais à Radebeul.

– Pour quoi faire ?

– Rendre une visite à mon éminent confrère Karl May. Il s'est fait bâtir une grande villa à Radebeul, qu'il a appelée la « Villa Schatterhand ». Je veux lui serrer la main.

– Karl May ? Jamais entendu parler. Il écrit des romans comme toi ?

– Comment le connaîtrais-tu alors que tu ne connais même pas les romans de ton frère !

– Ce serait une punition sans nom.

– Le monde n'est pas fait que de cuiseurs de briques, répliqua Eugen avec aigreur. Le temps viendra où chaque Allemand aura lu un livre de Karl May.

– Et un d'Eugen Kochlowsky.

– Ce serait trop beau.

– Le monde s'abêtit. (Leo s'assit en face d'Eugen.) Et que dit-on de moi, dehors ?

– Rien.

– Mensonge ! Pour eux, je n'existe plus, je suis devenu l'infirme. Ils ont fermé la porte sur moi, et je suis assis derrière... comme ici, une porte sans poignée. Me tiennent-ils pour faible d'esprit ? On me traite ici comme un oiseau rare. Je crois que si je chiais contre le mur, ils applaudiraient !

– Évidemment, puisque aussi bien M. le conseiller de commerce paierait la nouvelle couche de peinture.

– Eugen... (Leo se pencha légèrement en avant) ...sois franc, pour une fois, dis-moi la vérité. Suis-je fou ?

– Non.

– Que suis-je, alors ?

– Un monstre.

– Ah, tu me rassures ! (Leo se radossa.) Reckhardt m'a joliment amoché, mais je me sens mieux de jour en jour. Même mes mains ne tremblent plus autant. Je me sens capable de déraciner un arbre.

– Commence déjà par t'entraîner avec l'herbe.

– Quand je te vois, sac de graisse, je me fais l'effet d'être un athlète. Comment s'appelle ton nouveau livre ?

– *Un regard fidèle.*

– Ah, crotte que tu es ! Et on lit ça ?

– On le dévore.

– À la place de Karl May, je te ferais tuer à la porte de chez moi. Cela le rendrait vraiment immortel. Quand repars-tu ?

– Tôt demain matin. Mais ce soir, nous allons d'abord aller dîner. J'ai obtenu la permission du médecin-chef. Nous irons au petit village italien, au bord de l'Elbe. Nous y ferons bombance jusqu'à ce qu'aucun de nous ne puisse plus piper mot. D'accord, frérot ?

Ce fut une soirée fort paisible. Eugen ne ramena son frère que vers minuit à la clinique. Leo était gris, ce qui apparut quand il dit à la sœur de nuit :

– Ne me regarde pas avec ces yeux stupides ! Si tu as quelque chose à me dire, viens me rejoindre au lit...

La petite sœur rit et le suivit des yeux en hochant la tête.

Lorsque Leo s'éveilla le lendemain matin, son frère Eugen était déjà en route pour Radebeul afin de rendre visite à son éminent confrère Karl May.

Le baron von Finck paya intégralement les frais de la clinique de Dresde et Hammerschlag envoya l'argent avec, pour expéditeur : *Secrétariat privé du conseiller de commerce Kochlowsky*. La somme était astronomique, surtout en ce qui avait trait aux « Prestations spéciales ». Le seul examen radiographique de Berlin eût englouti deux mois du salaire de Hammerschlag.

– Je vais travailler pour rembourser le baron, dit Sophie, résolue. Et si le séjour dure encore un an...

Le séjour de Leo à la clinique de Dresde ne dura pas un an. À la fin du troisième mois, Leo avait fini son temps. Non que le Dr Kirchhoff eût renvoyé dans ses pénates le riche conseiller de commerce guéri ou, du moins, en meilleure santé; ce fut plutôt que, par un beau jour d'automne ensoleillé, Leo passa sa veste et alla se promener dans le parc. Il emprunta des chemins solitaires, parvint à une porte dissimulée derrière de hauts buissons, ouvrit la serrure avec un clou tordu et quitta la clinique.

À larges foulées, il descendit jusqu'à l'Elbe, qu'il traversa, et demanda à un policier l'adresse d'un mont-de-piété. Il pénétra dans la boutique et mit sa veste au clou. Il s'acheta un billet de chemin de fer pour Herzogswalde. Il était déjà dans le train quand on entreprit au *Cerf blanc* une vaste action de recherche.

Personne n'y comprenait rien. Le conseiller de commerce n'était pas sorti par l'entrée principale – il y avait un gardien en permanence –, pas plus que par la petite porte du jardin – elle était bien verrouillée. Le patient se cachait donc dans la clinique. Avec la plus grande discrétion possible, on se mit à fouiller chaque recoin. Et les recoins ne manquaient pas dans une maison aussi vaste...

Tard dans la soirée, Leo descendit à Herzogswalde. Le chef de gare ouvrit grande la bouche et se couvrit de transpiration.

– Monsieur... monsieur Kochlowsky... balbutia-t-il. Vous revoilà ?

– Non. Je suis un fantôme.

– Bienvenue ! C'est vous, assurément ! s'écria l'homme avec allégresse. C'est tellement inespéré ! Je fais atteler tout de suite un fiacre.

– Je veux un cheval.

– Pardon ?

– Un cheval, espèce de crétin ! Je veux rentrer chez moi à cheval.

– Comme ça, comme vous êtes ? Dans votre beau costume ?

– Je peux ôter mon pantalon et monter cul nu ! Un cheval, nom de Dieu !

Vingt minutes plus tard, Leo chevauchait en direction de sa maison. Le cheval haletait et râlait... ce n'était pas un cheval de monte, on l'attelait au fiacre, et il était mortifié que quelqu'un fût assis sur son dos. Il accepta tout juste un trot léger.

La maison était plongée dans les ténèbres. Leo conduisit le cheval dans l'ancienne écurie de Reckhardt, le dessella et l'installa dans la stalle. Plein de nostalgie, Leo considéra les lieux. Tout était encore en l'état, comme si Reckhardt allait rentrer. On sentait même son odeur. Et à sa place, il y avait cette haridelle, avec sa tête pendante et ses flancs tremblants... C'était une profanation.

Leo ressortit dans le jardin et entendit Jacky japper dans la maison. Une lampe à pétrole s'alluma, et la lumière se promena le long des fenêtres, très bas – ce devait être Wanda qui la tenait.

Soudain, la voix de Sophie résonna, pleine de bravoure, cette voix tant aimée :

– Il y a quelqu'un ? Approchez ! J'ai un fusil dans les mains. Je n'hésiterai pas à faire feu !

– Et je vais lâcher Jacky ! cria la voix un peu grêle de Wanda. En garde, Jacky !

Elle n'a pas de fusil, évidemment, pensa Leo. Elle n'en a jamais eu. Mais on le croirait, à sa voix. Si j'étais un malfaiteur, j'y réfléchirais à deux fois... Ma brave petite femme ! Il n'en est pas de meilleure au monde...

Il continua sa progression, ombre chinoise contre le pâle ciel nocturne, et pénétra dans la cour.

Un éclair jaillit de la fenêtre, suivi d'un claquement, et une balle passa en sifflant près de la tête de Leo, avant d'aller se perdre dans les ténèbres. Leo fit un bond de côté et se jeta à terre. Il était temps – un deuxième coup retentissait à travers le jardin. Aplati contre le sol, Leo gisait dans son petit carré de choux.

Jacky se précipita, hurlant de fureur, et bondit sur l'homme à terre. Il arrêta son bond, s'aplatit, renifla et se mit à aboyer sur un tout autre registre. C'était un jappement plein d'une joie formidable. Il se jeta sur Leo, le lécha, sautilla autour de lui et poussa des cris jusqu'alors inouïs chez un chien. On eût dit des pleurs déchirants.

– Jacky, mon chéri ! balbutia Leo. Oui, oui, c'est bien moi ! Jacky ! Ô mon petit ! Mon sale clébard ! Ma femme a vraiment un fusil ! Ma femme a failli tuer ton petit maître ! Va la voir... Cours, cours... Dis-lui qui est dans les choux. Si je lève la tête, elle va encore tirer. Cours, Jacky...

Le spitz le comprit-il ? Le fait est qu'il cessa de le lécher et de sauter, et retourna comme une flèche à la maison, où il disparut derrière la porte ouverte en une fente. Il fut bientôt de retour, suivi de quelqu'un. De la maison, s'éleva la voix désespérée de Sophie, déformée par la peur :

– Wanda ! Reviens ! Tu es folle ! Reviens ! Wanda...

La lampe à pétrole vacilla dans l'encadrement de la porte, éclairant à peine une silhouette fragile en chemise de nuit et les cheveux dénoués.

Leo se redressa prudemment sur les genoux, attrapa Jacky qui bondissait autour de lui et dit à la petite silhouette qui s'approchait :

– Enfin, Wanda, ma chérie... pourquoi vouliez-vous me tuer ?

Comme s'il était on ne peut plus naturel que son père fût couché en pleine nuit au milieu d'un carré de choux, Wanda considéra Leo, la tête penchée. Enfin, elle cria vers la maison d'une voix claire :

– Pose ton fusil, maman... ce n'est que papa.

Au seuil de la porte, la lampe se brisa dans un grand fracas sur le sol.

On télégraphia le lendemain matin à la clinique pour dire que M. le conseiller de commerce était chez lui et que son secrétariat privé demandait la note.

Hammerschlag transmit le télégramme, ramena le cheval à la gare et passa voir Leo. Celui-ci était au lit et lisait le journal. Il avait pris un copieux petit déjeuner.

Hammerschlag s'assit sur le bord du lit.

— De tout ce que tu as pu faire jusqu'à présent, c'est le clou ! dit-il.

— J'en suis fier, grommela Leo.

— Et que comptes-tu faire, à présent ?

— Reprendre la briqueterie en main.

— À condition que les médecins te le permettent.

— J'en ai plein le dos, des médecins. Ils peuvent tous aller se faire voir ! Je suis en bonne santé... malgré eux. Aussi souvent que je l'ai pu, j'ai fait le contraire de ce qu'ils me prescrivaient. J'ai jeté pilules et comprimés par la fenêtre ou je les ai enterrés lors de mes promenades dans le parc. Et les suppositoires... (Leo eut un sourire rusé)... à peine mis, hop ! dans les chiottes ! Et que disent ces crétins ? « Remarquable ! Ne voyez-vous pas comme les médicaments font bon effet ? À présent, nous avons la situation en main. » Si j'avais tout avalé, je serais devenu débile. Je me sens bien comme trente-six cochons. L'expression est bien de Goethe ?

— Ou de son frère. (Hammerschlag secoua la tête.) Qu'allons-nous faire de toi ?

— Me laisser travailler en paix.

— Il faut d'abord que tu en convainques le baron.

— Quand il me verra lundi prochain dans mon bureau, il sera convaincu.

– Pour l'heure, c'est Kieselbach qui l'occupe.

– Nul n'aura jamais franchi une porte aussi vite que lui ! (Leo replia son journal. Sophie entra et haussa les épaules. Ce que veut Leo, il l'obtient.) C'est toi qui as donné un fusil à Sophie ?

– Oui. Toute seule dans cette maison isolée... Je ne pouvais pas venir habiter ici, marmonna Hammerschlag.

– Pourquoi ?

– Le drame qui se serait ensuivi ! Tu es plus jaloux qu'Othello. Je viens vivre avec Sophie... il y aurait eu un meurtre !

Leo, sans répondre mot, s'appuya contre les oreillers et fixa le plafond.

– Que serait-il arrivé si Reckhardt m'avait tué ? J'y ai beaucoup réfléchi. Je laissais dans le dénuement une femme et quatre enfants en bas âge. Mes économies ont fondu, je n'ai pas encore réussi à avoir une maison à moi, je n'avais qu'un cheval magnifique... Et cinq personnes qui me sont chères seraient devenues des mendiants. Voilà ce que j'aurais laissé, et c'est pour en arriver là que j'ai travaillé près de vingt-cinq ans ? Le tiers de la vie d'un homme ! N'est-ce pas écœurant ?

– J'aurais placé les enfants, dit Sophie, qui lui caressa la main. Je serais retournée travailler aux cuisines de Bückeburg. On nous garde toujours une place, là-bas.

– Et les enfants auraient dit plus tard : « Notre père n'avait rien, hormis une grande gueule... »

– Comme c'est vrai ! l'interrompit Hammerschlag.

– Eh bien, les choses vont changer ! Ces trois mois ont peut-être été nécessaires. Nous apprenons parfois les dures leçons du destin. Il va falloir changer beaucoup de choses.

– Qu'as-tu en tête, Leo ?

De l'inquiétude perçait dans la voix de Sophie.

– J'ai pensé à Eugen. C'est un songe-creux, il a l'esprit tellement fêlé qu'on implorerait Dieu de le prendre en pitié... Mais il a fait fortune, il a réussi. Et quand bien même ce ne sont que des romans qu'on lit comme on suce des bonbons, il laisse quelque chose, il va se faire bâtir une villa à Pless et un mausolée pour abriter les restes de sa grosse panse...

– Vas-tu te mettre à écrire ? demanda Hammerschlag, épouvanté.

– Foutaises ! Je veux être mon propre maître.

– Et comment ?

– Je vais créer une fabrique de faïence. Assiettes, tasses, cruches, plats, vases, brocs, vaisselle... Tout ce qu'on peut fabriquer à partir de l'argile et du kaolin. Du vase de nuit au poêle décoratif...

– Et où ça ?

– Ici, à Herzogswalde. En coopération avec la briqueterie. Je vais intéresser le baron à ma fabrique.

– Il en sera certainement très honoré, répliqua Hammerschlag, sarcastique. Et où prendras-tu le capital de départ ?

– Le baron me le prêtera.

Hammerschlag hocha la tête et jeta un regard désespéré à Sophie.

– Les voilà, les séquelles ! Il veut tout bonnement aller trouver le baron et lui dire : « Monsieur le baron, il me faut un capital. Je veux créer une fabrique d'articles de faïence. Et vous aurez même le droit d'être mon associé. »

– On ne peut pas discuter, avec vous ! Tant de stupidité me fend le cœur ! (Leo donna un coup de poing dans les côtes de Hammerschlag.) Sapristi, n'avais-je pas raison, pour l'arboriculture ? Est-ce que l'élevage n'est pas une meilleure idée ? L'âge industriel est à nos portes. Les gens veulent manger davantage et mieux, ils veulent habiter de plus belles maisons, vivre plus agréablement. Il faut le prévoir, crétin ! Et se trouver là – chacun à la place où il est compétent.

Leo dut attendre trois semaines avant de parler

312

au baron, offensé par sa fuite de la clinique de Dresde. Que von Finck l'eût laissé faire antichambre deux heures témoignait de sa fureur.

— Ah ! dit-il lorsque Leo entra dans la bibliothèque. Voici notre monte-en-l'air...

— Je n'ai pas sauté le mur... Je suis passé par la porte du jardin.

— Elle était fermée.

— Avec un zeste d'adresse et un clou tordu, on peut l'ouvrir et la refermer.

— Comme un voleur !

— C'est l'inverse, monsieur le baron... J'étais un évadé.

— Que voulez-vous ?

— De l'argent.

— Rien que ça !

— Beaucoup d'argent. Je veux créer ma propre fabrique. Les Faïences Finck & Kochlowsky.

— Je suis sensible à l'honneur que vous me faites en citant mon nom en premier.

— Cela dit, Kochlowsky & Finck sonnerait mieux.

Le baron s'appuya contre le dossier de son grand fauteuil sculpté et examina Kochlowsky. On peut s'habituer à lui, pensa-t-il. Son terrible accident m'a vraiment touché. Il peut bien être l'homme le plus grossier du monde, une chose est sûre : il est honnête jusqu'au trognon. Je devrais être heureux d'avoir Kochlowsky et Hammerschlag à mes côtés.

— Combien de capital possédez-vous, Leo ?

— Un capital inestimable, monsieur le baron.

— Mais encore ?

Le baron haussa les sourcils.

— Ma tête et mes mains. Mes idées et ma volonté.

— Et en argent ?

— Pas un radis. Mais vous, vous en avez.

— Je dois donc vous installer une fabrique puis devenir votre associé ?

– À cinquante pour cent.

– C'est vraiment très généreux...

– Je vous prie de considérer les cinquante pour cent restants comme un crédit que je vous verse.

– On n'a jamais fait pareille offre à quiconque, Kochlowsky !

– Aussi bien personne n'a jamais eu de Kochlowsky comme partenaire. (Leo avança sa serviette et regarda le baron avec espoir.) Puis-je montrer à monsieur le baron mes plans ainsi que les estimations ? Au cours des années à venir, nous allons vivre une véritable explosion industrielle... il ne faut pas rater le coche.

La discussion dura cinq heures. Cinq heures durant lesquelles la vie de Kochlowsky et de sa famille changea radicalement. Un rien épuisé, von Finck referma les dossiers au bout de ces cinq heures.

– Si tout se passe comme vous l'avez projeté sur le papier... mes félicitations, Leo ! Un grand avenir vous attend. Je m'inquiète seulement pour votre santé.

– Moi pas. Le travail est mon meilleur remède. Rester au lit à avaler des drogues ne fait que me rendre plus malade. Je me sens foutrement bien... pardon, monsieur le baron !

– Et pourtant, vous êtes malade, Leo.

– Mais non ! Pourquoi ça ?

– Avant, vous ne vous seriez pas excusé. (Le baron se leva et vint tendre la main à Leo.) Tope là, Leo ! Nous ferons cette fabrique de faïence. (Il serra la main de Leo puis dit solennellement :) À notre collaboration, monsieur l'industriel...

Au retour, Leo fit un crochet par Herzogswalde et s'arrêta chez le commerçant Overmann.

– Je voudrais une bouteille de champagne ! Du champagne français.

– Nous n'en avons pas. (Overmann lança un regard navré à son client.) Qui donc boit du champagne français à Herzogswalde ?

– Moi.

– Mais personne ne le savait...

– Qu'avez-vous à me proposer ?

– Des vins rouges, des vins blancs, du porto, du sherry, du madère, des liqueurs, du cognac et même du whisky... tout ce que vous souhaitez !

– On boit tout cela, à Herzogswalde, mais pas du champagne ? Ah, les incultes soiffards ! (Leo parcourut la vitrine du regard.) Qu'est-ce que c'est ? On dirait une bouteille de champagne.

– C'est du mousseux. (Overmann prit la bouteille.) Du Rhin. Ça ressemble au champagne, ça a le goût du champagne, ça pétille comme du champagne, mais on n'a pas le droit de l'appeler de ce nom. C'est pourquoi il s'appelle mousseux. Vous ne connaissez pas ?

– Non.

– Eh bien, des soiffards incultes, il y en a d'autres ! déclara Overmann avec courage.

Leo sursauta, fixa le commerçant et se mit à rire à gorge déployée. Il avait bien changé, en effet...

– Donnez-moi votre mousseux. Combien de bouteilles avez-vous ?

– Encore dix.

– Marché conclu ! Mais s'il n'est pas bon, je vous envoie les bouchons dans le derrière...

Ce soir-là, Leo se livra à de mystérieux préparatifs. Il allait et venait dans le jardin, on entendait grincer la pompe, l'eau jaillir avec bruit dans une cuvette de fer-blanc. Lorsque Sophie parut à la porte de la cour pour voir ce qui se passait, Leo tendit le bras et ordonna :

– Reste à la maison ! Allez, file ! Et en vitesse ! Ce n'est pas une affaire de femme...

Qu'eût bien pu faire une femme, en effet, de deux bouteilles de mousseux qui reposaient dans une cuvette de fer-blanc et devaient être rafraîchies dans les règles ? Leo ne pouvait les mettre dans la glacière de la cuisine, la surprise eût fait long feu.

Le dîner se déroula comme à l'accoutumée...

Autour de la table avaient pris place Wanda, Jenny, le petit Leo dans sa chaise haute, et, à côté, Sophie était couchée dans un moïse. Leo présidait, tel un patriarche, et sa petite femme trottait de la cuisine à la salle à manger, de la salle à manger à la cuisine, apportait les plats, desservait, avalait une bouchée à la hâte et repartait.

Après le gâteau au chocolat, cependant, Leo se leva brusquement de table et disparut dans le jardin. Il s'enferma ensuite dans la cuisine, où Sophie avait ordre de ne plus pénétrer, puis revint, un verre plein de mousseux dans chaque main. Il s'arrêta à la porte et les leva.

— Que vois-tu devant toi, mon trésor ? cria-t-il. Wanda, tais-toi ! C'est maman qui doit répondre...

— Un dépensier. Du champagne... et nous sommes criblés de dettes ! (Sophie hocha la tête.) Tu es impossible, Leo.

— Et encore ? (Leo baissa les mains.) Que vois-tu d'autre ?

— Un homme incompréhensiblement gai.

— Continue...

— Mon époux bien-aimé... C'est ça que tu voulais entendre, avoue !

— Continue...

Leo, dans sa chaise, se mit à pleurer.

— Un père qui fait peur à ses enfants...

— Continue...

— Le reste n'est plus pour des oreilles enfantines.

— Quelle femme dévergondée ! (Leo poussa un cri d'allégresse qui fit même sursauter Wanda. La petite Sophie, à son tour, se mit à pleurer dans son moïse. Jenny, tranquille comme à son habitude, contemplait la scène de ses grands yeux bruns.) Tu vois devant toi Leo Kochlowsky, des Faïences Finck & Kochlowsky. De la vaisselle jusqu'au pot de chambre artistique... tous les besoins seront satisfaits.

— Leo ! (Sophie dénoua son tablier; son cœur s'emballa.) Tu as réussi ? C'est vrai ? Tu as...

– Vous ignorez encore ce qu'est un Kochlowsky. Mon trésor, ton verre... Portons un toast
à notre avenir.

Ils trinquèrent et Leo donna un baiser à Sophie.

– Et moi ? demanda calmement Wanda de la
table. Je n'ai pas de verre ? Je suis assez grande,
pourtant...

Tard dans la nuit, Leo et Sophie buvaient la
deuxième bouteille à la faible lumière de la lampe.

– Les choses eussent pu être différentes, bégaya
Leo. Si Reckhardt m'avait tué...

– N'y pense plus, Leo !

– Que serait-il resté de moi ? Le souvenir d'un
homme irritable, d'un homme avec qui on ne
peut s'entendre, un monstre... Et tu le supportes...

– Parce que je t'aime.

– Ce qui demeurera à jamais une énigme.

– Si tu étais mort, je n'aurais cessé de me dire :
C'était souvent dur de vivre à ses côtés... et
pourtant, la vie était belle !

– La vie est belle, Sophie, et elle va être belle !
(Il entoura de son bras les frêles épaules de Sophie
et attira la tête de la jeune femme contre lui.)
Pardonne-moi pour tout ce que je t'ai fait endurer.
J'ai l'intention de devenir un autre homme.

– Serment d'ivrogne !

– Je le jure !

– Dieu, pardonne-lui, dit Sophie dans un sourire. N'écoute pas ce serment. Que ferais-je d'un
autre Leo Kochlowsky auquel il me faudrait
d'abord m'habituer ?... Laisse-le tel qu'il est !

Romans sentimentaux

Depuis les ouvrages de Delly, publiés au début du siècle, la littérature sentimentale a conquis un large public. Elle a pour auteur vedette chez J'ai lu la célèbre romancière anglaise Barbara Cartland, la Dame en rose, qui a écrit près de 300 romans du genre. A ses côtés, J'ai lu présente des auteurs spécialisés dans le roman historique, Anne et Serge Golon avec la série des Angélique, Juliette Benzoni, des écrivains américains qui savent faire revivre toute la violence de leur pays (Kathleen Woodiwiss, Rosemary Rogers, Janet Dailey), ou des auteurs de récits contemporains qui mettent à nu le coeur et ses passions, tels que Theresa Charles ou Marie-Anne Desmarest.

BEARN Myriam et Gaston de   *L'or de Brice Bartrès*   2514/4★
BENZONI Juliette   *Marianne, une étoile pour Napoléon*
           601/4★ & 602/4★

CARTLAND Barbara

Amour secret	898/2★
Les seigneurs de la côte	920/2★
Le secret de Sylvina	1032/2★
Un amour imprévu	1538/2★
L'ingénue criminelle	1553/2★
La fiancée pour rire	1554/2★
Prise au piège	2082/2★
L'amour retrouvé	2130/2★
Loin de l'amour	2243/2★
Un coeur triomphant	2384/2★
La perfection de l'amour	2401/2★
La rivière de l'amour	2418/2★
L'ombre du péché	2428/2★
L'irrésistible charme d'Helga	2429/2★
La magie de l'amour	2446/2★
Le jardin de l'amour	2447/2★
De l'enfer au paradis	2464/2★
Dans les bras de l'amour	2465/2★
Un été indien	2479/2★
L'amour se joue des sortilèges	2480/2★
Le château du bonheur	2515/2★
La trahison diabolique	2516/2★
A la découverte du paradis	2631/2★
Le secret surpris	2532/2★ Inédit
Duel pour l'amour	2547/2★ Inédit
Princesse rebelle	2567/2★ Inédit
La demoiselle en détresse	2568/2★
Au secours, mon amour	2588/2★
Le prince russe	2589/2★ Inédit
Un mariage improvisé	2605/2★
La déesse de l'amour	2606/2★